Du même auteur

Villeneuve, Claude, 1983, *Des animaux malades de l'homme?*, Québec, Québec science éditeur, 345 pages.

Villeneuve, Claude, 1983, *L'environnement québécois, équilibre et qualité de vie*, ministère de l'Éducation du Québec, Direction des cours par correspondance.

Villeneuve, Claude, 1989, *L'environnement québécois, comprendre pour agir*, ministère de l'Éducation du Québec, Direction des cours par correspondance.

Villeneuve, Claude et Rodier, Léon, 1990, *Vers un réchauffement global?, L'effet de serre expliqué*, Québec, Éditions MultiMondes et Environnement Jeunesse, 1990, 144 pages.

Villeneuve, Claude, 1995, *Le fleuve aux grandes eaux*, Montréal, Éditions Québec-Amérique (traduit et publié en japonais en 2003), illustré par Frédéric Back, 117 pages.

Villeneuve, Claude, *Eau secours!*, 1996, Québec, Éditions MultiMondes, et Environnement Jeunesse, 152 pages.

Villeneuve, Claude, 1998, *Qui a peur de l'an 2000?*, UNESCO et Québec, Éditions MultiMondes, 328 pages.

Villeneuve, Claude et François Richard, 2001, *Vivre les changements climatiques. L'effet de serre expliqué*, Québec, Éditions MultiMondes, 320 pages.

Villeneuve, Claude et François Richard, 2005, *Vivre les changements climatiques. Quoi de neuf ?*, Québec, Éditions MultiMondes, 420 pages.

Villeneuve, Claude et Francois Richard, 2007, *Vivre les changements climatiques. Réagir pour l'avenir*, Québec, Éditions MultiMondes (traduit et publié en italien en 2008), 484 pages.

Villeneuve, Claude (dir.), 2012, *La gouvernance du développement durable dans la Francophonie*, Organisation internationale de la Francophonie, 91 pages + annexes.

Villeneuve, Claude (dir.), 2012, *Forêts et humains, une communauté de destins*, Organisation internationale de la Francophonie, 584 pages.

Catalogage avant publication de Bibliothèque et Archives nationales du Québec et Bibliothèque et Archives Canada

Villeneuve, Claude, 1954-

Est-il trop tard?: le point sur les changements climatiques

Comprend des références bibliographiques.

ISBN 978-2-89544-461-9

1. Climat – Changements. I. Titre.

QC981.8.C5V544 2013 363.738'74 C2013-941300-6

EST-IL TROP TARD?

Le point sur les changements climatiques

ISBN imprimé : 978-2-89544-461-9
ISBN PDF : 978-2-89544-570-4
ISBN EPUB : 978-2-89544-946-1
Dépôt légal – Bibliothèque et Archives nationales du Québec, 2013
Dépôt légal – Bibliothèque et Archives Canada, 2013

ÉDITIONS MULTIMONDES
930, rue Pouliot
Québec (Québec) G1V 3N9
CANADA
Téléphone : 418 651-3885
Téléphone sans frais : 1 800 840-3029
Télécopie : 418 651-6822
Télécopie sans frais : 1 888 303-5931
MultiMondes@multim.com
http://www.multim.com

DISTRIBUTION AU CANADA
PROLOGUE INC.
1650, boul. Lionel-Bertrand
Boisbriand (Québec) J7H 1N7
CANADA
Téléphone : 450 434-0306
Tél. sans frais : 1 800 363-2864
Télécopie : 450 434-2627
Téléc. sans frais : 1 800 361-8088
prologue@prologue.ca
http://www.prologue.ca

DISTRIBUTION EN BELGIQUE
La SDL Caravelle S.A.
Rue du Pré aux Oies, 303
Bruxelles
BELGIQUE
Téléphone : +32 2 240.93.00
Télécopie : +32 2 216.35.98
Sarah.Olivier@SDLCaravelle.com
http://www.SDLCaravelle.com/

DISTRIBUTION EN FRANCE
LIBRAIRIE DU QUÉBEC
30, rue Gay-Lussac
75005 Paris
FRANCE
Téléphone : 01 43 54 49 02
Télécopie : 01 43 54 39 15
direction@librairieduquebec.fr
http://www.librairieduquebec.fr

DISTRIBUTION EN SUISSE
SERVIDIS SA
chemin des chalets 7
CH-1279 Chavannes-de-Bogis
SUISSE
Téléphone : (021) 803 26 26
Télécopie : (021) 803 26 29
pgavillet@servidis.ch
http://www.servidis.ch

Les Éditions MultiMondes reconnaissent l'aide financière du gouvernement du Canada par l'entremise du Programme d'aide au développement de l'industrie de l'édition (PADIÉ) pour leurs activités d'édition. Elles remercient la Société de développement des entreprises culturelles du Québec (SODEC) pour son aide à l'édition et à la promotion. Elles remercient également le Conseil des Arts du Canada de l'aide accordée à son programme de publication.

Gouvernement du Québec – Programme de crédit d'impôt pour l'édition de livres – gestion SODEC.

100%

Imprimé avec de l'encre végétale sur du papier Rolland Enviro 100, contenant 100% de fibres recyclées postconsommation, certifié Éco-Logo, procédé sans chlore et fabriqué à partir d'énergie biogaz.

IMPRIMÉ AU CANADA/PRINTED IN CANADA

Claude Villeneuve

EST-IL TROP TARD ?

Le point sur les changements climatiques

ÉDITIONS
MULTIMONDES

À mes petites-filles, Adèle, Alice et Mathilde,
à qui je souhaite de célébrer ensemble Noël 2099
en regardant leurs arrière-petits-enfants jouer dans la neige.

À mon ami Frédéric Back,
qui a su nous rappeler avec L'Homme qui plantait des arbres
que la première technologie à émissions négatives
était maîtrisée par Elzéar Bouffier
et que les petits gestes déterminés font de grandes choses !

À tous les journalistes
qui devront, dans les prochaines années, décoder les messages
de la cinquième série de rapports du GIEC
et les interpréter en fonction des épisodes de temps violent
qui, je l'espère, ne feront pas trop de victimes.

Remerciements

L'auteur tient à remercier de leurs commentaires et corrections les personnes qui ont pris le temps de lire le manuscrit bien imparfait qui leur a été soumis :

Mesdames Hélène Côté et Ginette Bureau

Messieurs Ghislain Théberge, Luc Gagnon, Sibi Bonfils, Dominique Ferrand, François Richard, Jacques Prescott, Daniel Lord, Pascal Triboulot, Vincent Grégoire et Clément Beaudoin.

Merci aussi à madame Najoua Bensalah et à monsieur Simon Durocher pour leur appui à la recherche.

Merci au prince des éditeurs dans le domaine scientifique, Jean-Marc Gagnon, qui ne serait rien sans Lise Morin.

Et merci par-dessus tout à Suzanne qui a lu et relu, mais surtout donné un appui indéfectible et patient à son auteur de mari !

PRÉFACE

À chaque seconde naissent deux êtres humains! Nous sommes déjà sept milliards, et la multiplication continue...Chaque jour, plus de vingt-quatre espèces animales ou végétales sont éliminées, sans précaution, pour toujours...

Des animaux malades de l'homme?, publié en 1983, m'a permis de découvrir une fraction du savoir et des préoccupations environnementales de Claude Villeneuve.

Le titre m'avait intrigué puisque depuis toujours je suis révolté par le comportement de l'humanité envers ses semblables, particulièrement envers les animaux et la nature, par une exploitation sans bornes, polluante, et par des guerres absolument monstrueuses. C'est notre planète qui est malade de l'homme.

Depuis la conférence de Rio, en 1992, bien peu a été accompli afin de remédier aux maux qui réchauffent l'atmosphère, bouleversent les climats, les ressources et la qualité de vie.

Est-il trop tard? est un livre-phare dans lequel Claude Villeneuve met en lumière les conséquences de notre inconscience collective. Il identifie les écueils vers lesquels nous nous dirigeons avec insouciance. Nous ne sommes qu'au début des phénomènes dévastateurs engendrés par les pollutions et les changements climatiques. Il est grand temps de réagir. Des solutions sont encore à notre portée et il faut les mettre en œuvre sans tarder.

Est-il trop tard? s'adresse à tous et à chacun de nous afin d'intervenir pour que les besoins énergétiques soient révisés, pour que la protection des ressources, de la biodiversité et de la paix soient des objectifs prioritaires, afin d'assurer le futur de cette fabuleuse planète où il reste tant de choses à améliorer et à découvrir. Ainsi soit-il!

Frédéric Back
Cinéaste, illustrateur, écologiste

Table des matières

LISTE DES FIGURES

LISTE DES TABLEAUX

LISTE DES ENCADRÉS

Avant-propos

J'ai commencé à m'intéresser aux changements climatiques en 1977 après avoir pris connaissance de la courbe de Keeling. Ce graphique, aujourd'hui célèbre, montrait une augmentation annuelle du CO_2 dans l'atmosphère à partir de mesures faites depuis 1958 à l'Observatoire de Mauna Loa à Hawaï. À l'époque, mes intérêts portaient sur les précipitations acides. Ce problème environnemental affectait les lacs et forêts du Québec. Les émissions de polluants acides provenaient pour une large part de la combustion du charbon pour la production d'électricité dans le Midwest américain. Les centrales émettaient des oxydes de soufre et des oxydes d'azote, mais aussi beaucoup de CO_2.

À la différence des polluants acides, qui avaient une source circonscrite et des effets régionaux, le CO_2 et les autres gaz à effet de serre proviennent de partout dans le monde et d'une beaucoup plus vaste variété d'activités humaines allant de la production de ciment à la déforestation. Leurs effets ne sont pas immédiats et sont difficiles à quantifier, puisque plusieurs sont des composantes naturelles de l'atmosphère. Je me disais que le problème, s'il était confirmé, serait en conséquence beaucoup plus difficile à résoudre.

Le sujet s'est à nouveau imposé dix ans plus tard, avec la publication du rapport Brundtland, qui faisait une large place à la menace des changements climatiques. La création du Groupe intergouvernemental d'experts sur l'évolution du climat (GIEC) en 1988 m'a convaincu de lire beaucoup plus sur le sujet. Ces lectures m'ont intéressé au point d'en faire un livre avec mon collègue Léon Rodier. Depuis ce premier livre sur les changements climatiques, publié en

1990[1], le sujet ne m'a plus laissé de répit. J'ai été membre du Programme canadien sur les changements à l'échelle du globe de la Société royale du Canada et de plusieurs comités nationaux et internationaux sur le sujet, ce qui m'a permis d'assister à de multiples colloques et à suivre de près l'évolution des connaissances et des négociations internationales. J'ai d'ailleurs eu l'occasion de participer à deux conférences des parties de la Convention-cadre des Nations-Unies sur les changements climatiques.

Professeur à l'Université du Québec à Chicoutimi, je dirige depuis 10 ans la Chaire en éco-conseil dont une partie importante des recherches porte sur la quantification des gaz à effet de serre et sur l'atténuation des impacts des changements climatiques. Depuis son origine, je participe au consortium Ouranos sur les impacts et l'adaptation aux changements climatiques. J'ai aussi signé, avec François Richard le livre *Vivre les changements climatiques* qui a connu trois éditions[2] depuis 2001 et j'ai donné plus d'une centaine de conférences sur ce sujet dans des congrès scientifiques ou devant des publics variés. Les changements climatiques me fascinent par leurs fondements scientifiques, mais aussi par les aspects sociaux, économiques et politiques qui en sont indissociables.

À compter de l'automne 2013 et jusqu'à la fin de 2014, le GIEC va publier sa cinquième série de rapports techniques. Ceux-ci porteront sur la science du climat, l'évaluation des impacts des changements climatiques et leur atténuation ainsi que sur l'adaptation des sociétés humaines à ses nouvelles conditions d'existence au 21e siècle. Malgré plus de 20 ans de progrès scientifique sur le sujet, trop peu a été fait pour éviter que la situation ne devienne incontrôlable. Beaucoup diront qu'il est trop

---

1. Villeneuve, C. et Rodier, L., 1990, *Vers un réchauffement global? L'effet de serre expliqué*, Éditions MultiMondes, 144 pages.
2. Villeneuve, C. et F. Richard (2001) *Vivre les changements climatiques, L'effet de serre expliqué*, 320 pages ; (2005) *Quoi de neuf?*, 420 pages ; (2007) *Réagir pour l'avenir* (traduit et publié en italien en 2008), 484 pages, Éditions MultiMondes.

tard pour éviter que le climat ne s'emballe et que l'avenir ne soit qu'une suite de catastrophes. D'autres prendront le défi comme tel et chercheront des solutions. Comme observateur de notre société et participant à la communauté scientifique, il m'a semblé utile, dans cet essai, de faire le point sur l'état des lieux et de tenter de répondre à une question que beaucoup de personnes se posent.

Dans le domaine de l'environnement, les scientifiques ont souvent vu clair bien avant les dirigeants politiques et le monde financier. Dans le cas particulier des changements climatiques, la science a parlé très tôt des conséquences qui nous attendaient si la concentration de gaz à effet de serre dans l'atmosphère continuait sur sa lancée. Malheureusement, dans la course folle à une croissance économique toujours centrée sur la consommation matérielle, ils n'ont pas été entendus. Leurs avis n'ont pas été pris assez au sérieux.

Si l'on pouvait encore douter de la clarté des faits et de la portée des prévisions en 1990, le consensus établi en 1995 dans le deuxième rapport du GIEC était clair et n'a fait que se renforcer, tant dans le troisième rapport en 2001 que dans le quatrième en 2007. De même, les prévisions se sont précisées, les hypothèses douteuses ont été écartées et les modèles informatiques se sont raffinés. Plus encore que les températures records, le réchauffement des océans, l'acidification de leur surface et la migration des espèces témoignent de la réalité des changements en cours, de leur portée et de leur importance actuelle et future.

Les modèles climatiques se perfectionnant sans cesse, les prévisions d'augmentation de température au 21e siècle s'établissent maintenant à 4 °C, voire plus. L'incertitude qui demeure est celle de notre capacité d'adaptation. La situation est plus qu'inquiétante.

Nous ne pourrons pas atteindre la cible de limiter l'augmentation à 2 °C promise à Copenhague par la communauté internationale. Les engagements pris par les gouvernements dans l'accord de Copenhague sont trop timides pour que cela se produise. Les scientifiques sont unanimes à ce sujet. La promesse d'un accord mondial après 2020 retarde encore le moment où l'on s'attaquera enfin sérieusement au problème de l'augmentation soutenue des émissions. Il faut non seulement qu'elles cessent de croître, mais qu'elles plafonnent rapidement pour redescendre de manière draconienne par la suite afin d'atteindre une valeur négative à la fin du présent siècle. Le défi est immense.

Pendant le dernier million d'années, la concentration de CO_2 dans l'atmosphère a varié de 180 à 280 parties par million (ppm). Au milieu du 19e siècle, la concentration moyenne était d'environ 280 ppm. Alors qu'en 1958, la concentration mesurée par Keeling était de 313 parties par million, le cap des 400 ppm de CO_2 dans l'atmosphère a été atteint en mai 2013 et sera inéluctablement franchi à l'hiver 2014. Dans les conditions présentes, une concentration de 450 ppm est inévitable dans quelques décennies, bien avant 2050. Par ailleurs, la concentration de méthane qui n'avait pas dépassé 800 parties par milliard (ppb) au cours du dernier million d'années a excédé 1 800 ppb en 2010. Or, le méthane est un gaz 25 fois plus puissant que le CO_2 en termes de forçage climatique. Est-il trop tard?

Dans cet essai, nous tenterons de répondre à cette question lancinante. Contrairement à nos ouvrages précédents, nous ne présenterons qu'un minimum d'explications des phénomènes physiques, chimiques et biologiques qui gouvernent le système planétaire. Ces explications peuvent être trouvées dans *Vivre les changements climatiques. Réagir pour l'avenir*, dans les rapports du GIEC et dans de nombreuses publications et sites Internet. Notre présent propos est de faire le point sur la question avant la sortie du cinquième rapport du GIEC pour éclairer les prises de décisions individuelles et collectives. Comme le soulignaient les concepteurs de la conférence Impacts World 2013 organisée par l'Institut de climatologie de Postdam: «Il faut maintenant éviter l'ingérable et gérer l'inévitable.»

Chapitre 1

Une nouvelle ère géologique créée par les humains: l'Anthropocène

Les humains sont l'exemple même d'un succès évolutif. Dotés de caractéristiques physiques peu communes dans le monde animal, nous sommes en plus habiles à réfléchir avec un cerveau qui continue d'apprendre tout au long de la vie. Nous sommes capables d'innover et de dire. Dire nos sentiments, nos angoisses, nos joies et nos découvertes grâce à un langage articulé qui s'est fixé dans l'écriture, ce qui lui permet de transcender l'existence des individus. Les idées, les découvertes scientifiques, l'art et la poésie peuvent ainsi circuler hors des contraintes du temps. Comme les ensembles formés par les organismes vivants dans leur écosystème et leur milieu biophysique, notre société a des propriétés émergentes grâce auxquelles nous pouvons évoluer plus rapidement que toute autre espèce vivante.

Notre succès s'est construit sur notre capacité à communiquer et à innover. Récemment, nous avons découvert que nous pouvions utiliser des stocks d'énergie fossile en apparence inépuisables et nous en servir pour mener une vie plus facile. La domestication des combustibles fossiles a permis à la fois l'explosion de la population humaine et celle de sa puissance destructrice. Nous sommes aujourd'hui confrontés à un choc prévisible dont les conséquences sont inconnues. Comme l'apprenti sorcier, nous avons appris la formule qui démarre la machine climatique, sans avoir aucune idée de celle qui pourra l'arrêter. Le choc risque d'être brutal.

« Jusqu'ici tout va bien ! »

« Jusqu'ici tout va bien ! », c'est ce que l'optimiste tombant en chute libre du 50e étage[3] confie à un collègue, en passant devant le sixième palier. À plusieurs points de vue, notre société est aussi mal partie et aussi inconsciente du danger que notre optimiste en chute libre. Pour l'instant, la force gravitationnelle accélère sa vitesse chaque seconde. C'est grisant.

Si l'homme qui tombe n'a pas préparé son atterrissage, les conséquences seront catastrophiques. Pour la société moderne, la croissance de la population et sa dépendance à la société de consommation dopée aux carburants fossiles rend à chaque année plus difficile d'infléchir la dégradation des systèmes entretenant la vie. Que restera-t-il comme marge de manœuvre en 2020 ? Que restera-t-il en 2030 et en 2050 ?

L'aveuglement de l'économie mondiale et des politiques de la majorité des pays conduit inévitablement à la catastrophe que nous prépare l'accélération de la dégradation mondiale de l'environnement. Au premier chef, l'accélération des changements climatiques ressemble un peu à cette histoire. Jusqu'ici, le développement nous a apporté d'innombrables bénéfices. Nous souhaitons qu'il continue de s'accélérer, mais les ressources montrent des signes d'épuisement et la capacité de la planète à recycler nos déchets ne suit pas le rythme auquel nous les produisons.

Malgré le plus grand effort scientifique jamais consenti dans l'histoire de l'humanité pour comprendre l'évolution du climat planétaire et les causes du réchauffement, depuis 40 ans les émissions de gaz à effet de serre ne cessent d'augmenter. Pire encore, la principale motivation des gouvernements, partout sur la planète, est de poursuivre dans la même veine. « *More of the same !* », c'est ce qu'on appelle l'accélération en physique. Toujours plus, toujours plus vite... Malheureusement, la limite reste toujours à la même place !

---

3. L'image est inspirée du film *La haine* de Hubert Koundé (1995).

Pourtant, les indicateurs pointent tous dans la même direction : le réchauffement du climat s'accélère. La diminution du couvert de glace, tant la banquise océanique que les glaciers de montagne et les inlandsis, s'accélère. La surface océanique s'acidifie. Les espèces vivantes migrent en latitude et en altitude. La montée du niveau des océans s'accélère. Tout bouge plus vite que ce qui était prévu par les modèles climatiques il y a seulement dix ans. Tout bouge de plus en plus vite… sauf l'action gouvernementale pour contrer le phénomène et se préparer aux conséquences.

La conférence de Doha s'est conclue à la mi-décembre 2012. Encore une fois, les résultats ont été minces ; la procrastination et la mauvaise foi semblent être les valeurs dominantes des parties en présence. Les acteurs sont campés dans des positions qui semblent inamovibles. Cela sera-t-il différent à Varsovie en décembre 2013 ? On peut en douter.

Même l'Europe, qui a fait figure de leader dans le dossier en mettant en place un marché du carbone, semble incapable de s'entendre pour le rendre complètement opérationnel en fixant des plafonds contraignants pour les émissions. Cela se traduit par un effondrement de la valeur du marché et un déficit des investissements pour la recherche et la mise en place de solutions permettant de réduire les émissions. Par exemple, en 2013, le développement du captage et du stockage du CO_2 semble complètement en panne sur ce continent.

Les gouvernements du monde avaient convenu en 1992 « de limiter le réchauffement à un niveau qui ne soit pas dangereux ». Cette limite a été fixée à 2 °C dans l'Accord de Copenhague en 2009. Malgré cela, l'incapacité des parties à s'entendre sur un plan d'action commun prenant effet avant 2020 rend illusoire l'atteinte d'un tel objectif.

Jusqu'à maintenant, l'optimiste dont nous parlions plus haut n'a qu'essayé de battre des bras pour ralentir sa chute. Peut-on croire que, s'il agite ses bras encore plus fort, il diminuera les dommages à son arrivée au sol ?

La grande accélération

Les 50 dernières années ont été marquées par une accélération sans précédent de l'influence des humains sur la planète. Pendant cette période, la population a plus que doublé et la production de céréales a triplé. Entre 1950 et 2020, la population humaine aura aussi plus que triplé, mais il est loin d'être certain que la production de céréales continue d'augmenter plus vite que la croissance de la population.

Dans les 50 dernières années également, le PIB de l'économie mondiale a été quintuplé en dollars constants. Pour arriver à ce résultat, la consommation énergétique a quadruplé pendant la même période. Cette énergie est fournie à 85 % par des carburants fossiles. Ainsi, pour satisfaire notre soif de pétrole en 2010, il a fallu 87,4 millions de barils par jour, c'est-à-dire 32 milliards de barils pour l'année. Et ainsi de suite, année après année. Selon les plus récentes prévisions de l'Agence mondiale de l'énergie, ce chiffre est censé doubler d'ici à un peu plus de 30 ans. Les réserves de pétrole suffiront-elles à soutenir un tel rythme ?

Pour atteindre le niveau de vie de l'OCDE, Jackson (2009) a calculé qu'il faudrait que l'économie mondiale se multiplie par 15, d'ici à 2050, et par 40 à l'horizon 2100. Est-ce pensable alors que 20 % des humains d'aujourd'hui ne possèdent que 4 % de la richesse ? Est-ce possible alors que moins de 1 % des mieux nantis contrôlent plus de 20 % de l'économie mondiale ?

Selon le Programme international Biosphère Géosphère, la seconde moitié du 20e siècle est une période unique dans l'histoire de l'humanité. Plusieurs des activités de consommation de ressources et de transformation du territoire ont amorcé une progression exponentielle. Le phénomène continue de s'accélérer au 21e siècle.

Il s'agit sans doute de la transformation la plus rapide imposée à la planète par des êtres vivants dans son histoire. C'est aussi l'ère du plus grand changement dans la relation entre les humains et la planète dans l'histoire de notre espèce.

Ces transformations ont des impacts mesurables sur les paramètres de fonctionnement de la mécanique planétaire. À un point tel que l'humanité rivalise d'influence avec plusieurs cycles biogéochimiques. En d'autres termes, notre impact dépasse celui des mécanismes naturels de régulation planétaires. Cela amène plusieurs scientifiques à proposer que nous soyons entrés dans une nouvelle ère géologique, l'Anthropocène. Cette nouvelle ère est caractérisée par l'influence des humains sur la régulation des conditions d'équilibre planétaires. Notre époque va laisser des traces géologiques.

La figure 1.1 montre l'évolution de quelques indicateurs qui constituent des forces directrices exerçant des pressions sur les systèmes planétaires. Steffen et ses collègues ont publié, en 2011, cette figure saisissante. L'échelle des graphiques et les intervalles de temps ont été choisis pour accentuer le côté exponentiel du phénomène, mais les bases de données utilisées par les auteurs sont authentiques et vérifiables.

On peut constater, en regardant l'ensemble des graphiques présentés à la figure 1.1, que l'influence humaine sur la planète s'accentue et s'accélère de plus en plus, à mesure qu'on avance dans le temps depuis la révolution industrielle. La combinaison du nombre d'êtres humains, de leur richesse relative et des transformations que la satisfaction de leurs besoins et la disposition de leurs déchets engendre des pressions sans précédent sur l'environnement.

Au cours du siècle dernier, les activités humaines sont passées d'insignifiantes à majeures pour les équilibres planétaires. Les impacts des humains approchent ou dépassent maintenant la magnitude des grands systèmes naturels. De surcroît, ces effets s'accentuent à une vitesse de beaucoup supérieure à la variabilité naturelle. Si on les prend ensemble, en termes de magnitude, de vitesse d'évolution et de simultanéité, ces forces directrices constituent une situation qui n'a pas d'équivalent dans l'histoire de la planète. Bien sûr, les conséquences de notre succès sur les êtres vivants sont beaucoup moins brutales que l'impact d'un gros météorite ou qu'un épisode de volcanisme, mais si la tendance se maintient, elles ne seront pas moins dévastatrices. L'accélération de la disparition des espèces en témoigne avec éloquence.

FIGURE 1.1

Tendances observées pour quelques indicateurs au cours de la révolution industrielle

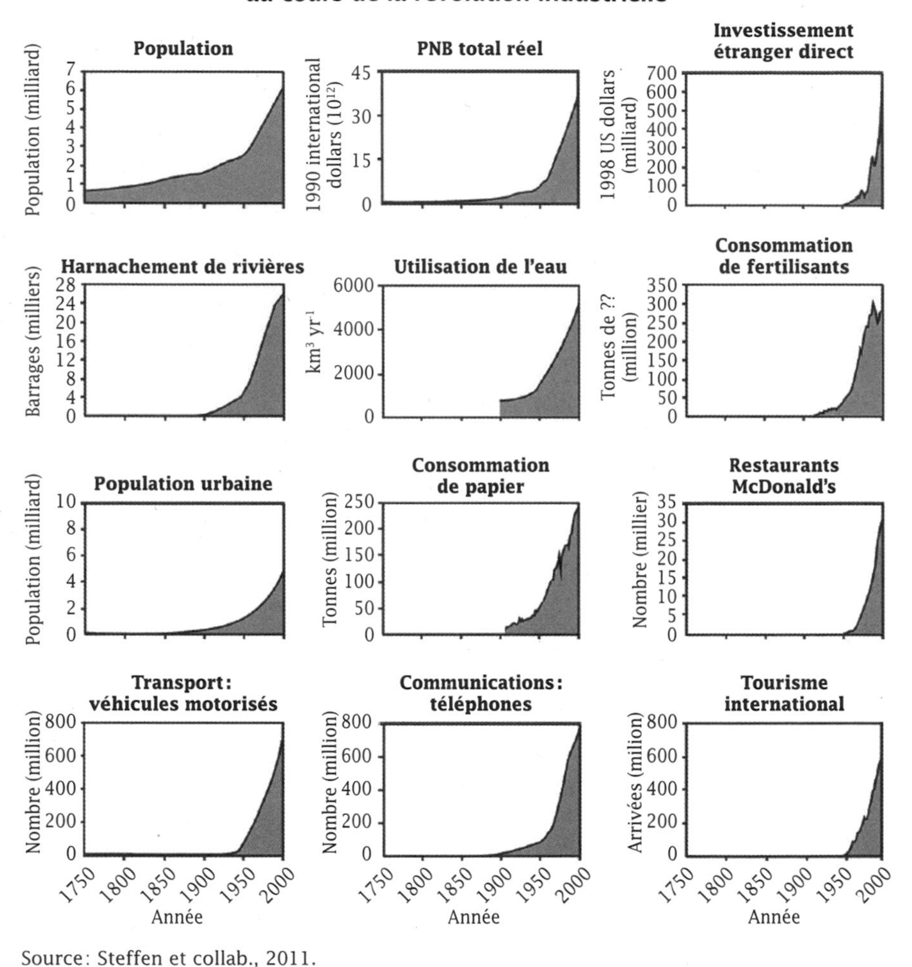

Source : Steffen et collab., 2011.

Encadré 1.1

L'ANTHROPOCÈNE

Les ères géologiques sont des périodes de l'histoire de la Terre qui se caractérisent par des changements d'état suffisamment importants pour laisser des traces dans les formations géologiques constituées durant ladite période. Depuis la fonte des glaciers qui a marqué la dernière ère géologique nommée Pléistocène, nous vivons dans une période de stabilité qui a commencé il y a environ 12000 ans et qu'on nomme l'Holocène.

La transition brutale dans les conditions écologiques planétaires, marquée par l'accélération des impacts humains au 20e siècle, a amené des scientifiques à proposer l'idée que nous nous engagions dans une nouvelle ère, dès les années 1980. La paternité du terme «Anthropocène» est attribuée à Paul Crutzen, lauréat du Prix Nobel de chimie en 1995 et à son collègue du Programme international Géosphère Biosphère (IGBP), Eugene Stoermer. Ils ont proposé le terme en 2000 dans le magazine *Global Change*. Depuis lors, le mot a été repris et formalisé dans le programme scientifique de l'organisme (Steffen, 2011) et fait de plus en plus consensus dans la communauté scientifique.

On postule que le concept d'Anthropocène permet d'aborder de manière plus globale les impacts de l'humanité sur les différentes composantes de la planète. Dans cette optique, les changements climatiques ne sont qu'un des symptômes de notre empreinte écologique.

Parmi les arguments qui militent en faveur de cette nouvelle ère, on note que :

- En moins de 150 ans, les humains ont épuisé 40 % des réserves d'hydrocarbures qui avaient mis des centaines de millions d'années à se former.
- Près de 50 % de la surface des continents a été transformée par l'intervention humaine, ce qui a eu des conséquences directes sur la biodiversité, les cycles biogéochimiques, les sols et le climat.
- La fabrication d'engrais et la combustion de carburants contribuent à fixer plus d'azote que l'ensemble des processus naturels réunis.
- Plus de la moitié de l'eau douce accessible en surface est monopolisée pour des usages humains alors que les eaux souterraines sont à beaucoup d'endroits exploitées de manière excessive, au-delà de leur capacité de renouvellement.

Des interactions complexes

Les systèmes complexes s'organisent autour de quelques principes :

- Ils sont composés de parties organisées définies dans l'espace.
- Ces parties interagissent de façon organisée.
- Le tout possède des propriétés émergentes.
- Les systèmes utilisent de l'énergie pour produire du travail.
- Ils sont régulés par la rétroaction négative[4].

Les systèmes complexes sont en équilibre dynamique, ce qui leur permet à la fois de maintenir leur composition et leurs interactions pendant de longues périodes. Cet état de stabilité dynamique régulé par des boucles de rétroaction négative se nomme « homéostasie ».

Lorsque les conditions d'équilibre changent en raison d'une perturbation, le système n'évolue pas nécessairement de manière linéaire. Il peut y avoir des seuils au-delà desquels le système ne peut plus rétablir son homéostasie. Il passera alors dans un nouveau mode opératoire avant de se stabiliser à terme autour de valeurs qui peuvent être très différentes de celles qui ont caractérisé l'état précédent.

La planète est un système complexe, composé de quatre compartiments, l'atmosphère qui est gazeuse, la lithosphère solide de nature minérale, l'hydrosphère qui constitue la portion liquide et la biosphère qui est vivante. Ces composantes évoluent ensemble comme système complexe depuis plus de 4 milliards d'années.

Les interactions entre l'une et l'autre composantes les transforment aux interfaces. Par exemple, l'atmosphère et l'hydrosphère transforment la lithosphère par l'érosion. La biosphère modifie la lithosphère par la pédogénèse, c'est-à-dire la formation des sols. Le transport de poussières des continents par le vent et l'apport de matières nutritives dissoutes par les rivières contribuent à la

4. La rétroaction négative est une boucle dans laquelle l'effet atténue la cause. Comme un thermostat qui se découple quand la température voulue est atteinte et qui rétablit le circuit quand il fait trop froid.

fertilisation des estuaires et des océans. Cette fertilité toujours renouvelée explique l'abondance et la répartition des organismes marins.

Par l'évaporation de l'eau sur les océans et la précipitation sur les masses continentales, les apports d'eau douce sont assurés sur une base saisonnière. L'infiltration de l'eau des précipitations alimente les nappes d'eau souterraines. D'énormes quantités d'énergie sont transportées avec l'eau évaporée et les courants marins des latitudes équatoriales vers les pôles, contribuant à la régulation du climat. Enfin, la composition de l'atmosphère en dioxyde de carbone est maintenue par le jeu complexe de la photosynthèse et de la respiration, du volcanisme et de la formation des carbonates dans les océans.

L'état d'équilibre dynamique que nous connaissons aujourd'hui est caractérisé par des interactions qui diffèrent de plusieurs états stables du passé. Par exemple, à certaines époques comme le Crétacé (–145 à –65 millions d'années), le cycle du carbone était beaucoup plus actif qu'aujourd'hui, avec un volcanisme continental et sous-marin de grande ampleur qui contribuait à l'enrichissement de l'atmosphère en dioxyde de carbone. Cette époque était beaucoup plus chaude que l'époque actuelle et les vents moins violents, en raison de la moins grande différence de température entre l'équateur et les pôles, ce qui explique que les océans étaient moins oxygénés et plus acides qu'aujourd'hui. La fin du Crétacé a été marquée par la chute d'une météorite qui a fait disparaître les dinosaures et bien d'autres espèces. Au Tertiaire, les conditions du nouvel équilibre étaient très différentes de celles de la période précédente. Les mammifères et les plantes à fleurs ont pu prospérer et dominer les continents.

L'atmosphère, un compartiment ténu

L'atmosphère est la partie gazeuse du système planétaire. Composée à 78 % de diazote (N_2), 20,95 % de dioxygène (O_2), 1 % d'argon (Ar), 0,0395 % de dioxyde de carbone (CO_2) et de quelques autres gaz traces constituant au total 0,01 % de son volume, elle peut contenir en solution jusqu'à 3 % de vapeur d'eau. Celle-ci ne fait toutefois pas partie de l'air, puisqu'elle peut, selon les conditions prévalentes, « se précipiter » sous forme de pluie ou de neige, laissant de l'air sec.

La densité de l'air est très faible et diminue à mesure qu'on s'élève en altitude. En effet, la pression engendrée par l'attraction gravitationnelle terrestre sur les particules de gaz s'exerce sur la colonne d'air de haut en bas. Plus on est en haute altitude, moins la pression est grande, donc moins l'air est dense.

Lorsqu'on compresse des gaz à une pression suffisante, ils se transforment en liquide. Si l'ensemble de l'atmosphère était liquéfié, il ne constituerait qu'une couche d'une dizaine de centimètres autour de la Terre alors que, sous forme gazeuse, la majeure partie de l'atmosphère est concentrée dans un rayon de 15 kilomètres au-dessus du niveau de la mer. En raison du poids de la colonne d'air, sa densité est de plus en plus forte à mesure qu'on s'approche du niveau de la mer. Ainsi, la moitié de la masse de l'atmosphère se retrouve dans les deux premiers kilomètres au-dessus de ce niveau.

En comparaison avec les autres compartiments de la planète, l'atmosphère est celui qui comporte le moins de matière, c'est donc celui qui peut le plus facilement être sujet à des changements de composition. Ce sont d'ailleurs des changements de composition de l'atmosphère qui constituent les premiers indicateurs d'un changement à l'échelle planétaire.

En effet, par le mouvement brownien[5], les particules gazeuses non réactives ou peu réactives de l'atmosphère ont tendance à se répartir uniformément dans l'ensemble de la masse. Ainsi, une molécule de dioxyde de carbone émise quelque part au Canada peut faire des dizaines de milliers de kilomètres et se retrouver un jour captée par une plante au Népal ou rester plusieurs siècles dans la haute troposphère, hors de portée des végétaux. L'air est mélangé par des mouvements de convection et des vents qui

5. Le mouvement brownien est un mouvement qui peut se produire dans n'importe quelle direction à la suite du choc entre deux particules.

tendent à en uniformiser la composition. C'est ce qui explique qu'une bulle d'air prise au piège dans la glace de l'Antarctique, il y a un million d'années, sera représentative de la composition de l'atmosphère terrestre à cette époque.

L'atmosphère a beaucoup changé au cours du dernier siècle, particulièrement dans la proportion de ses composantes mineures que sont les gaz à effet de serre. Ainsi, les concentrations de dioxyde de carbone sont passées de 0,0280 % (280 parties par million), en 1850, à 0,0395 % (395 parties par million), en 2013, une variation qui excède largement les changements observés au cours des cycles glaciaires qui se sont succédé au cours des derniers 800 000 ans, comme l'indique la figure 1.2.

FIGURE 1.2

Évolution de la température et des concentrations de dioxyde de carbone et de méthane au cours des 800 000 dernières années

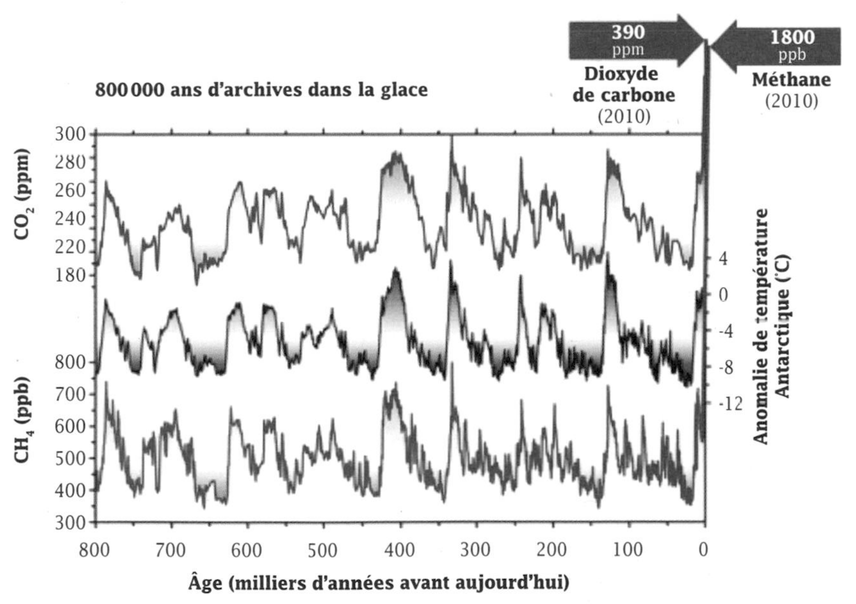

Adapté de Loulergue, L. *et al.*, « Orbital and millennial-scale features of atmospheric CH_4 over the past 800,000 years », *Nature*, 2008. Lûthi, D. *et al.*, « High-resolution carbon dioxide concentration record 650,000-800,000 years before present », *Nature*, 2008.

La figure 1.2, réalisée à partir de l'analyse des microbulles d'air et des rapports isotopiques de l'oxygène contenu dans la glace de la carotte de Vostok en Antarctique par le projet EPICA[6], nous montre que, durant les 800 000 dernières années, la concentration de CO_2 et de méthane a varié respectivement de 50 à 80 parties par million (ppm) par cycle glaciaire pour le CO_2 et de 200 à 300 parties par milliard (ppb) pour le méthane, ces variations se produisant sur plusieurs milliers, voire dizaines de milliers d'années.

Les températures notées dans le graphique sont des calculs faits à partir de la comparaison des rapports isotopiques de l'oxygène dans l'eau qui constitue la glace et dans les coquilles des foraminifères fossiles de la même époque. L'isotope le plus abondant de l'oxygène est le ^{16}O. C'est celui qu'on trouve le plus couramment dans les molécules d'eau (H_2O). Dans l'eau, il y a aussi un certain nombre de molécules qui contiennent du ^{18}O, un isotope lourd, mais stable, de l'oxygène. Lorsqu'il fait plus chaud, on retrouve plus de ces molécules dans la glace et moins dans les couches supérieures de l'océan où vivent les foraminifères. Le rapport $^{18}O/^{16}O$ dans les glaces varie donc proportionnellement à la température au niveau de la mer. Avec cette mesure, on peut reconstruire les températures du passé.

Au cours des 100 dernières années, le CO_2 a augmenté de plus de 100 ppm au-dessus de la valeur la plus forte enregistrée dans la période de référence. Le méthane a plus que doublé ses valeurs historiques, avec une augmentation de 1 100 parties par milliard. Cette observation se situe vraiment en dehors de la marge normale des conditions observées au Pléistocène ou à l'Holocène.

6. EPICA: European Project for Ice Coring in Antarctica http://www.esf.org/index.php?id=855.

L'atmosphère et le climat

Le climat planétaire est sous la responsabilité première de la radiation solaire. La radiation est directement proportionnelle à l'activité solaire qui fluctue selon des cycles de 11 ans. Pourquoi alors observe-t-on à la figure 1.2 de telles variations dans la température moyenne du globe dans les glaces de l'Antarctique? Ces refroidissements périodiques sont liés à des époques glaciaires. Le graphique de la figure 1.2 est particulièrement instructif pour comprendre le fonctionnement du système planétaire et les interactions entre ses composantes. On y constate d'abord la périodicité des ères glaciaires identifiables lorsque l'anomalie de température est négative.

À peu près tous les 100 000 ans, la Terre connaît un réchauffement qui dure de 20 à 40 000 ans. Ces périodes plus chaudes se nomment les interglaciaires. Elles sont causées par la modification de l'inclinaison de l'axe de rotation de la Terre ou cycle de Milankovitch. Nous sommes actuellement dans un interglaciaire qui a commencé il y a environ 12 000 ans.

Avant cela, de grandes parties du nord de l'Amérique du Nord et de l'Europe étaient couvertes par un inlandsis comme celui qui occupe aujourd'hui le Groenland. La glace y mesurait de deux à trois kilomètres d'épaisseur. On peut remarquer que la composition de l'atmosphère change avec le refroidissement ou le réchauffement du climat. Ces variations s'expliquent par des mécanismes de rétroaction positive[7] qui amplifient les effets des variations de température et amènent des changements brutaux du climat planétaire. Ces changements ne s'expliquent pas uniquement par la variation de l'inclinaison de l'axe de rotation. Ce dernier est le déclencheur, et les rétroactions positives amplifient le phénomène et provoquent des ères glaciaires.

---

7. Un mécanisme de rétroaction positive est une boucle dont l'effet amplifie la cause. Voir la note 4.

Encadré 1.2

LE CYCLE DE MILANKOVICH

Le mouvement de rotation de la Terre sur son axe varie selon des facteurs périodiques. Cette explication du phénomène des glaciations a été proposée en 1941 par Militin Milankovitch. Lorsque la Terre présente au Soleil son hémisphère nord, la température globale se réchauffe ; lorsque l'orientation est plus au sud, le climat se refroidit. Actuellement, nous sommes dans une position intermédiaire.

FIGURE 1.3

L'inclinaison de la Terre par rapport au plan de l'ellipse

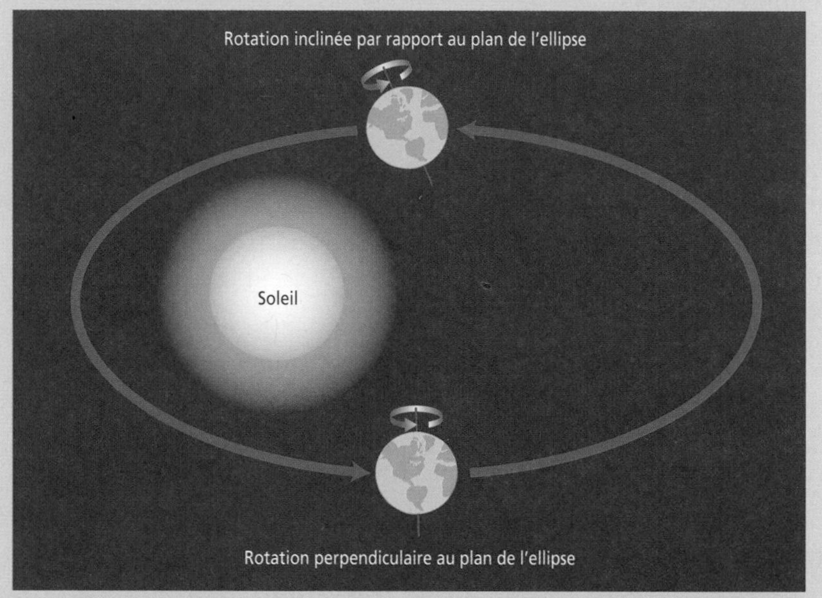

Il s'écoule environ 26 000 ans entre ces deux positions extrêmes de l'inclinaison de l'axe de rotation de la Terre. Aujourd'hui, cet axe occupe une position à peu près intermédiaire par rapport à celle qu'il avait à la fin du dernier âge glaciaire, il y a 11 000 ans. À cette époque, la Terre était au plus près du Soleil pendant l'été de l'hémisphère nord. Actuellement, l'hémisphère nord est plus près du Soleil en janvier, mais le faible angle d'incidence des rayons nous procure les températures froides et le climat rude de l'hiver.

Source : Claude Villeneuve et François Richard, *Vivre les changements climatiques. Réagir pour l'avenir*, p. 103-104.

FIGURE 1.4
L'inclinaison de la Terre

a) Forte inclinaison

b) Inclinaison moyenne

c) Faible inclinaison

Dans la figure 1.4a, l'angle d'inclinaison est grand. On peut facilement voir le dessus de la calotte polaire. En été, cette partie serait donc fortement « chauffée » par le Soleil. On peut présumer que les températures estivales seraient agréables et que les glaces auraient fortement tendance à « ramollir » ! À l'opposé, la figure 1.4c, montre une très faible inclinaison de l'axe de rotation de la Terre. Cette fois-ci, le nord du Canada recevrait un éclairage tangentiel et n'absorberait que peu d'énergie, et les étés nordiques seraient plutôt frais. Évidemment, nous avons largement exagéré ces variations de l'inclinaison terrestre. Dans la réalité, cette variation se fait entre 21,8° et 24,5°, selon un cycle d'environ 26 000 ans. Bien qu'elle soit modeste, l'inclinaison est de loin la variable astronomique la plus importante, faisant varier d'environ 14 % la quantité d'énergie solaire que peut recevoir l'hémisphère nord.

Source : Claude Villeneuve et Léon Rodier, *Vers un réchauffement global?*, Québec, Éditions MultiMondes ; Montréal, ENJEU, 1990, p. 100.

Lorsque le climat se refroidit, l'évaporation océanique diminue, ce qui réduit à la fois les précipitations sur les continents et la productivité végétale. De grandes surfaces de déserts apparaissent alors. Dans les zones les plus éloignées de l'équateur ou en altitude, la neige ne fondra plus en été, ce qui empêchera la végétation de prospérer. Surtout, ces vastes étendues blanches dont l'albédo[8] est plus élevé retournent dans l'atmosphère une plus grande partie du rayonnement solaire. Cette portion du

8. L'albédo est la capacité d'une surface à réfléchir la lumière. Les corps blancs ont un albédo élevé alors que les corps colorés ont un albédo bas.

rayonnement visible n'interagit pas avec les gaz à effet de serre, puisque ceux-ci n'interfèrent que dans l'infrarouge. L'énergie est donc retournée dans l'espace et la surface dont la neige ne fond plus en été continue de s'agrandir d'année en année. Sur les océans, la banquise s'épaissit et s'étend sur une surface toujours plus grande, réfléchissant là aussi, la lumière solaire.

La diminution de la fixation du CO_2 par la photosynthèse sur les continents devrait se traduire alors par une augmentation de sa concentration. C'est pourtant le contraire qui se produit. En effet, la productivité végétale des océans dépend en bonne partie du transport de poussières des continents et de l'effet fertilisant de ces poussières sur le phytoplancton. Ce dernier se multiplie d'autant que de plus en plus de poussières sont transportées en raison des vents violents (la différence de température entre l'équateur et les pôles est plus grande) et les zones dépourvues de végétation sont plus exposées à l'érosion éolienne. Quand il meurt, le phytoplancton tombe au fond de l'océan et le carbone qu'il a absorbé ne retourne pas complètement à l'atmosphère, ce qui diminue la concentration de CO_2 au cours des années.

Or, le CO_2, comme le méthane, est un gaz à effet de serre. Sa diminution dans l'atmosphère amplifie l'effet de refroidissement. En plus, avec le refroidissement de la surface océanique, le CO_2 peut être plus facilement solubilisé dans l'eau de mer et former des carbonates insolubles, ce qui amplifie encore l'effet de pompe à CO_2 océanique.

Pour sa part, le méthane est produit naturellement par la décomposition de la matière organique en l'absence d'oxygène, par exemple dans les marais et les marécages. Avec le refroidissement de la température, le méthane est piégé, soit dans la glace, soit sous forme d'hydrates de méthane. Ainsi, sa concentration diminue constamment et sa contribution à l'effet de serre aussi. Cela amplifie encore plus le refroidissement.

La couverture de neige et de glace qui revêt de plus en plus les continents et les mers polaires augmente l'albédo de la surface et favorise d'autant la réflexion de la lumière qui ne se transformera pas en rayons infrarouges, coupant à la source l'effet de réchauffement atmosphérique de l'irradiation solaire.

Les traces de poussières retrouvées dans la carotte de Vostok confirment la boucle de rétroaction positive entre le refroidissement et l'absorption de CO_2 dans les océans que nous avons décrite aux paragraphes précédents durant les cycles glaciaires. La recherche a en effet démontré qu'on pouvait simuler ce phénomène qui donne des résultats comparables aux données observées dans la glace. Cette simulation est aussi confirmée par des évidences provenant de sédiments marins de la même époque.

Le mécanisme évoqué plus haut n'agit pas tout seul, sinon les ères glaciaires ne finiraient jamais. Il démontre simplement l'un des mécanismes de rétroaction positive qui peuvent affecter le climat planétaire. Les fluctuations des apports énergétiques du Soleil, l'angle de rotation de la Terre autour de celui-ci, les courants marins, les apports d'eau douce provenant de la fonte des glaces, la position des continents sont tous des éléments qui peuvent contribuer à déclencher ou à terminer une période glaciaire.

À la lumière des connaissances actuelles, l'augmentation rapide de la concentration des gaz à effet de serre causée par l'activité humaine est inquiétante dans une perspective d'évolution non linéaire d'un système complexe. En effet, en agissant sur une des composantes du climat, nous pouvons faire passer le système entier dans un autre mode opératoire. Cela se produira si nous dépassons l'un des seuils qui caractérisent le maintien de l'homéostasie climatique.

FIGURE 1.5
L'effet de serre

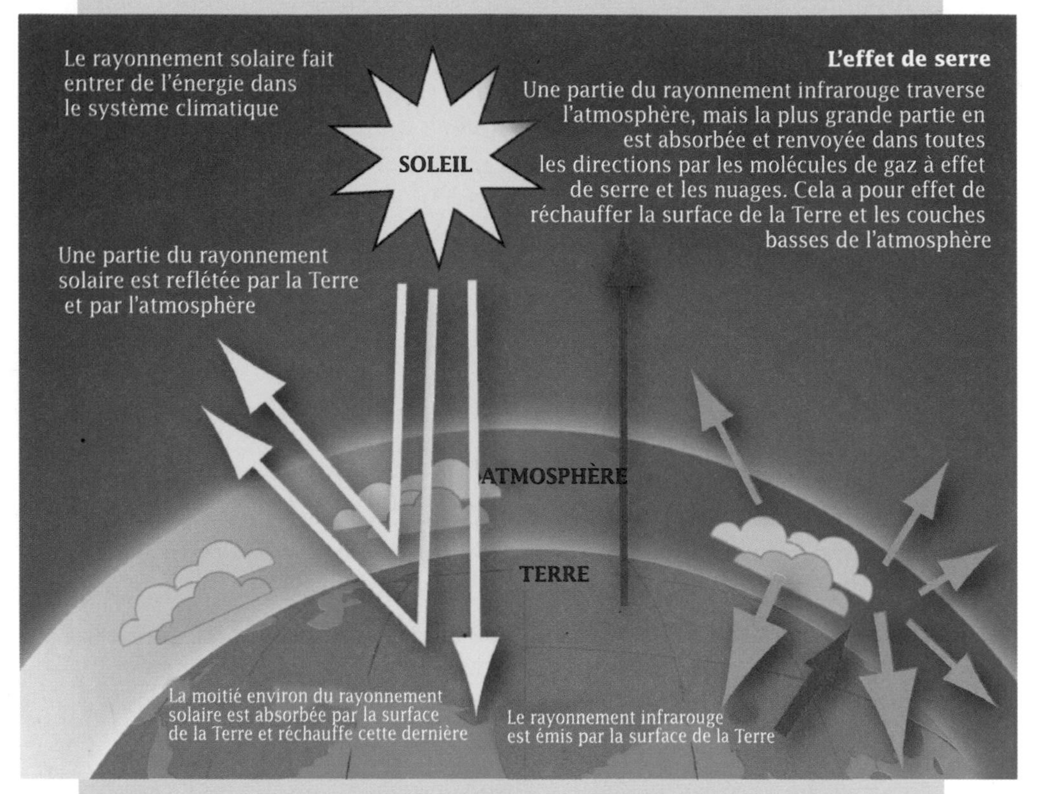

L'effet de serre est une caractéristique physique de certains gaz composant l'atmosphère. Il s'explique par la capacité de certains gaz d'absorber de l'énergie dans certaines longueurs d'onde du spectre infrarouge. L'énergie est réémise dans toutes les directions et peut être réfléchie par les nuages. L'effet de serre retarde la diffusion de la chaleur des basses couches de l'atmosphère vers l'espace comme l'indique la figure 1.5.

Source : GIEC, 2007.

Encadré 1.3

LES GAZ À EFFET DE SERRE

Les gaz à effet de serre sont des composantes mineures de l'atmosphère comportant trois atomes ou plus. Le plus abondant est le CO_2 qui formait, en 2012, 0,0395% de l'atmosphère.

Les gaz à effet de serre absorbent dans les longueurs d'onde de la radiation infrarouge et retiennent ainsi de la chaleur dans les basses couches de l'atmosphère. En effet, l'atmosphère est transparente à la lumière, mais les gaz à effet de serre réagissent avec la chaleur qui est réémise par les corps colorés qui ont absorbé la lumière. Sans les gaz à effet de serre, la vie serait impossible sur la planète, la température du globe serait environ 33°C moins élevée qu'actuellement. De plus, le CO_2 est la principale source de carbone pour le monde vivant, car il est indispensable à la photosynthèse.

Les gaz à effet de serre n'ont pas tous la même activité d'absorption dans l'atmosphère. Certains sont beaucoup plus efficaces et absorbent dans plusieurs longueurs d'onde. On appelle «potentiel de réchauffement global» la capacité des gaz à effet de serre de contribuer au forçage climatique. Ce potentiel est comparé à celui du CO_2 qui constitue l'unité de référence.

Les gaz à effet de serre peuvent être naturels ou créés par l'activité humaine. Seuls les gaz à effet de serre à longue durée de vie sont comptabilisés comme facteurs de changement climatique.

Les prévisions

La connaissance que nous avons de la planète et des interactions entre ses composantes s'améliore sans cesse. Chaque génération de scientifiques contribue à mieux comprendre notre monde physique et biologique. L'amélioration de la puissance de calcul des ordinateurs, qui double tous les 18 mois, selon la loi de Moore, permet de gérer une information toujours plus grande, plus rapidement. Cela signifie qu'entre le premier rapport du GIEC en 1990 et le prochain en 2013, les ordinateurs sont devenus

Encadré 1.4

LES FACTEURS INFLUENÇANT LE CLIMAT TERRESTRE

Le climat de la Terre résulte de facteurs locaux et globaux qui mettent en jeu les quatre compartiments de la planète. Une fois absorbé par les surfaces colorées et les océans, l'énergie provenant du Soleil est répartie et transportée par les masses d'air et les courants océaniques. La figure 1.6 identifie les principales composantes de l'écosphère qui interagissent avec le climat localement et globalement.

Les simulateurs climatiques doivent prendre en considération l'ensemble des éléments qui conditionnent le climat ainsi que leurs interactions et les intégrer à des programmes informatiques complexes qui peuvent par la suite être alimentés par des hypothèses. Par exemple, celle d'un doublement de la concentration de gaz à effet de serre, ou encore le changement d'albédo lié à la plantation d'une forêt sur un territoire qui en était autrefois dépourvu, la fonte des glaces etc. Les résultats de ces calculs permettent d'alimenter les prévisions de l'évolution du climat à long terme.

FIGURE 1.6

Les facteurs du climat

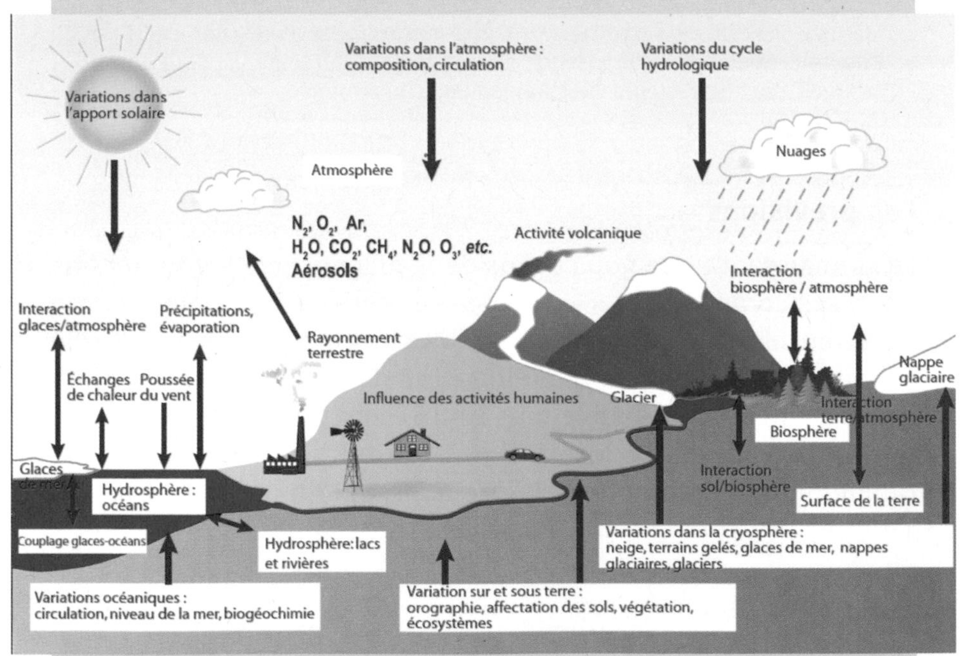

Source : GIEC, 2007.

35 000 fois plus puissants. Ainsi, les programmes et les jeux de données qu'ils peuvent traiter sont énormément plus complexes et complets, comme nous le verrons au prochain chapitre.

Par ailleurs, les observations satellitaires et les réseaux de mesure coordonnés internationalement, sur terre, sur mer, dans l'Arctique et l'Antarctique ont permis d'accumuler une énorme quantité d'observations qui peuvent être comparées avec les résultats des simulateurs climatiques. Ces modèles climatiques globaux sont maintenant des outils pilotés par des équipes internationales qui comparent leurs résultats entre eux et avec les observations, pour les calibrer. Par la suite, on les alimente avec des hypothèses et on compare les résultats obtenus de manière à établir des modèles de l'évolution du climat selon des scénarios déterminés.

Le facteur déterminant de forçage climatique qui est prévisible au cours des prochaines décennies est le doublement de la concentration de CO_2 dans l'atmosphère par rapport à la concentration préindustrielle (550 parties par million). Les inconnues portent sur la vitesse de ce doublement et le moment où la croissance de la concentration atmosphérique de gaz à effet de serre commencera à se stabiliser. Selon les hypothèses générées par les scénarios d'évolution des concentrations représentatifs[9], cela dépendra des décisions que nous prendrons sur la maîtrise des émissions.

Comme l'indique la figure 1.7, les prévisions des modèles faites dans les trois premiers rapports du GIEC (1990, 1995, 2001) se sont avérées très fiables.

9. Traduction libre de *Representative Concentration Pathway*.

FIGURE 1.7
Correspondance entre les prévisions des modèles climatiques 1990-2001 par rapport aux températures mesurées pendant la période 1990-2005

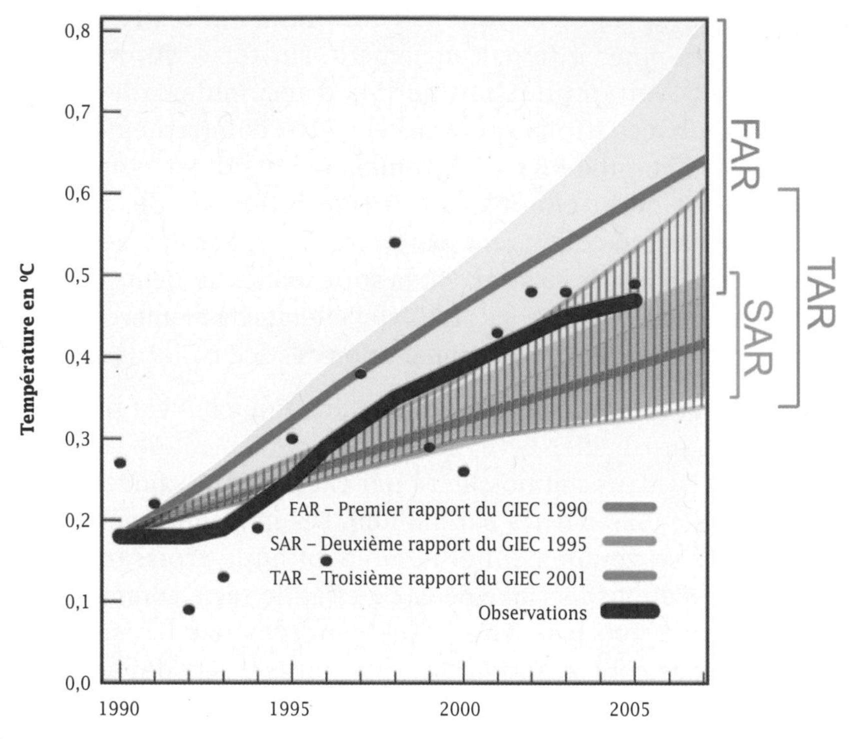

Source : GIEC, 2007.

Les dernières prévisions des modèles climatiques sont plus précises encore, mais laissent entrevoir un portrait plutôt désespérant. En effet, malgré les recommandations des scientifiques et les résolutions des gouvernements lors des négociations internationales sur le climat, la quantité d'émissions de gaz à effet de serre n'a cessé d'augmenter pendant toute cette période. La figure 1.6 nous montre les plus récentes prévisions faites par les modélisateurs du climat pour le 21e siècle.

On peut y voir que, selon les évaluations actuelles, il est devenu improbable de limiter le réchauffement à moins de deux degrés, même si on arrivait à stopper complètement les émissions maintenant. En effet, le taux actuel de croissance des émissions est de 3 à 4% par année et il faudrait non seulement arrêter cette tendance immédiatement, mais aussi amorcer une décroissance annuelle de −3 à −10% pour espérer atteindre l'objectif de limiter l'augmentation de la température moyenne planétaire à 2 °C au 21e siècle. Nous avons en effet «en banque» un réchauffement de 0,8 °C et la vitesse de réchauffement est de 0,2 °C par décennie, ce qui devrait aller en s'accélérant.

Si l'évolution actuelle se poursuit pendant encore deux ou trois décennies en tenant compte des efforts promis jusqu'à maintenant par les pays dans le cadre de l'Accord de Copenhague, il est très vraisemblable que le réchauffement excède les 3 °C au 21e siècle. Selon le scénario du cours normal des affaires, c'est-à-dire un maintien de la tendance actuelle de croissance des émissions, la barre des 4 °C sera très probablement franchie. Nous reviendrons plusieurs fois sur ce graphique qui résume bien la situation.

Un monde à + 4 °C?

En novembre 2012, la Banque mondiale a publié un rapport inquiétant, *Turn down the heat*, dans lequel on essaie de caractériser ce que voudrait dire une augmentation de 4 °C de la température moyenne planétaire. Cette éventualité est probable à 20%, même dans l'hypothèse que les efforts pour lesquels les pays se sont engagés soient intégralement mis en œuvre. Si cela n'était pas réalisé, un réchauffement de + 4 °C pourrait arriver dans moins de deux générations, soit vers 2060. Le problème est mondial et fait l'objet, depuis 1992, d'une convention-cadre des Nations Unies, comme nous le verrons au chapitre 3.

Considérant les résultats de la conférence de Doha, dans laquelle les pays qui ont pris des engagements pour une deuxième période d'application du Protocole de Kyoto représentent seulement 15% des émissions mondiales de gaz à effet de serre, la probabilité est très forte pour que le scénario + 4 °C se réalise. Nous verrons ce que cela veut dire au chapitre 4.

FIGURE 1.8

Évolution du climat planétaire au cours du 21e siècle

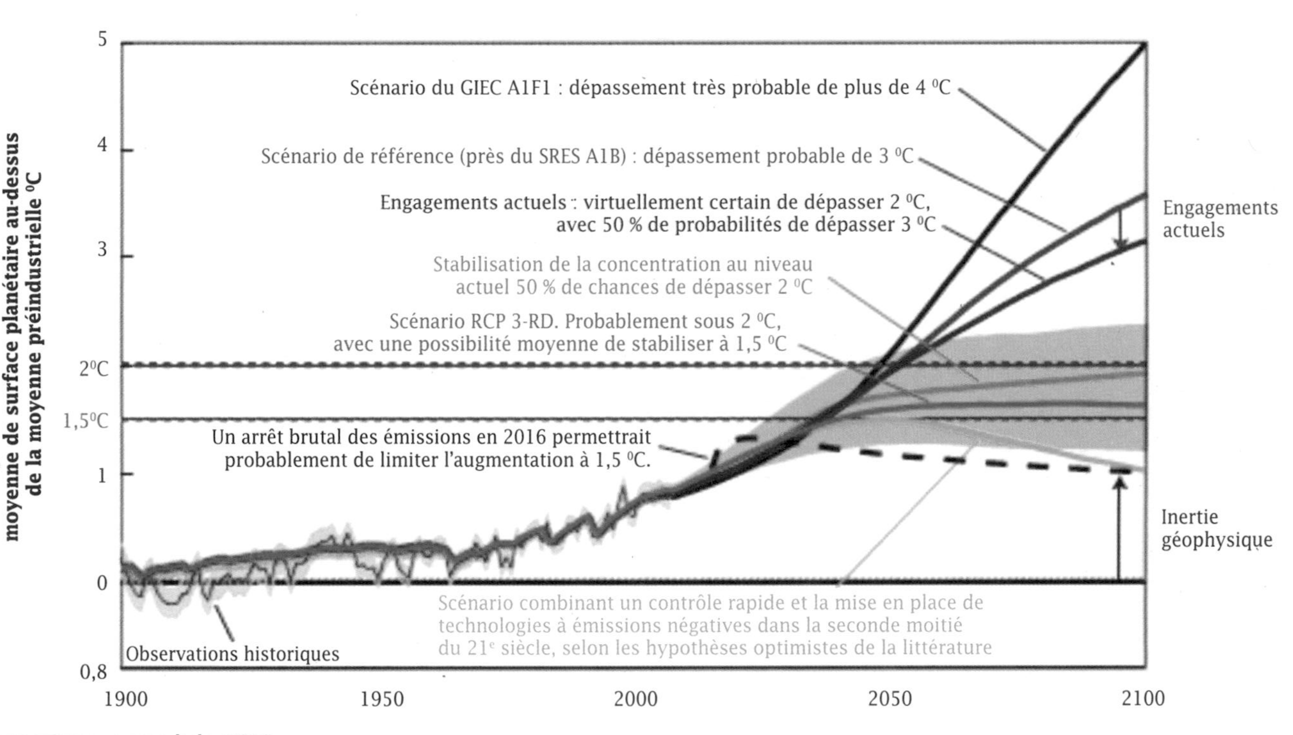

Source : Banque mondiale, 2012.

La figure 1.9 indique la progression probable des émissions d'ici à 2020 en postulant que les engagements pris en 2012 par les pays se réalisent. Le cap des 400 ppm de CO_2 dans l'atmosphère sera inéluctablement franchi à l'hiver 2014, et le 450 ppm est inévitable bien avant 2050. En effet, les systèmes naturels ne peuvent pas, dans l'état actuel des choses, absorber tout le CO_2 que nous émettons dans l'atmosphère. Toute quantité supplémentaire accélérera la vitesse d'augmentation de ce gaz, qui avoisine actuellement 3 parties par million chaque année.

FIGURE 1.9

Évolution probable des émissions mondiales de gaz à effet de serre jusqu'en 2020 incluant la déforestation

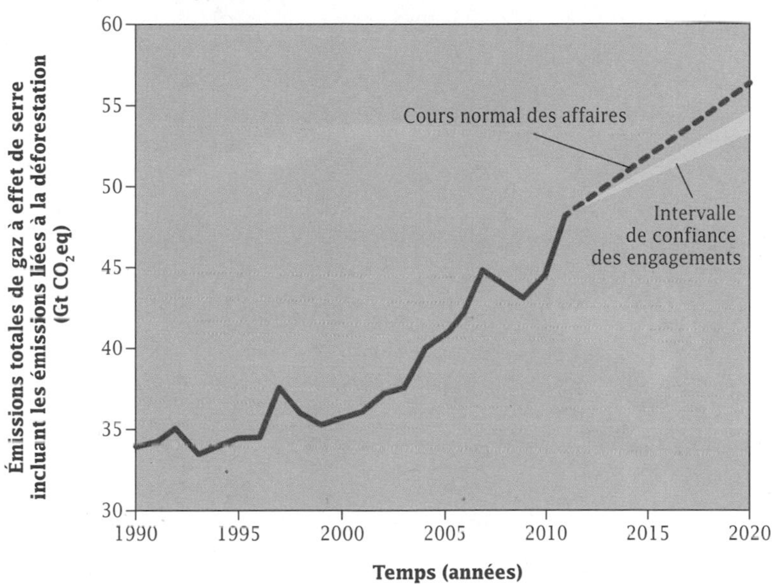

Source : Banque mondiale, 2012.

Comme l'indique la figure 1.10 pour les températures observées de 2005 à 2010, les effets d'un réchauffement de la température moyenne globale ne seront pas également distribués sur la planète, pas plus qu'ils ne l'ont été jusqu'à maintenant. Les modèles montrent aussi que ces effets ne seraient pas non plus une simple progression linéaire des effets prévus d'un réchauffement de 2 °C. Le réchauffement

FIGURE 1.10

Répartition du réchauffement actuel en fonction des latitudes

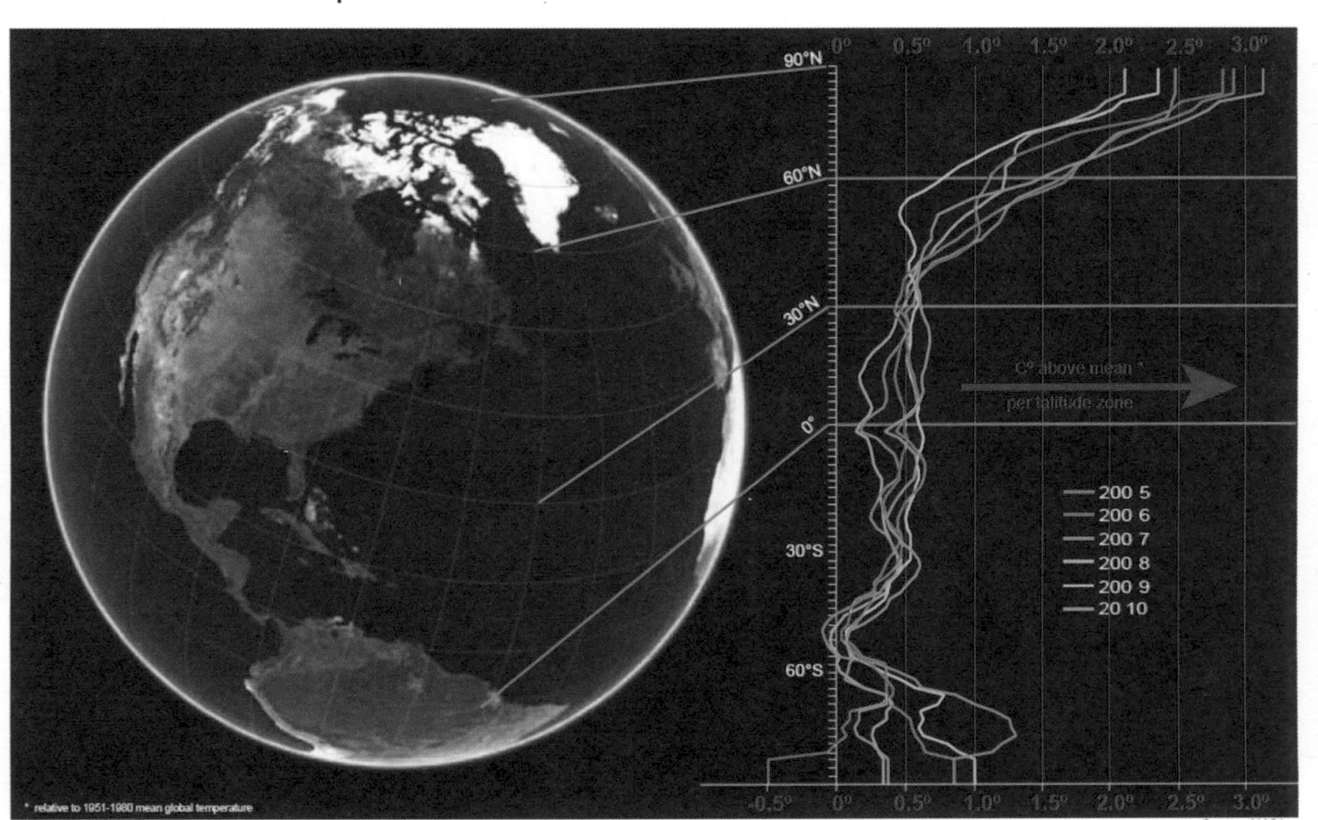

Source: PNUE, *Keeping Track of Our Changing Environment*, 2012, p. 31.

sera plus marqué sur les continents que sur les océans ; il sera plus prononcé aux pôles, les précipitations seront plus violentes et les sécheresses plus prononcées, bref, le changement du climat sera une affaire locale avant d'être une affaire mondiale et, comme nous le verrons au chapitre 5, il faudra s'y adapter.

C'est donc dans l'Arctique et, dans une moindre mesure, dans l'Antarctique que le réchauffement se fera le plus sentir, avec un rehaussement des températures minimales, ce qui signifie des hivers moins froids et une accélération de la fonte des glaces aussi bien continentales que marines en été.

Cette réduction de la surface gelée de la planète a deux effets d'amplification sur le réchauffement. L'augmentation de la surface océanique libre de glace diminue l'albédo de l'océan et favorise une plus grande absorption du rayonnement solaire en été. Cela a pour effet d'augmenter la quantité d'énergie absorbée sous forme de chaleur et retarde d'autant la prise des glaces à l'automne et leur épaississement en hiver. Une banquise plus mince fond plus facilement au printemps et augmente la surface des eaux libres, ce qui permet l'absorption de plus d'énergie l'été suivant et ainsi de suite.

Par ailleurs, les surfaces continentales dégagées de glace et de neige ont aussi un albédo plus faible, ce qui favorise la fonte du pergélisol. Ce dernier qui contient du méthane le libère dans l'atmosphère, amplifiant l'effet de serre et le réchauffement de la température moyenne. Enfin, la fonte des glaciers continentaux représente un apport important d'eau douce dans l'océan et s'ajoute à l'expansion thermique due au réchauffement de l'eau pour favoriser une augmentation accélérée du niveau de la mer. On assiste à une séquence typique de boucles de rétroaction positive qui peuvent amener le système à changer de dynamique.

Dans ce scénario, la Banque mondiale prévoit une occurrence sans précédent de températures extrêmes qui affecterait l'ensemble des pays de la planète, y compris les pays tropicaux, et mettrait en péril la capacité globale de production alimentaire et l'approvisionnement en eau douce. De plus, le relèvement du niveau des océans viendra aggraver la situation, en particulier dans les milieux tropicaux, où il sera de 15 à 20% plus important.

Les vagues de chaleur extrême sur l'Europe, la Russie et l'Amérique du Nord sont déjà dix fois plus fréquentes que la normale. Cette situation sera amplifiée d'autant que le réchauffement sera plus fort dans les latitudes élevées. Finalement, les temps violents, en particulier les cyclones tropicaux, mettront en péril des populations mal préparées et des infrastructures mal adaptées.

Cela est d'autant plus inquiétant que la troisième conférence mondiale « Planet under pressure » tenue à Londres (Grande-Bretagne), en mars 2012, a identifié le réchauffement du climat, la production alimentaire et l'approvisionnement en eau douce comme étant les trois principales menaces sur le système planétaire. Ces trois pressions étant exacerbées l'une par l'autre, nous sommes donc en présence, ici aussi, d'une boucle de rétroaction positive qui risque d'amplifier les impacts appréhendés.

Ces pressions s'ajoutent à celles qui s'exercent déjà sur la biodiversité à l'échelle planétaire, provoquant par exemple un recul des forêts tropicales (Villeneuve, C. 2012), mais aussi l'acidification des eaux de surface de l'océan. En effet, comme on peut déjà l'observer, la dissolution du CO_2 cause une acidification notable des eaux de surface. La concentration prévisible de CO_2, sous un climat de + 4 °C, augmenterait de 150% l'actuelle acidification ; cela irait au détriment de la survie des récifs coralliens qui sont, à l'instar des forêts tropicales sur les continents, des zones de haute valeur pour la biodiversité.

Encadré 1.5

LE COURS NORMAL DES AFFAIRES

En mai 2013, la NASA a publié une série de photographies prises par les satellites *Landsat* au cours des 30 dernières années. On peut y voir se déployer l'empreinte des humains et son accélération depuis 1980. L'animation en accéléré de ces photographies permet de se rendre compte de la vitesse du changement et de la portée de l'impact humain sur la planète. On peut y constater que des villes comme Shanghai ou Las Vegas s'étendent de façon tentaculaire, que Dubaï se déploie sur l'océan, et aussi qu'entre autres, la fonte des glaciers et la déforestation en Amazonie s'accentuent. L'Anthropocène est bien là. Plus inquiétant encore, le cours normal des affaires est de travailler à accélérer encore le mouvement.

http://world.time.com/timelapse.

Est-il trop tard ?

Les indicateurs pointent tous dans la même direction. Les forces directrices continuent d'amplifier les pressions de l'humanité sur le système planétaire. Notre compréhension du système permet d'accorder une certaine confiance aux prévisions sur l'évolution du climat et ses conséquences à court et moyen terme. Allons-nous inéluctablement vers la catastrophe ?

Ce livre veut tenter de répondre à cette question. Contrairement au bonhomme qui tombe du cinquantième étage, les forces qui agissent sur l'évolution de la planète ne peuvent se résumer à l'accélération gravitationnelle et à la résistance de l'air. La planète ne va pas non plus s'écraser contre un obstacle solide, même si la métaphore du mur vers lequel on se jette a été utilisée jusqu'à plus soif. Nous verrons au chapitre 6 que nous disposons de moyens que nous pouvons mettre en œuvre pour éviter le pire. Peut-on être optimiste pour autant ?

Plusieurs éléments interagissent dans le système planétaire. En conséquence, le climat qui résultera de l'Anthropocène ne sera vraisemblablement pas aussi confortable que celui de l'Holocène, mais il ne sera pas le seul déterminant de l'évolution de l'humanité. Notre société va changer, nos besoins aussi, pendant les prochaines décennies. Dans les pays industrialisés, la population va vieillir rapidement. Le pouvoir économique va passer vers l'Asie du Sud-Est et peut-être vers l'Afrique. Certaines ressources vont se raréfier, d'autres pourront être remplacées. Mais la composante climatique va demeurer au cœur de la satisfaction de nos besoins les plus fondamentaux: alimentation, eau potable, santé, sécurité physique. Ce qui nous attend n'est pas déterminé encore. Pour les espèces vivantes toutefois, les choses ont commencé à aller très mal. La perte de biodiversité nous affectera sans doute, plus que nous ne le pensons.

L'humanité dispose de moyens pour réduire ses émissions, atténuer les impacts des changements climatiques et s'adapter à un nouveau climat avec lequel il faudra bien vivre. Dans les prochains chapitres, nous examinerons la fiabilité des modèles climatiques et des prédictions qui en résultent, les réactions de la communauté internationale à la notion de risque climatique et les conséquences auxquelles on peut s'attendre pour la suite des choses. Comme l'adaptation sera nécessaire, nous verrons à quelles conditions elle peut se faire, quelles priorités s'imposent et quels outils doivent être mis en œuvre pour y arriver.

Enfin, nous passerons en revue quelques outils permettant la séquestration du carbone déjà présent dans l'atmosphère et des outils permettant de réduire les émissions de gaz à effet de serre à la source. Peut-être, au bout de cette analyse, un certain espoir sera-t-il permis. Il est peut-être encore possible d'éviter l'ingérable et de gérer l'inévitable.

Pour en savoir plus

Groupe intergouvernemental d'experts sur l'évolution du climat (GIEC), 2007, *Quatrième rapport*, www.ipcc.ch Le cinquième rapport sera publié à la même adresse à compter de l'automne 2013.

International Geosphere Biosphere Program, The Great Acceleration, http://www.igbp.net/globalchange/greatacceleration.4.1b8ae20512db692f2a680001630.html.

Programme des Nations Unies pour l'environnement, 2012, Global Environmental Outlook 5, http://www.unep.org/geo/.

La revue *Philosophical transactions of the Royal Society* a publié en 2011. Un numéro spécial sur l'Anthropocène disponible à http://rsta.royalsocietypublishing.org/content/369/1938.toc.

Références

Steffen, Will, Jacques Grinevald, Paul Crutzen et John McNeill, 2011, «The Anthropocene: conceptual and historical perspectives», Phil. Trans. R. Soc., 369, 842-867.

United Nations Environmental Program, 2012, *Keeping track of our changing environment*, 111 pages.

Villeneuve, Claude, (dir.), 2012, *Forêts et humains, une communauté de destins*, OIF et UQAC, 584 pages.

Villeneuve, Claude et François Richard, 2007, *Vivre les changements climatiques. Réagir pour l'avenir*, Québec, Éditions MultiMondes, 484 pages.

World Bank, 2012, *Turn Down the Heat, why a 4°C Warmer World Must be Avoided*, 84 pages.

Chapitre 2

Sciences du climat et boule de cristal informatique

Prédire l'avenir a toujours été l'affaire des devins. L'esprit critique s'est souvent effacé par rapport à notre angoisse devant l'inconnu. Aruspices, oracles, astrologues, cartomanciens et autres futurologues ont conseillé et conseillent encore les décideurs. Aujourd'hui, on nous demande de croire sur une base rationnelle aux prédictions faites par des équipes de scientifiques utilisant des modèles informatiques pour simuler l'évolution de notre planète. Dans ce chapitre, nous allons tenter de voir les bases de ces prédictions. Bien sûr, elles demeurent des hypothèses qui doivent être corroborées par la réalité, mais certaines sont plus plausibles que d'autres. Toutefois, ce qui est déterminant, c'est la confiance en l'avenir qui anime notre action. Ainsi, l'optimiste et le pessimiste interpréteront les mêmes faits avec des conclusions différentes. L'un choisira l'action, l'autre la résignation.

Les travaux les plus récents sur le sujet permettent de démontrer que les émissions réelles de gaz à effet de serre, en particulier de CO_2 d'origine fossile, augmentent inexorablement. Elles suivent les scénarios qui annoncent un réchauffement des températures de 4° ou plus au 21ᵉ siècle. Mais comment peut-on, à partir d'une donnée comme l'augmentation du CO_2, prédire la variation des températures sur une aussi longue période et pour la planète entière?

Les mathématiques nous permettent de décrire la réalité avec des équations et de l'anticiper par des calculs. Cela est fort utile pour décrire l'évolution d'un système ou pour postuler ce qu'il adviendra de ses composantes. Mais encore faut-il connaître suffisamment bien le système que nous étudions pour utiliser les bonnes équations et décrire avec précision ce qui se passera avec le temps. Le reste est une question de puissance de calcul et de rigueur d'interprétation des résultats.

S'il est assez facile de modéliser la chute d'un corps en appliquant la force gravitationnelle, la prévision de l'évolution d'un système complexe comme l'atmosphère en interaction avec d'autres compartiments de la planète est infiniment plus difficile. En matière de changements climatiques, la modélisation du climat planétaire est l'un des éléments les plus sensibles à la critique. Il convient donc d'agir avec prudence, surtout lorsque la modélisation concerne les prévisions sur l'évolution de nos conditions d'existence au prochain siècle. Dans ce chapitre, nous allons faire une place à l'histoire pour tenter de caractériser la fiabilité actuelle des simulateurs du climat futur. Mais, d'abord, on peut s'interroger sur la nature de cette science qui se targue de prévoir le temps qu'il fera dans 30, 50 ou 100 ans.

Météo et climat

La science de l'évolution de l'atmosphère est complexe. En gros, elle se décline en deux modes : la météorologie et la climatologie. La première permet de prédire l'évolution de l'atmosphère à court terme, localement et régionalement. La seconde s'intéresse aux longues séries temporelles et aux grands territoires.

Depuis toujours, la météo a pu être faite par simple observation de la nature. Par la direction du vent, l'allure du ciel, la forme des nuages, on peut prédire l'arrivée de la pluie ou un changement de système qui influencera de façon prévisible le climat local pendant quelques jours. En termes scientifiques, à partir de mesures de terrain (observations, température, pression atmosphérique, vitesse et direction des vents) ou de mesures et photos satellitaires, la météo permet de prévoir le temps qu'il fera dans les prochaines heures ou dans les prochains jours à partir de calculs informatisés interprétés par un spécialiste.

La fiabilité des prévisions météorologiques diminue à mesure qu'augmente la longueur de la période considérée. Ainsi, pour une période excédant trois jours, la probabilité que les prévisions soient justes descend rapidement. L'une des raisons qui expliquent cette perte de précision vient du fait que la météo ne calcule que l'évolution de l'atmosphère. Or, le climat de la Terre est le résultat d'interactions multiples entre de nombreux processus faisant intervenir l'atmosphère, l'océan, les glaces et les surfaces continentales. En gros, les météorologues sont des consommateurs de données fraîches qui prévoient le temps qu'il fera à court terme. Les climatologues, pour leur part, récupèrent les données météo. Ils s'en servent pour calculer des moyennes, des écarts-types et autres statistiques qui leur permettent de décrire les conditions caractéristiques de l'atmosphère et leurs variations dans un lieu donné. Idéalement, ces données doivent être d'une grande précision en termes de mesure et s'échelonner sur de longues périodes. Sinon, la variabilité naturelle du climat donnera un signal confus dont on ne pourra tirer aucune conclusion scientifiquement fondée.

En plus des variations de température et de précipitations sur des périodes de 30 ans au moins, les climatologues tentent de quantifier les échanges d'énergie entre les composantes de l'écosphère : l'atmosphère, les océans, les glaces et la surface terrestre. Pour cela, ils doivent tenir compte des facteurs qui agissent à très long terme, comme la configuration des continents qui détermine le relief, et ceux qui varient à des échelles de temps plus ou moins étendues, tels le rayonnement solaire, la circulation océanique, les variations de l'orbite de la Terre, les éruptions volcaniques et la composition de l'atmosphère. Mais comment peut-on retracer des données pertinentes à des échelles appropriées pour saisir ces diverses composantes du climat?

Les données météorologiques ne sont prises de façon standardisée partout dans le monde que depuis une soixantaine d'années. On doit donc faire des calculs de correction sur les données plus anciennes, mais cela nous amène à peine en 1850. En ce qui concerne la période antérieure à 1850, les températures doivent être déterminées par des moyens indirects appelés « proxys ». C'est le domaine de la paléoclimatologie. Comme nous l'avons vu au chapitre précédent (figure 1.2), certains proxys comme les rapports isotopiques de l'oxygène et de l'hydrogène permettent de déduire la température aussi loin que le dernier million d'années. Autant que possible, les proxys n'intègrent pas qu'un seul type d'observation. Par exemple, on va croiser les rapports isotopiques dans les glaces et dans les sédiments de la même époque pour que les calculs soient plus précis. On peut aussi combiner plusieurs sources de données, par exemple les cernes de croissance des arbres et les rapports isotopiques. Quand les preuves sont indirectes, la prudence exige qu'on ait plusieurs sources d'informations convergentes avant d'établir une moyenne. Plus les données sont indirectes et lointaines, plus l'incertitude sera grande. Mais, si plusieurs sources convergent, on peut établir un niveau raisonnable de confiance dans les résultats.

La climatologie s'intéresse à des phénomènes régionaux ou mondiaux et permet de prédire l'évolution à long terme du système couplé atmosphère-océan, intégrant les surfaces glacées. On réussit aussi à prendre de mieux en mieux en compte la biosphère et les échanges liés à la modification de l'usage des terres et à l'évolution du cycle du carbone. On parle maintenant de simulateurs planétaires et non pas seulement de simulateurs du climat. Ces modèles numériques, connus aussi sous le vocable de « modèles de circulation générale », permettent de simuler l'évolution temporelle des caractéristiques tridimensionnelles de l'atmosphère et de l'océan ainsi que les autres paramètres du système cités plus haut.

On mesure les paramètres climatiques depuis plus de 150 ans. Il va sans dire que, pour comprendre et prédire correctement l'évolution du climat, la science a énormément évolué au cours de cette période. Par exemple, ces mesures se font de façon de plus en plus normalisée à l'échelle globale. En effet, sans qu'elles soient harmonisées et mesurées de la même façon, les données climatiques ne sont pas comparables, ni dans le temps ni dans l'espace.

Actuellement, dans une station météorologique, la température est prise à l'ombre, avec un thermomètre dont la précision est vérifiée. La station météo est construite selon des normes universelles. C'est pourquoi la lecture que vous prenez sur votre propre thermomètre à la maison ne correspond que rarement à celle qu'annoncent les relevés météorologiques.

Cette standardisation a été une des premières grandes collaborations scientifiques internationales. Depuis le début du 20e siècle, des stations d'observation météorologiques enregistrent des données partout dans le monde. En 1950, le besoin de coopération internationale dans le domaine de la science de l'atmosphère a donné naissance à l'Organisation météorologique mondiale (OMM) qui, sous l'égide de l'ONU, favorise la collaboration entre les scientifiques de tous les pays.

Histoire de la prévision climatique

Dans un article intitulé «De l'influence de l'acide carbonique dans l'air sur la température du sol» et publié en 1896, le Suédois Svante Arrhenius estimait que le doublement de la quantité de CO_2 dans l'atmosphère augmenterait la température globale de 4 °C à 6 °C. Il s'agit là d'une performance remarquable pour quelqu'un qui ne disposait ni d'ordinateur ni de données fiables! Avec toute la science développée au cours des dernières années et les ordinateurs modernes, on reste dans le même ordre de grandeur. Arrhenius ne pouvait toutefois pas anticiper ce que représenteraient les conséquences d'une telle augmentation aussi bien que nous savons le faire aujourd'hui.

Dès le début du 20e siècle, L.F. Richardson a eu l'idée d'utiliser les équations de la mécanique des fluides pour prévoir l'évolution de l'atmosphère. De 1920 à 1922, il tenta de résoudre numériquement les équations différentielles appropriées afin de produire une prévision météorologique de six heures. Il se heurta à la difficulté de tenir compte de toutes les composantes du climat, ainsi que des interactions et rétroactions qui s'y produisent. Par manque de moyens de calcul, le résultat fut décevant. Son expérience a été néanmoins profitable aux générations suivantes. Dans les années 1940, dès que furent inventés les premiers ordinateurs, J. Charney et ses collègues reprirent les travaux de Richardson, afin de résoudre numériquement les équations météorologiques simplifiées.

FIGURE 2.1

Page couverture de l'article de Svante Arrhénius paru en 1896

THE

LONDON, EDINBURGH, AND DUBLIN

PHILOSOPHICAL MAGAZINE

AND

JOURNAL OF SCIENCE.

[FIFTH SERIES.]

APRIL 1896.

XXXI. *On the Influence of Carbonic Acid in the Air upon the Temperature of the Ground. By* Prof. SVANTE ARRHENIUS *.

I. *Introduction : Observations of* Langley *on Atmospherical Absorption.*

A GREAT deal has been written on the influence of the absorption of the atmosphere upon the climate. Tyndall † in particular has pointed out the enormous importance of this question. To him it was chiefly the diurnal and annual variations of the temperature that were lessened by this circumstance. Another side of the question, that has long attracted the attention of physicists, is this : Is the mean temperature of the ground in any way influenced by the presence of heat-absorbing gases in the atmosphere ? Fourier‡ maintained that the atmosphere acts like the glass of a hothouse, because it lets through the light rays of the sun but retains the dark rays from the ground. This idea was elaborated by Pouillet § ; and Langley was by some of his researches led to the view, that " the temperature of the earth under direct sunshine, even though our atmosphere were present as now, would probably fall to −200° C., if that atmosphere did not possess the quality of selective

* Extract from a paper presented to the Royal Swedish Academy of Sciences, 11th December, 1895. Communicated by the Author.
† 'Heat a Mode of Motion,' 2nd ed. p. 405 (Lond., 1865).
‡ *Mém. de l'Ac. R. d. Sci. de l'Inst. de France*, t. vii. 1827.
§ *Comptes rendus*, t. vii. p. 41 (1838).

Phil. Mag. S. 5. Vol. 41. No. 251. *April* 1896. S

L'avènement des modèles informatiques planétaires, leur évolution et leur complexification ont été fortement tributaires de l'évolution des supercalculateurs. La modélisation de l'atmosphère n'était pas nécessairement une priorité, mais elle a profité d'autres priorités de recherche gouvernementales. Selon Masco (2010), plusieurs instruments essentiels dans la modélisation climatique actuelle sont directement issus de la guerre froide. Les tout premiers modèles de circulation atmosphérique à l'échelle planétaire ont été produits au milieu des années 1950 aux États-Unis. Ils visaient alors à retracer le déplacement sur l'ensemble du globe des nuages radioactifs provoqués par les essais de bombes nucléaires américaines dans l'atmosphère. On voulait aussi prévoir ce qui arriverait des retombées radioactives si un conflit devait se produire.

Aujourd'hui, au contraire, les modèles climatiques sont développés avec une grande transparence et font l'objet d'une coopération internationale de grande envergure.

Encadré 2.1

LES MODÈLES EN BREF

Selon le système qu'ils décrivent et leur complexité, les modèles peuvent être classifiés comme:

- *Modèles atmosphériques ou océaniques.* Ces modèles décrivent les conditions régionales d'évolution d'une seule composante, atmosphère ou océan en trois dimensions.
- *Modèles de circulation générale atmosphériques ou océaniques.* Ils décrivent les conditions globales de circulation en trois dimensions d'une seule composante, atmosphère ou océan.
- *Modèles couplés de circulation générale.* Ces modèles décrivent la circulation et les interactions entre l'atmosphère et les océans à l'échelle globale.
- *Modèles de simulation planétaire.* Ils prennent en considération l'atmosphère, les océans, la topographie, les composantes du cycle du carbone et leurs interactions à l'échelle planétaire.

Dans les années 1960, deux équipes abordèrent l'étude de l'écoulement atmosphérique dans sa dimension climatique. L'équipe du Geophysical Fluid Dynamics Laboratory (GFDL) et celle de l'Université de Californie à Los Angeles (UCLA) travaillèrent sur des dimensions physiques plus sophistiquées et supprimèrent certaines approximations afin d'utiliser les modèles atmosphériques à toutes les latitudes. Mais, ce n'est qu'au cours des années 1970 et 1980 que le développement des modèles de circulation générale (MCG) de l'atmosphère se généralise. Le GDFL existe toujours et représente une des équipes mondiales de modélisateurs du climat. Il a élaboré plusieurs modèles atmosphériques et un modèle couplé planétaire intégrant les écosystèmes et le cycle du carbone. C'est le ESM2 (Earth System Model2) et ses variantes ESM2M et ESM2G qui sont utilisés par le National Ocean and Atmosphere Administration (NOAA) des États-Unis.

FIGURE 2.2
Évolution des modèles de circulation générale (MCG)

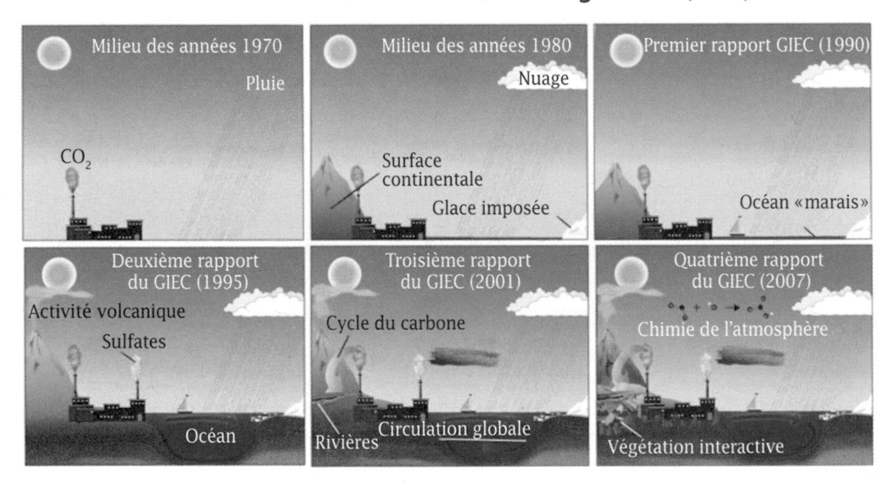

Source : GIEC, 2007.

Avec l'augmentation de la puissance des ordinateurs, les MCG peuvent aussi gagner en précision dans la représentation du territoire. La figure 2.3 montre l'évolution de la résolution des modèles globaux entre le premier et le quatrième rapport du GIEC. On peut y voir que les tuiles des modèles représentés sont passées de 25 000 km^2 à 12 100 km^2 entre 1990 et 2007.

FIGURE 2.3
Évolution de la précision des modèles

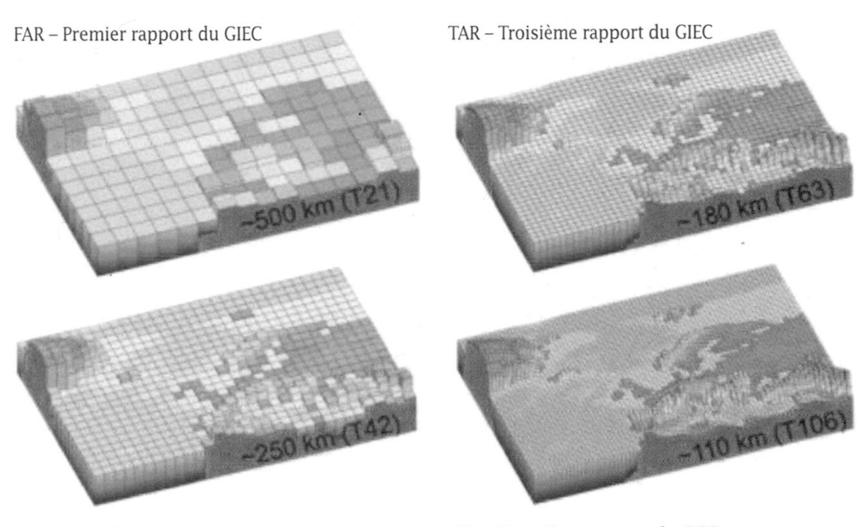

Source : Organisation météorologique mondiale, 2013.

Au cours des années 1990, l'amélioration des ordinateurs a permis de réaliser plus couramment des simulations de plusieurs décennies en utilisant des résolutions horizontales et verticales plus élevées qu'auparavant. Ces simulations ont tout d'abord été limitées à l'écoulement atmosphérique. Par la suite, on a pu y associer l'atmosphère, l'océan et la glace marine. Tous ces modèles ont été élaborés pour la prévision météorologique à courte échéance (quelques jours) ou pour des simulations climatiques à moyen et long terme (de quelques mois à plusieurs décennies).

Actuellement, les modèles de prévision météo utilisent des résolutions horizontales et verticales plus élevées que les modèles climatiques. Ces derniers étant intégrés sur des périodes de temps beaucoup plus longues, il faudrait beaucoup trop d'heures de calcul pour obtenir des résolutions équivalentes aux modèles de prévision météorologique.

Le défi des modèles climatiques est de reproduire la réalité beaucoup plus rapidement que les vrais systèmes planétaires évoluent. Cela exige de simplifier cette réalité dans des équations. Plus les modèles sont complexes et prennent en considération un grand nombre d'éléments du système étudié, plus la puissance de calcul nécessaire pour les faire fonctionner est grande. Actuellement, il existe une vingtaine de modèles climatiques dans le monde. Ils ont été élaborés par des centres de recherche réputés dont les simulations servent aux travaux du GIEC. Ces équipes collaborent au sein du CLIVAR (Climate Variance and Predictibility) du Programme mondial de recherche sur le climat (World Climate Research Program).

Modèles simples ou complexes

Les modèles climatiques sont nombreux. Leur complexité est variable selon le type d'usage que l'on veut en faire. Certains ne traitent que d'une dimension ou d'une composante (atmosphère ou océan) ; d'autres représentent moins de couches ou considèrent des cellules plus ou moins grandes du système étudié. Les modèles les plus simples peuvent fonctionner sur un microordinateur ; pour les plus complexes, il faut recourir à des supercalculateurs. En général, les modèles les plus simples servent à débroussailler la question de recherche, alors que les plus complexes sont utilisés pour analyser l'évolution du système dans son ensemble.

Les experts ont également développé des modèles du système terrestre de complexité intermédiaire (EMIC, en anglais, pour Earth Model System of Intermediate Complexity) qui simplifient les processus physiques par rapport aux MCG et permettent ainsi de produire des prévisions à plus long terme, à plus grande échelle et aussi plus rapidement et à moindre coût que les MCG ou les simulateurs planétaires du climat.

Lorsque vient le temps de faire des prévisions sur ce que sera le climat à des échelles plus précises dans le temps et dans l'espace, c'est-à-dire pour des régions et des périodes déterminées, on se tourne vers des outils plus perfectionnés. Il s'agit alors des modèles couplés de circulation globale de l'atmosphère et de l'océan.

Dans ces modèles complexes, le climat de la Terre est simulé d'une façon qui se rapproche beaucoup plus de la réalité que dans les modèles simples. Les modèles couplés peuvent ainsi tenir compte de l'effet des montagnes sur les déplacements de masses d'air ou de l'influence régionale de la circulation océanique, par exemple. Les interactions entre les facteurs du climat sont représentées dans une série de compartiments ayant trois dimensions. Les interactions entre les compartiments sont également intégrées. Les compartiments sont illustrés dans les modèles par des points dont les dimensions horizontales et verticales correspondent à la résolution spatiale du modèle et à son niveau de détails.

Les modèles couplés sont en fait une combinaison de deux grilles de points, l'une représentant l'atmosphère et l'autre l'océan. Les dimensions des points pour l'atmosphère atteignent, selon les modèles climatologiques, entre 110 et 500 km à l'horizontale. La dimension verticale est, quant à elle, représentée par 12 à 56 niveaux. L'épaisseur de ces couches et leur hauteur maximale varient d'un modèle à l'autre. Cette dernière étant souvent déterminée par une valeur de pression atmosphérique, moins cette valeur est grande plus importante sera la hauteur du « plafond » du modèle.

Cela s'explique parce que la pression diminue à mesure que l'altitude augmente. Plusieurs modèles climatiques ont un plafond de plus de 40 km. En comparaison, les modèles météorologiques ont des résolutions allant de 5 à 15 km. La résolution d'un modèle peut aussi s'exprimer en degrés de longitude et de latitude.

La portion atmosphérique des modèles récents peut avoir une résolution aussi précise que 1,4° de latitude par 1,4° de longitude, soit de l'ordre de 12 500 km^2.

La partie océanique des modèles couplés possède généralement une résolution plus fine que la partie atmosphérique. Les dimensions horizontales de la composante océanique s'étendent de 0,2° à 4° de latitude (environ 20 km à 400 km) et de 0,3° à 5° de longitude (l'équivalent d'environ 30 km à 500 km à l'équateur). Tout comme la partie atmosphérique, la dimension verticale de l'océan se présente en tranches d'épaisseur variable dont le nombre peut atteindre 47. Il est en effet nécessaire de connaître même la topographie des fonds marins et la circulation des courants pour bien représenter les transferts de chaleur et de gaz, comme le CO_2 qui peut être absorbé à un endroit et ressortir à un autre.

Le couplage des modèles océaniques avec les modèles atmosphériques n'est pas une mince affaire. En effet, la capacité thermique des océans est beaucoup plus grande que celle de l'atmosphère, en raison de la chaleur spécifique de l'eau, de sa densité et de la masse de l'océan. La quantité de chaleur qui peut être transférée de l'océan à l'atmosphère, et inversement, est aussi un défi à modéliser correctement.

Les modèles couplés doivent enfin être capables de reproduire des modifications à court terme, comme le phénomène El Nino-Oscillation Australe (ENSOA). Le couplage de l'atmosphère et de l'océan doit par la suite intégrer les autres composantes que sont la cryosphère[1] et la biosphère pour représenter encore plus fidèlement l'évolution future du climat.

Lorsque tous ces couplages sont complétés, le défi est d'intégrer la dynamique du cycle du carbone et les modifications induites par la modification de l'usage des terres liée aux activités humaines. On arrive alors aux modèles de dernière génération : les simulateurs de climat planétaire.

1. La cryosphère est la partie de la planète gelée en permanence, incluant les inlandsis, les glaciers de montagne, le pergélisol et la banquise pluriannuelle.

Il existe une autre famille de modèles: les modèles régionaux du climat. Les modèles régionaux sont des programmes qui prennent en considération les paramètres d'une région précise et qui peuvent y analyser l'évolution du climat de façon beaucoup plus détaillée que les modèles globaux ne le peuvent. Comme l'indique la figure 2.4, les modèles régionaux gèrent, avec une résolution beaucoup plus fine, une région représentée par des tuiles du MCG. Cela signifie qu'ils doivent être alimentés par les données provenant du MCG pour effectuer leurs calculs.

Les MRC sont essentiels pour évaluer les impacts des changements climatiques à l'échelle d'une région ou d'un pays; leurs résultats servent aussi à sensibiliser les décideurs à l'adaptation.

FIGURE 2.4

Relation entre les modèles régionaux et les modèles globaux

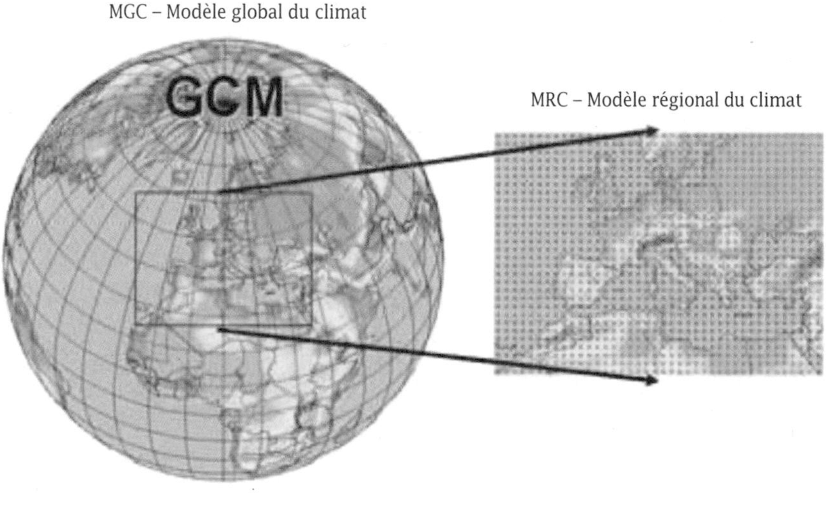

MGC – Modèle global du climat

GCM

MRC – Modèle régional du climat

Source: Organisation météorologique mondiale (OMM), 2013.

Encadré 2.2

LES MODÈLES CANADIENS

Le Canada est un joueur important parmi les modélisateurs du climat. Actuellement, Environnement Canada opère le modèle canadien de circulation globale couplée de quatrième génération et le modèle régional canadien de cinquième génération. On peut avoir une description de ces modèles à :

http://www.ec.gc.ca/ccmac-cccma/default.asp?lang=Fr&n=4A642EDE-1

Des scénarios ?

Pour prédire l'évolution du climat, il faut alimenter les modèles avec des projections plausibles du futur. Outre les variations du flux solaire, l'évolution de la concentration de gaz à effet de serre est le principal facteur de forçage climatique. Elle dépend au premier chef des émissions anthropiques et elle est directement influencée par des choix économiques et politiques. On a donc d'abord élaboré des scénarios sur les bases de l'évolution politique et économique de l'humanité pour proposer plusieurs états possibles du futur. Ces familles de scénarios ont servi à anticiper l'évolution de l'effet des humains sur le climat global en fonction de leurs choix politiques. Ces scénarios ont été utilisés à partir du deuxième rapport du GIEC.

Par exemple, l'évolution démographique est l'une des composantes qui expliquent l'augmentation de la demande d'énergie ou de produits agricoles et forestiers. Nous avons dépassé le cap des 7 milliards d'habitants sur la planète à la fin de 2011. Les Nations Unies prévoient que nous serons 9 milliards en 2050 et 10 milliards en 2100 (UNEPA, 2011). Mais quelle sera la progression de la consommation de biens et services de cette population ? Depuis 2012, le nombre de véhicules automobiles a dépassé le milliard d'unités. Si la demande se maintient, il y aurait trois milliards d'automobiles et de camions légers en 2050. Est-ce plausible ? Le transport aérien est en croissance ininterrompue depuis 30 ans. On estime avoir dépassé le pic pétrolier en 2010. Est-ce bien le cas? Pour extraire des carburants fossiles comme le pétrole des sables bitumineux d'Alberta, il faut investir 20 fois plus d'énergie que pour le faire en Arabie saoudite. Les États-Unis cherchent à atteindre l'autonomie énergétique et développent massivement leur gaz et leur pétrole de schiste. Tous ces éléments doivent être pris en considération pour construire un scénario.

Les scénarios socio-économiques sont utilisés dans la recherche climatique pour donner une représentation plausible du futur. Outre les changements socio-économiques, ils doivent tenir compte des changements technologiques, de la répartition des approvisionnements énergétiques et de l'usage des terres qui influenceront les émissions de gaz à effet de serre et d'autres polluants atmosphériques comme les aérosols, les poussières de carbone ou les précurseurs de l'ozone troposphérique.

Non seulement les scénarios servent-ils à alimenter les modèles pour la prédiction de l'évolution du climat, mais ils peuvent aussi être utilisés pour prédire ou prévenir les impacts et évaluer les coûts des mesures d'adaptation.

Le premier exercice d'élaboration de scénarios pour le GIEC s'est fait à la suite de son premier rapport, en 1992, pour alimenter le rapport de 1995, alors que celui-ci a donné lieu à un exercice terminé en 2000 qui a fait l'objet d'un rapport spécial du GIEC et a produit une série de familles de scénarios, lesquels ont alimenté les rapports de 2001 et de 2007.

En préparation de la cinquième série de rapports du GIEC, il est devenu évident qu'une nouvelle suite de scénarios devait être préparée pour mieux rendre compte de l'évolution réelle des émissions depuis une quinzaine d'années, laquelle est caractérisée par une croissance économique fulgurante des pays émergents, une délocalisation des activités manufacturières vers l'Asie et une augmentation rapide et soutenue du transport maritime et aérien à l'échelle mondiale.

Les scénarios devaient aussi être ajustés en fonction de l'avancement des connaissances dans les domaines de l'adaptation et de l'atténuation des impacts. Il a donc été convenu de produire une nouvelle série de scénarios qui représenteraient mieux les différences de forçage radiatif[2] permettant de détecter les différences significatives pour les signaux climatiques à long terme. Ces scénarios devaient aussi fournir une base solide pour que les spécialistes du secteur socio-économique et des études d'impact puissent prendre en considération des politiques anticipées, et cela, tout en s'appuyant sur la littérature scientifique. Ce sont les scénarios représentatifs d'évolution des concentrations de gaz à effet de serre (Representative Concentration Pathways ou RCP, en anglais)

Au lieu de bâtir les scénarios sur la progression des émissions, il a été décidé d'utiliser une approche basée sur quatre niveaux de forçage radiatif possibles en 2100, soit 2,6[3], 4,5, 6,0 et 8,5 W/m^2. Par la suite, on peut proposer des trajectoires représentatives pour atteindre ces niveaux en 2100. En utilisant le forçage radiatif, on n'intègre pas seulement le niveau des émissions de gaz à effet de serre, mais aussi les émissions d'aérosols et les modifications de l'usage des terres ou les changements de l'albédo des surfaces.

Cette nouvelle approche par seuil est clairement plus intéressante pour l'évaluation des impacts. En effet, peu importe le temps requis pour atteindre un seuil, il faudra définir les contraintes à l'adaptation en fonction de celui-ci. Par ailleurs, cela permet aussi aux modélisateurs d'intégrer des mesures comme la géoingénierie qui propose par exemple d'envoyer des aérosols sulfatés en haute atmosphère pour réduire le rayonnement solaire incident et ainsi tenter de refroidir le climat. Les trajectoires couvrent la période 1850-2100 et des modules permettant d'aller jusqu'en 2300 ont été ajoutés (Meinshausen et collab., 2011).

2. Modification du bilan énergétique Terre-atmosphère causée par une substance ou une modification de l'albédo (mesure de la lumière réfléchie par un objet).
3. Comme il prévoit un plafonnement et une réduction des émissions au cours du 21e siècle, le scénario 2,6 W/m^2 a été nommé RCP 3PD parce que le forçage maximum sera de 3 W/m^2 et diminuera à 2,6 par la suite.

C'est un changement de paradigme. Dorénavant, l'objectif des scénarios n'est plus de savoir quand on va atteindre tel ou tel niveau, mais bien de voir ce que nous devons faire pour éviter d'atteindre ce niveau et ce que nous ferons pour nous adapter lorsqu'il sera atteint. Ainsi, on peut focaliser autant sur le court terme (d'ici à 2035) comme sur le plus long terme (au-delà de 2100). Cela permet aussi une meilleure quantification des rétroactions, en particulier dans le cycle du carbone. Ce nouveau paradigme reconnaît de plus la nécessité de mieux comprendre et interpréter les observations récentes de la variabilité climatique (par exemple avec les épisodes de temps violent) de manière à mieux y déceler la contribution de l'activité humaine.

La figure 2.5 montre comment les émissions devraient évoluer à l'horizon 2050 en suivant les nouveaux scénarios et en les comparant avec le scénario de 1992 utilisé dans le deuxième rapport du GIEC et des scénarios représentatifs du rapport spécial sur les scénarios d'émissions de 2000 qui ont été utilisés dans le troisième et le quatrième rapport.

À Copenhague, en 2009, les pays membres de la Convention-cadre sur les changements climatiques se sont engagés à limiter l'augmentation de la température à 2 °C. On peut voir à la figure 2.5 que pour respecter la promesse d'une stabilisation du climat à + 2 °C, tel que promis dans l'accord de Copenhague, c'est-à-dire pour avoir un forçage de 2,6 W/m^2 en 2100, il faudra que les émissions plafonnent avant 2020. Elles devront entamer une descente rapide après cette date pour représenter en 2050 moins de la moitié de ce qu'elles étaient en 2010. Nous verrons au chapitre 6 que cela n'est pas gagné, loin de là.

FIGURE 2.5

Évolution des émissions de gaz à effet de serre[4] d'ici à 2050 selon les scénarios de concentrations RCP comparés avec les scénarios antérieurs

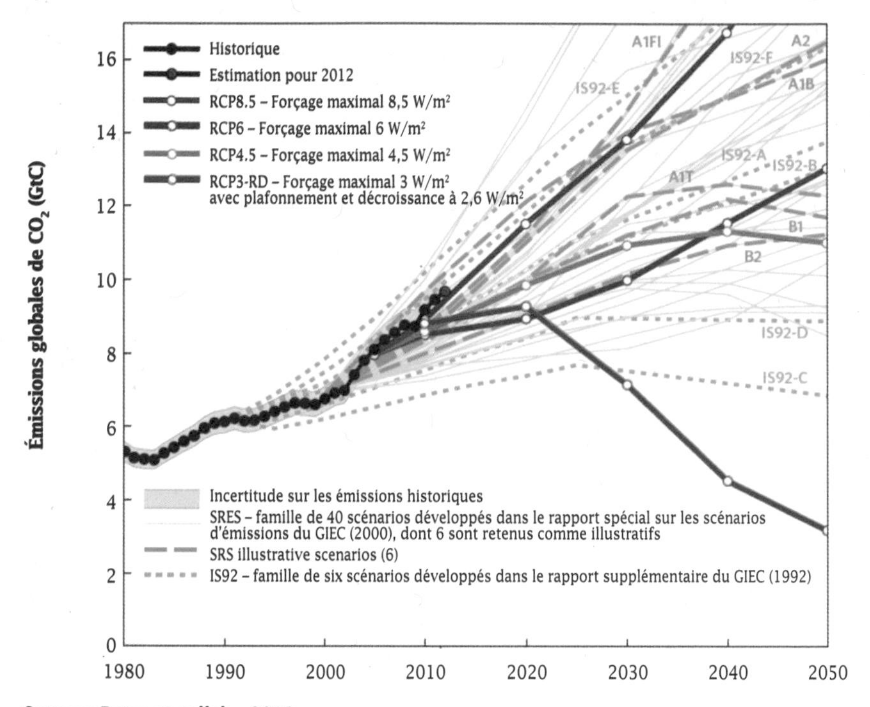

Source : Peter et collab., 2012.

La fiabilité des modèles

Les modèles représentent la boule de cristal des climatologues. Toutefois, contrairement à la boule de madame Irma, il s'agit d'un outil dont le fonctionnement est transparent et minutieusement décrit. Chacune des équations programmées dans le calculateur est fondée sur des paramètres mesurables et mesurés, sur des équations connues et validées. Lorsque des approximations doivent être faites, elles sont documentées et leur marge d'erreur est expliquée et intégrée au calcul. Peut-on affirmer pour autant que les modèles disent la vérité sur l'avenir ?

4. Un pétagramme de carbone (PgC) égale 3,67 milliards de tonnes de CO_2.

Les projections obtenues à partir de modèles sont toujours entourées d'un certain degré d'incertitude. C'est pourquoi les experts préviennent systématiquement les utilisateurs d'interpréter les résultats avec précaution. Par ailleurs, les groupes de scientifiques qui ont créé les principaux modèles les soumettent régulièrement à des tests pour comparer leur performance, à la fois dans leur capacité à reproduire le climat du passé et pour leur cohérence dans la prévision du climat du futur. La figure 2.6 présente les résultats d'un tel exercice fait pour le quatrième rapport du GIEC en ce qui touche le climat du passé alors que la figure 2.7 montre, à partir des nouvelles méthodes, ce que les modèles permettent de prévoir jusqu'en 2030.

On peut constater à la figure 2.6 que, dans l'ensemble, les modèles arrivent à reproduire correctement le climat du passé avec une marge d'incertitude qui inclut les variations réelles de la température moyenne planétaire. On peut aussi constater l'effet du forçage radiatif causé par l'augmentation des gaz à effet de serre d'origine anthropique dans l'atmosphère. Le deuxième graphique de la figure 2.6 montre en effet que, sans inclure ce forçage, les modèles donnent des températures significativement plus basses que celles qui ont été observées en réalité. Cela confirme l'effet de l'activité humaine sur le climat. En effet, si on enlève les forçages d'origine anthropique, le climat des années 1960 à 2000 aurait été significativement plus froid que ce qui a été mesuré en réalité.

La figure 2.6 identifie aussi les principaux événements volcaniques survenus pendant cette période. On peut constater que l'effet de ces derniers sur le climat planétaire est faible. Malgré cela, il est correctement reproduit par les modèles. Les volcans produisent d'importantes quantités d'aérosols et de poussières qui ont un effet de refroidissement sur le climat lorsque leurs éruptions sont suffisamment violentes pour que ces poussières atteignent la stratosphère.

On peut donc tirer comme conclusion de l'analyse de cette figure que la programmation des divers paramètres du système climatique dans les modèles utilisés est capable de reproduire correctement le passé, si on lui donne les éléments pertinents de l'histoire. En termes d'analogie, on pourrait dire que madame Irma est capable, à partir de quelques éléments de notre vie, d'en reconstruire la trame et d'identifier les événements marquants. C'est bien, mais que se passe-t-il pour le futur?

FIGURE 2.6

Reproduction du climat passé par un groupe de MCG

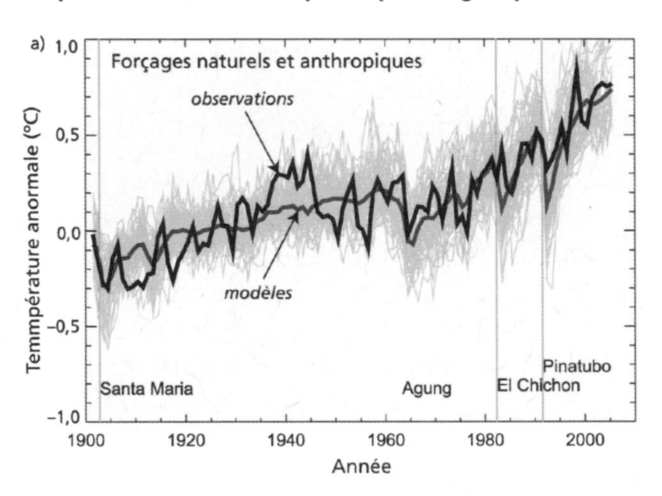

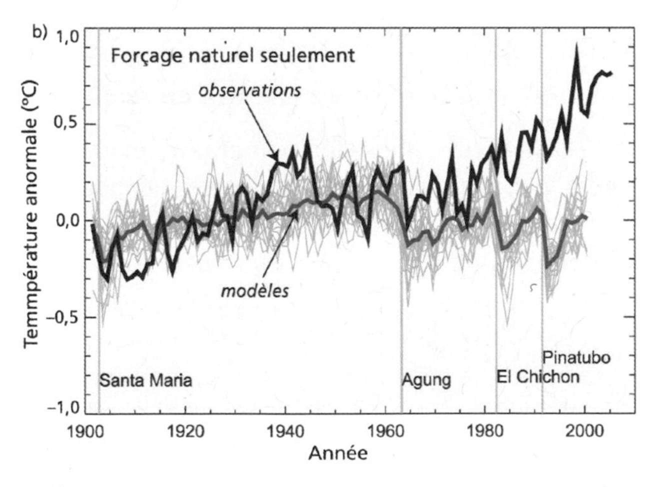

Source: GIEC, 2007.

Dans ce cas, la situation se complique quelque peu. La figure 2.7 se divise en trois. Le premier graphique reprend la période passée considérée dans la figure 2.6 et projette les prédictions des modèles pour la période 2010-2030. Le deuxième graphique montre l'évolution des principaux facteurs de forçage naturel du climat que sont le volcanisme El Nino-Oscillation australe. Le troisième illustre la variation d'intensité du rayonnement solaire et la compare avec le forçage radiatif induit par l'activité humaine.

FIGURE 2.7
Prévisions de l'évolution du climat à l'horizon 2030

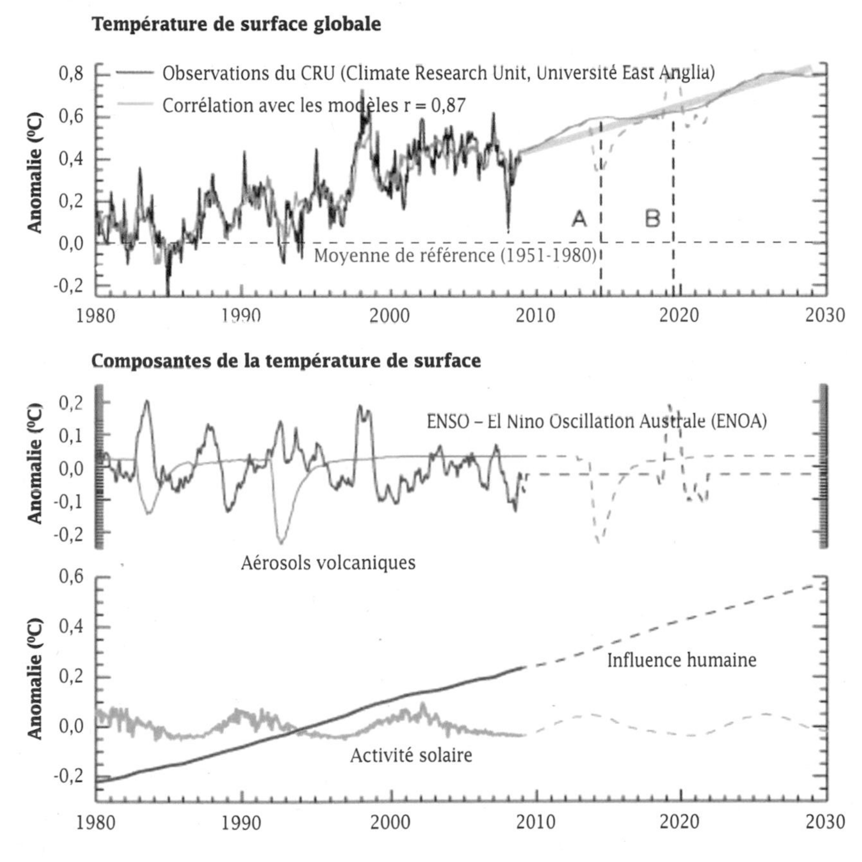

Source: Lean et Rind, 2009.

On peut y constater que l'effet du forçage généré par les activités humaines dépasse, depuis 1995, celui des variations naturelles de l'intensité solaire et des variations de température induites par le phénomène ENSOA et le volcanisme. La majeure partie du réchauffement anticipé pour le futur sera donc attribuable au forçage anthropique.

La projection d'augmentation de température globale anticipée correspond à un réchauffement de l'ordre de 0,8 °C par rapport à la période de référence 1951-1980. C'est un scénario qui a une forte probabilité de se produire. Cette augmentation du forçage radiatif par les humains ne peut pas être évitée dans l'état actuel des choses. Les sources d'émissions de gaz à effet de serre sont à peu près impossibles à contraindre dans le peu de temps qu'il nous reste avant 2030. Les engagements des pays sont très insuffisants pour changer significativement la donne. Rappelons qu'aucun accord contraignant significatif n'est censé entrer en vigueur avant 2020. Ces projections ont été faites par le Climate Research Unit du Hadley Center, en Angleterre.

En gros, la prédiction de madame Irma se base sur le fait que, la tendance se poursuivant, nous aurons une accumulation linéaire des impacts à court terme. Jusque-là, ce n'est pas sorcier, mais la boule de cristal peut-elle nous dire à quel moment la catastrophe se produira, si toutefois elle se produit ? Contrairement à la boule de cristal, les modèles sont perfectibles et des équipes internationales s'y emploient.

Progrès récents

La modélisation climatique est un art perfectible et de nombreuses équipes s'y emploient. Depuis le dernier rapport du GIEC, de nouvelles versions de plusieurs modèles ont été mises à l'épreuve. Par exemple, le modèle canadien global de quatrième génération et le modèle régional de cinquième génération seront utilisés pour le cinquième rapport du GIEC.

Depuis 2005, les modèles climatiques et les modèles intégrés d'évaluation des impacts ont beaucoup évolué. Par exemple, dans les modèles couplés, de nouvelles composantes permettent de simuler un couvert végétal dynamique incluant la croissance des arbres et leurs effets sur l'albédo, le cycle du carbone dans les écosystèmes terrestres et dans les océans, une chimie de l'atmosphère dynamique et complexe, la dynamique des glaces de mer ainsi que les effets complexes des aérosols. La dynamique des nuages a aussi beaucoup évolué, un élément qui laissait à désirer dans les générations précédentes de simulateurs du climat. En même temps, les modèles d'évaluation intégrée des impacts ont commencé à mieux prendre en considération une dynamique climatique plus complexe et les paramètres liés au changement de vocation des terres.

L'Agence spatiale européenne, avec son initiative sur les changements climatiques, a commencé à mettre à la disposition des modélisateurs des observations satellitaires à haute résolution spatiale et temporelle pour une douzaine de variables. Ces données précieuses servent à la communauté des modélisateurs pour tester la fiabilité de leurs programmes et à les alimenter.

À l'échelle internationale, le World Climate Research Programme (http://www.wcrp-climate.org/modelling.shtml) regroupe des initiatives provenant des divers instituts de recherche et de l'Organisation météorologique mondiale (OMM). Il comporte trois groupes de travail internationaux qui s'occupent respectivement des avancements dans les domaines du couplage de modèles, de prédictions saisonnières et interannuelles et d'expérimentations numériques.

En 2011, le groupe de travail sur le couplage de modèles a publié une cinquième comparaison de performance entre les modèles qui montre une amélioration de la capacité et de la précision de la simulation numérique de systèmes complexes. Mais comment tout cela sert-il aux décideurs ? Certains préfèrent encore consulter madame Irma…

Encadré 2.3

LA COMPARAISON DES MODÈLES

Comment peut-on tester la fiabilité de modèles qui ont été construits par des équipes différentes, à partir de points de départ différents? Il s'agit de les alimenter avec les mêmes données et les mêmes questions et de comparer les réponses qu'ils y donnent. Si ces réponses diffèrent, il faut trouver pourquoi. Les équipes de chercheurs qui travaillent à la modélisation climatique sont en étroite relation les unes avec les autres. À intervalles réguliers entre les rapports du GIEC, ils se réunissent pour comparer les performances de leurs modèles. La cinquième phase du projet de comparaison des performances des modèles climatiques CMIP5 a donné lieu à un numéro spécial de la revue *CLIVAR Exchanges* en 2011.

Le GIEC et les modèles

Nous l'avons vu, les modèles du climat sont des outils fondés sur un ensemble de connaissances scientifiques de pointe qui peuvent nous permettre de poser avec un bon degré de confiance des hypothèses sur l'évolution des caractéristiques du climat de la planète dans un futur plus ou moins rapproché. Mais, à qui servent-ils vraiment?

Le Groupe intergouvernemental d'experts sur l'évolution du climat (GIEC) a été créé en 1988 sous la responsabilité de l'OMM et du PNUE. L'encadré 2.4 en explique le mandat et le fonctionnement. Cet organisme est constitué de scientifiques de toutes les disciplines. Il est coordonné par un petit secrétariat à Genève, dans les bureaux de l'OMM. Son mandat est d'éclairer les décideurs à partir des travaux scientifiques publiés sur la science du climat, la responsabilité des humains dans les changements climatiques, les impacts auxquels on peut s'attendre et les mesures à mettre en œuvre pour limiter ces impacts et s'y adapter. Outre l'état des lieux, le GIEC a mandat de faire des projections dans le temps pour éclairer la prise de décision. C'est dans ce cadre qu'il a absolument besoin des modèles.

Encadré 2.4

DESCRIPTION DU GIEC

Créé en 1988 pour répondre à la question: «Y a-t-il ou non un réchauffement climatique induit par l'activité humaine?», le Groupe intergouvernemental d'experts sur l'évolution du climat, plus communément appelé par son acronyme GIEC, est un organisme placé sous l'autorité de l'Organisation météorologique mondiale (OMM) et du Programme des Nations Unies pour l'environnement (PNUE). C'est un groupe de scientifiques issus d'universités et de services gouvernementaux du monde entier et de toutes les disciplines des sciences naturelles et des sciences humaines, dont l'économie. Bien que des milliers de scientifiques participent à la rédaction des rapports, l'organisme est géré par un petit secrétariat situé à Genève, dans les bureaux de l'OMM. Plus d'informations sont disponibles sur son site Internet www.ipcc.ch.

Le GIEC ne fait pas d'activités de recherche scientifique à proprement parler. Cependant, ses membres et les auteurs des rapports sont des scientifiques actifs et reconnus comme des spécialistes de leur domaine de compétence. Il est constitué de trois groupes de travail: le premier sur la science du climat, le second sur les questions de vulnérabilité, d'impacts et d'adaptation et le troisième sur les outils de lutte contre les changements climatiques et les mesures d'atténuation. Chaque groupe est coprésidé par un scientifique issu des pays développés et d'un autre provenant des pays en développement. Le travail du GIEC consiste à recenser, dans la littérature scientifique publiée dans des journaux révisés par les pairs, des faits qui peuvent soutenir ou contredire des hypothèses concernant l'évolution du climat et ses conséquences dans un futur plus ou moins proche. Il faut de trois à quatre ans pour préparer un rapport qui porte sur l'évolution de la science au cours des cinq années précédant sa parution.

Le mandat du GIEC est de fournir aux décideurs une information «utile en termes politiques» (*policy relevant*), neutre et objective, avec des sources transparentes issues de travaux scientifiques, techniques et socio-économiques pertinents et de refléter les divergences d'opinions aussi longtemps que celles-ci sont fondées scientifiquement. Le GIEC ne peut pas s'avancer à critiquer des choix politiques, mais il doit informer les politiciens et toute personne intéressée par les changements climatiques.

Le travail des modélisateurs est primordial. Il intègre les observations faites en rapport avec les hypothèses des rapports précédents pour alimenter les simulateurs informatiques. Enfin, il énumère une série de conséquences possibles sous forme de prévisions climatiques globales, continentales et régionales, tant en termes de températures moyennes et extrêmes, de précipitations que de temps violent. De plus, il doit évaluer la vitesse d'augmentation du niveau des océans, la vitesse de fonte des glaciers ou de la banquise pluriannuelle et la persistance de la couverture nivale qui sont tous des facteurs susceptibles de faire varier les résultats des prévisions.

Naturellement, toutes ces projections comportent des incertitudes qui doivent être précisées et évaluées. En effet, les simulateurs informatiques ne sont pas un calque parfait de la planète. Et, comme pour n'importe quel programme informatique, la qualité des réponses qu'ils nous donnent dépend de la qualité des données qu'on leur fournit. C'est pourquoi l'ensemble des chapitres du groupe de travail 1 porte sur une revue des connaissances les plus récentes dans les domaines de l'atmosphère, de l'océan, des glaces, du cycle du carbone et de leurs interactions qui sont susceptibles d'influer sur les résultats de la modélisation. Contrairement à la boule de cristal de madame Irma, les modèles ne fonctionnent pas à l'intuition. Pourtant...

Comment intégrer et interpréter l'incertitude?

Le GIEC fonctionne par consensus d'experts, c'est-à-dire que les auteurs et les réviseurs doivent examiner la littérature et décider du niveau de vraisemblance des tendances qu'on peut y trouver. Par exemple, à la lumière des faits recensés et de notre compréhension actuelle du fonctionnement de la planète, il faut répondre à la question: «Quelle est la contribution de l'humanité au réchauffement global observé depuis le début du 20e siècle?»

Pour ce faire, il faut d'abord s'entendre sur le fait que le climat global s'est bien réchauffé, déterminer de combien de degrés et s'entendre sur la «normalité» de la chose. Cela oblige à examiner soigneusement les sources de données et les calculs effectués pour évaluer l'évolution du climat. En effet, les données d'avant les années 1990 n'ont pas été prélevées dans l'intention de tester l'hypothèse d'un changement climatique. Il peut donc y avoir des trous ou des incohérences qu'il faut expliquer et remplacer par des approximations valables.

Il faut aussi, avec des proxys, vérifier ce qui s'est passé en matière climatique dans le passé. Là encore, les questions de méthode de collecte et l'interprétation des données font l'objet de débats. Enfin, il faut utiliser les modèles pour vérifier comment les différents facteurs qui peuvent faire varier le climat modifient la reconstruction du passé et comment les modèles peuvent en rendre compte adéquatement.

L'un de ces facteurs de forçage climatique étant l'augmentation des gaz à effet de serre dans l'atmosphère, il faut être particulièrement attentifs aux mesures de la concentration de ces gaz prises directement ou indirectement. À cet effet, certains sites d'échantillonnage comme l'Observatoire de Mauna Loa à Hawaï tiennent des séries de données depuis des décennies[5] (depuis 1958 dans le cas du CO_2). Encore une fois, on peut alimenter les modèles avec ces informations, voir comment ils intègrent ce forçage et valider si la reconstruction qu'ils réussissent à donner, avec et sans forçage, est fidèle à ce qui s'est passé en réalité.

À partir de l'information scientifique la plus à jour sur ces sujets, les auteurs doivent finalement statuer jusqu'à quel point ils sont certains de leurs affirmations en utilisant un langage probabiliste décrit au tableau 2.1. Ainsi, si on affirme que le climat planétaire se réchauffe en raison de l'influence humaine avec un très haut niveau de confiance, cela indique que le consensus des experts est qu'il y a moins de 10% de chances que cette information soit fausse.

5. Les relevés sont publiés sur une base mensuelle à http://www.esrl.noaa.gov/gmd/ccgg/trends/

TABLEAU 2.1
Échelles de confiance et de vraisemblance utilisées par le GIEC

DEGRÉ DE CONFIANCE	
Terminologie	**Degré de confiance qu'une affirmation soit juste**
Très haut niveau de confiance	Au moins 9 chances sur 10 d'être juste
Haut niveau de confiance	Environ 8 chances sur 10
Niveau de confiance moyen	Environ 5 chances sur 10
Faible niveau de confiance	Environ 2 chances sur 10
Très faible niveau de confiance	Moins d'une chance sur 10
ÉCHELLE DE VRAISEMBLANCE	
Terminologie	**Degré de vraisemblance d'occurrence ou de réalisation**
Virtuellement certain	Plus de 99 % de probabilité
Très vraisemblable	Plus de 90% de probabilité
Vraisemblable	Plus de 66% de probabilité
Autant vraisemblable qu'invraisemblable	Entre 33% et 66% de probabilité
Invraisemblable	Moins de 33% de probabilité
Très invraisemblable	Moins de 10% de probabilité
Exceptionnellement invraisemblable	Moins de 1 % de probabilité

On peut trouver les directives aux auteurs du GIEC à http://www.ipcc.ch/activity/uncertaintyguidancenote.pdf

Toutes ces précautions de langage sont nécessaires, mais elles irritent souvent les décideurs et le grand public qui voudraient bien avoir une réponse claire et définitive aux questions qu'ils se posent. Il faut les comprendre ; ils sont plus habitués aux prédictions de l'horoscope qu'au calcul des probabilités.

Encadré 2.5

ARTICULATION DES GROUPES DE TRAVAIL DU GIEC

Les modélisateurs du climat font partie du groupe de travail 1 sur la science du climat et leurs projections servent à tout le monde. Les scénarios sont produits avec des membres du groupe 3 qui est responsable de l'atténuation et de l'adaptation. Par leurs résultats, les modèles fournissent des hypothèses plausibles sur l'évolution du climat. À partir de cela, les auteurs tentent de trouver, dans la littérature, des éléments de réponse aux questions soulevées par cette évolution.

Par exemple, pour un réchauffement prévu de 3 °C au 21e siècle prédit par les modèles, les glaciologues du groupe de travail 1 tenteront de prévoir l'évolution de la banquise dans l'océan Arctique, la vitesse de fonte ou le vêlage d'icebergs au Groenland. De leur côté, les océanographes tenteront de voir comment l'apport d'eau douce peut influencer les courants marins.

Les auteurs du groupe de travail 2 sur les impacts chercheront, pour leur part, à recenser les travaux portant sur la fréquence des feux de forêt dans la zone boréale ou encore tenteront de prévoir l'incidence accrue de sécheresses dans la même hypothèse. Ils s'intéresseront aussi aux effets de ces phénomènes sur la biodiversité et tenteront de trouver des travaux qui décrivent ou prédisent la migration des espèces ou les modifications de leur comportement.

Les auteurs du chapitre sur les forêts du groupe de travail 3 seront chargés de faire le point sur les travaux existants sur les changements d'affectation des terres ou les nouvelles pratiques forestières pour lutter contre l'augmentation des émissions liées à la déforestation en milieu tropical. Ils tenteront ensuite d'évaluer les coûts de telles mesures pour l'atténuation des impacts identifiés par les auteurs du second groupe de travail.

Cela explique pourquoi les trois rapports sont publiés avec un délai de plusieurs mois. Ainsi, pour la cinquième évaluation, le rapport du groupe 1 sera déposé en septembre 2013 alors que celui du groupe 2 n'arrivera qu'en mars 2014 et le rapport du groupe 3 sera déposé en avril de la même année. Le rapport de synthèse sera finalisé plus d'un an plus tard, en octobre 2014, permettant ainsi de tirer de grandes conclusions et de préparer un résumé à l'intention des décideurs, un rapport d'une trentaine de pages qui doit être adopté ligne par ligne dans un processus de négociation internationale.

Conclusion

L'importance des travaux de modélisation dans la prévision de l'évolution du climat au 21e siècle est fondamentale. Selon les scénarios de projection des émissions de gaz à effet de serre et ceux d'évolution de la concentration atmosphérique de ces gaz, le réchauffement potentiel prévu excédera très vraisemblablement le seuil de + 2 °C qui est considéré comme la limite à ne pas dépasser depuis le troisième rapport du GIEC. En effet, comme l'indique la figure 1.8, à la page 28, si l'on cessait aujourd'hui, comme par magie, d'émettre des gaz à effet de serre, le climat se stabiliserait probablement autour de + 1,5 °C d'augmentation. Cela signifierait un abandon total des combustibles fossiles et un arrêt de la déforestation et de l'agriculture, donc la disparition de la majeure partie des humains. Même dans cette hypothèse improbable, il est quand même possible que la barre du 2 °C soit franchie. Ça va mal.

Malheureusement, l'évolution actuelle des gaz à effet de serre nous amène très vraisemblablement à une augmentation de plus de 3 °C et possiblement de 4 °C. Selon Peters et ses collègues (2012), nous sommes dans la trajectoire d'un forçage radiatif de 8,5W/m^2 au 21e siècle. Comme on peut le voir à la figure 1.8, les engagements actuels des pays membres de la Convention-cadre des Nations Unies sur les changements climatiques représentent une diminution d'à peine 0,3 °C par rapport au scénario de référence du cours normal des affaires en 2100. C'est malheureux, car cette tendance sera très difficile à infléchir. Nous allons donc vivre des bouleversements majeurs dans les conditions d'existence sur cette planète d'ici à quelques décennies. Mais nous ne pouvons pas dire où et quand cela se produira. C'est l'affaire des météorologues. Mais quand ils pourront le prédire, il sera trop tard.

Ces bouleversements sont difficiles à prévoir, tant dans leur intensité que dans la vitesse à laquelle ils se produiront. Nous verrons cela plus en détail au chapitre 4. Même s'il ne se produit pas à la vitesse prédite par les modèles, il est indéniable que le réchauffement du 21e siècle est « en banque » et plusieurs auteurs, dont Ramanhatan et Feng (2008), postulent qu'il sera d'au moins 2,4 °C.

Doit-on croire aux prédictions des modèles ? Certainement plus qu'à celles de la boule de cristal de madame Irma. Mais, fondamentalement, c'est le cadre avec lequel on analyse les conséquences de ces prédictions, qu'on soit optimiste ou pessimiste qui déterminera nos actions.

De très nombreux scientifiques sérieux ont sonné l'alarme. L'évolution des températures moyennes de l'atmosphère et de l'océan confirme l'hypothèse. Mais pourquoi, alors que le réchauffement climatique est annoncé depuis plus d'un siècle par les scientifiques, les gouvernements du monde n'ont-ils pas pris les mesures qui s'imposaient pour éviter que cette catastrophe se produise ? Le prochain chapitre s'emploiera à répondre à cette question.

Références

Braconnot, Pascale et Olivier Marti, 2003, « La modélisation du climat », *CLEFS CEA* – nº 47, p. 16-22.

Gachon, Philippe, 2000, « La modélisation du climat – où en sommes-nous ? », *VertigO - la revue électronique en sciences de l'environnement* [En ligne], vol. 1, nº 2, septembre 2000, mis en ligne le 1er septembre 2000, consulté le 7 janvier 2013. http://vertigo.revues.org/4044 ; DOI : 10.4000/vertigo.4044

Lean, J. et D. Rind, 2009, « How Will Surface Temperature Change in the Future Decades », *Geophysical Research Letters*, vol. 36, L15708, doi:10.1029/2009GL038932.

Masco, J. , 2010, « Bad wheather, on planetary crisis », *Social Studies of Science*, 40, p. 7-40.

Meinshaussen, M., S.J. Smith, K. Calvin, J.S. Daniel, M.L.T. Kainuma, J.F. Lamarque, K. Matsumoto, S.A. Montzka, S.C.B. Raper, K. Riabi, A. Thomson, G.J.M. Velders et DPP Van Vouren, 2011, *The RCP Greenhouse Gaz Concentrations and Their Extensions from 1765 to 2300.*

Nakicenovic N. et R. Swart (ed.), 2000, *Special report on emissions scenarios*, IPCC, Cambridge University Press, UK, 570 pages.

Peters G.P., Andrew R.M., T. Boden, J.G. Canadell, P. Clais, C. Le Quéré, G. Marland, M.P. Raupach et C. Wilson, 2012, *The challenge to keep global warming below 2 °C*, Nature climate change advanced publications, 3 pages.

Ramanhatan, V. et Y. Feng, 2008, On avoiding dangerous anthropogenic interference with the climate system: Formidable challenge ahead, PNAS, 105:58:14245-14250.

Villeneuve, C. et F. Richard, 2007, *Vivre les changements climatiques, Réagir pour l'avenir*, Québec, Éditions MultiMondes, 484 pages.

Weart, Spencer The Discovery of Global Warming, l'American Institute of Physics, http://www.aip. org/history/climate/. Page consultée le 21 janvier 2013.

World Meteorological Organisation, Climate models, http://www.wmo.int/pages/themes/climate/climate_models.php. Page consultée le 23 janvier 2013.

Chapitre 3
Le syndrome du fumeur

Les humains, comme tous les animaux, n'aiment pas qu'on change leurs habitudes ou qu'on perturbe leur confort. Plus encore, ils détestent qu'on remette en question leurs certitudes ou qu'on ébranle leurs convictions. Cette attitude est au cœur du problème politique dans le dossier des changements climatiques. Un peu comme pour un fumeur[1] à qui le médecin parle de la menace du cancer, la tentation est forte pour les dirigeants politiques et économiques de se cacher les symptômes pour éviter de changer leurs habitudes.

La dépendance à la nicotine et la dépendance au pétrole sont comparables. Nous sommes accros à l'énergie fossile sans laquelle la société industrielle ne serait pas possible. Que ce soit au niveau des habitudes, de l'effet de satisfaction d'un besoin immédiat sans souci des conséquences, ou encore de la difficulté à envisager la privation, l'énergie fossile dope l'économie de la société industrielle.

Devant les prédictions préoccupantes qui nous viennent des scientifiques, les dirigeants réagissent comme des fumeurs à qui on annonce qu'il leur faut arrêter de fumer. D'abord, le doute: «Mon grand-père a fumé toute sa vie et il est mort à 100 ans.» Puis, la recherche d'avis divergents: «Les scientifiques ne disent pas tous la même chose.» Ensuite, la procrastination: «Je vais arrêter, mais pas tout de suite.» Parfois, l'appel à la précision: «Combien en faut-il exactement pour être vraiment affecté?»

1. L'analogie du fumeur a été utilisée par d'autres auteurs, entre autres Jean-Marc Jancovici. Voir son site http://www.manicore.com/.

Pour les solutions au problème, l'analogie tient toujours. On veut des voitures plus efficaces, mais plus puissantes. On demande d'utiliser des substituts comme les agrocarburants, des filières alternatives pour la production d'électricité, en fait tout ce qui peut nous éviter de changer nos habitudes. Dans ce chapitre, nous verrons comment, à partir du diagnostic des scientifiques, les décideurs hésitent, tergiversent, trichent, prennent des résolutions qu'ils n'accompagnent pas de gestes cohérents. On pourrait croire qu'ils attendent vraiment qu'il soit trop tard pour prendre le taureau par les cornes. Pourtant, personne n'a vraiment le choix.

Le climat conditionne profondément les activités et les cultures humaines. Partout dans le monde, l'humanité s'est adaptée aux conditions climatiques locales. Pour beaucoup, ce sont ces conditions qui expliquent ce que nous mangeons, la façon dont nous nous habillons, pratiquons l'agriculture, bâtissons nos maisons et concevons nos services municipaux, etc.

Outre la variabilité intrinsèque du climat liée aux saisons, chaque localité connaît une variabilité « normale ». Quelques fois, il fait plus froid ou plus chaud, il pleut ou il neige plus ou moins dans une journée. Nous sommes adaptés à cette variabilité « normale » et, sauf les animateurs radiophoniques, nul ne s'en surprend.

Les changements de plus grande amplitude se produisent à long terme et les humains s'y adaptent avec le temps. Ainsi, nos ancêtres ont connu l'apogée et la fin du dernier âge glaciaire et se sont adaptés aux nouveaux écosystèmes qui en résultaient, en suivant leurs proies ou en inventant l'agriculture. Après l'optimum thermique médiéval en Europe, les gens ont appris à vivre dans les conditions du Petit Âge glaciaire et on a cessé de cultiver la vigne en Angleterre. Cela a été un des facteurs expliquant la guerre de Cent Ans.

L'importance du climat dans nos cultures est tenue pour acquise, mais on oublie souvent que le besoin de devenir indépendant des fluctuations climatiques est un important moteur du développement.

En effet, pour nous protéger de ces fluctuations et des contraintes de l'adaptation physique, nous avons besoin d'un système très gourmand en énergie et en matières premières.

Il faut d'énormes infrastructures et beaucoup d'énergie pour vivre et travailler dans un environnement maintenu à longueur d'année autour de 20 °C, éclairé au moment où nous en avons besoin ou envie, peu importe l'heure du jour ou de la nuit. Pour disposer d'eau potable accessible indépendamment des pluies ou de la proximité d'un cours d'eau, il faut encore de l'énergie. Et que dire de l'eau chaude ? Une bonne partie du confort de la vie moderne, y compris les voyages dans le Sud en hiver, vient de cette volonté d'être indépendants des fluctuations climatiques.

Si nous devions vraiment nous adapter physiquement à l'hiver québécois comme le faisaient nos ancêtres, notre mode de vie serait bien différent. Une bonne partie des frustrations ressenties par les gens d'ici envers cette saison vient justement du fait qu'on essaie de nier son existence pour calquer son rythme de vie sur celui des gens qui vivent plus au sud. Cette volonté d'atténuer les effets moins confortables des saisons se retrouve aussi plus au sud. Aux États-Unis, on climatise l'air intérieur des résidences, des bureaux et des automobiles. L'humain moderne aime son confort et cela coûte énormément d'énergie.

Tout cela serait impossible sans l'utilisation massive de combustibles fossiles, tant pour le chauffage et le transport que pour la production d'électricité nécessaire à l'éclairage et à la climatisation. Or, la combustion des carburants fossiles est la principale cause de l'augmentation des gaz à effet de serre dans l'atmosphère et du réchauffement climatique observé depuis la deuxième moitié du 20e siècle. La figure 3.1 indique la progression, de 1971 à 2009, de la demande mondiale en énergie et de la production de CO_2 qui en résulte.

FIGURE 3.1

Demande mondiale en énergie et émissions de CO_2 associées

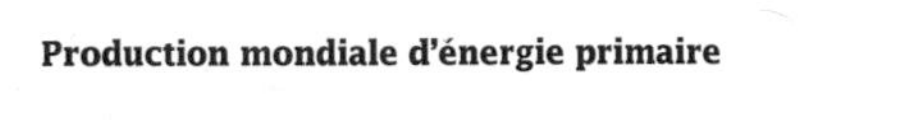

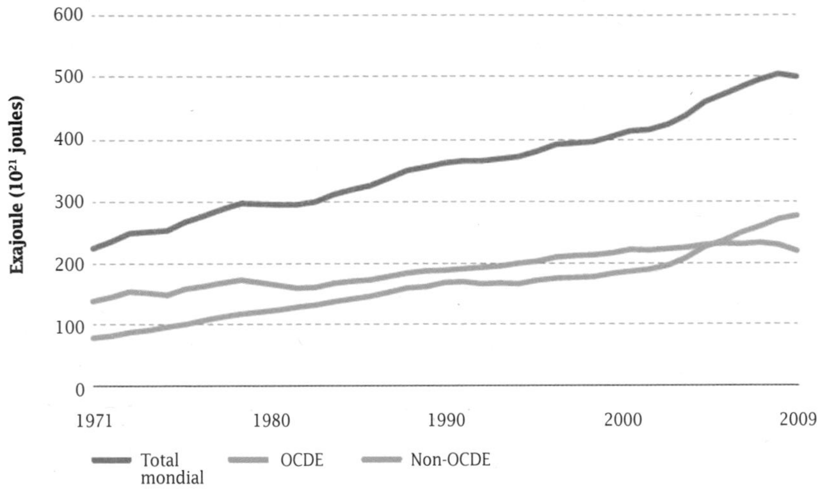

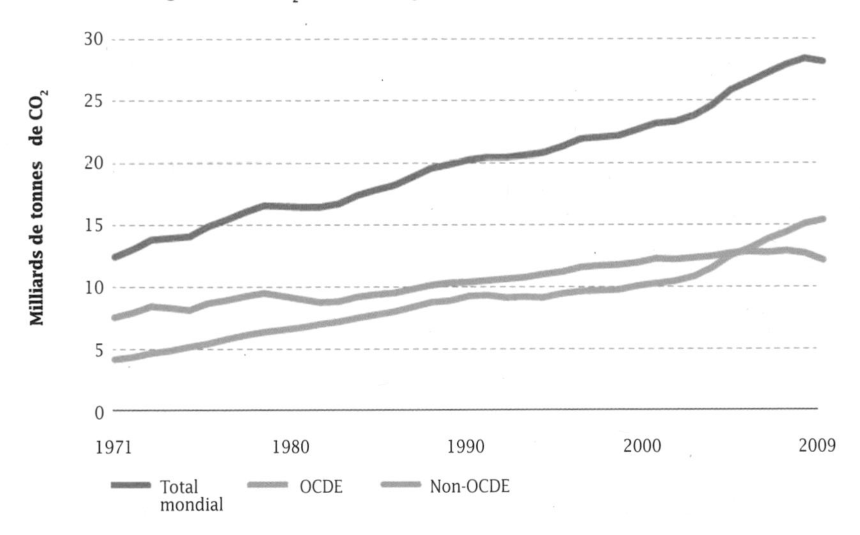

Source : Global CCS Institute, 2012.

Politiquement, il n'est pas surprenant que la résistance à l'idée d'un changement climatique induit par l'activité humaine soit sujette à débats. D'abord, les causes identifiées du problème sont directement associées à la Révolution industrielle. Celle-ci a profité aux pays aujourd'hui riches. Leurs habitants et leurs élites n'ont pas envie de changer leur mode de vie.

Deuxièmement, le lien entre l'émission de gaz à effet de serre et le mode de vie n'est pas nécessairement évident ni explicite. S'il est relativement facile de comprendre que l'essence de votre automobile se transforme en gaz d'échappement, la proportion des gaz à effet de serre qu'on y retrouve et le fait de quantifier un gaz en tonnes n'est pas si facile à saisir pour quelqu'un qui n'a pas de notions de chimie. Et c'est malheureusement très souvent le cas chez la majorité des citoyens et des décideurs.

Troisièmement, la plupart des gens ne font pas le lien entre la consommation des produits ou de l'électricité et le cycle de vie. Celui-ci implique la consommation de carburants fossiles et des émissions de gaz à effet de serre, de l'extraction des ressources jusqu'à la disposition des résidus. Ce n'est jamais expliqué, ni sur l'emballage ni dans les publicités, qui sont pourtant les principales sources d'information du consommateur dans notre société.

Enfin, comme l'analyse Elke Weber dans un article très intéressant de Climatic Change (2006), très peu de personnes ont à ce jour une expérience négative associée à un événement climatique extrême. Or, la perception du risque est fortement influencée par les expériences personnelles. Pourtant, comme nous le verrons au prochain chapitre, les conséquences des changements climatiques sont très graves, voire catastrophiques. Mais, pour Monsieur Tout-le-monde, la perspective d'une famine en Afrique, en 2025, n'est probablement pas une grande motivation pour l'empêcher de prendre sa voiture pour se procurer une bière froide après avoir tondu sa pelouse. Surtout si tout le monde dans le quartier agit de la même façon.

Les fondements scientifiques et la nature probabiliste de la prévision climatique, la faible incidence des manifestations spectaculaires du changement climatique, tout comme la nature pernicieuse et cumulative du réchauffement local, rendent difficile la vulgarisation du phénomène. Lorsqu'on explique tout cela, le risque de ne pas être compris est grand, dans une société où la politique se fait à coup de slogans et où l'information du public voyage sur Twitter. Quand la culture dominante dit: « Consommez plus pour faire rouler l'économie et soutenir la croissance », les messagers qui disent le contraire risquent le pilori.

Ajoutons à cela qu'il y a une relation très étroite entre la sécurité énergétique et la stabilité des États. En conséquence, les liens entre les gouvernements et les entreprises qui produisent et distribuent l'énergie sont plus que serrés. Cela sans compter que d'autres grands industriels de la consommation, comme les fabricants d'automobiles, les producteurs d'acier, d'aluminium et de béton, n'ont pas intérêt à ce qu'on remette leurs produits en cause sous prétexte de leurs émissions de CO_2.

Finalement, comme nous le verrons au chapitre suivant, les conséquences prévues des changements climatiques affecteront plus cruellement les pays en développement qui sont paradoxalement les moins grands émetteurs de gaz à effet de serre. Dans les négociations internationales, ceux-ci ont un poids bien moins grand que celui des pays industrialisés.

C'est dans ce contexte que les avis et les avertissements des scientifiques sont reçus. Comme ils ne font pas l'affaire de tous, il est tentant de chercher à contester l'évidence et à retarder l'action en demandant de nouvelles études. Pis encore, il est facile de semer la confusion dans le public pour retarder la prise de mesures efficaces qui auraient pu éviter d'empirer le problème. Pourtant, le problème et ses conséquences sont de mieux en mieux connus. Encore une fois, l'analogie avec la cigarette s'impose, les fabricants ont tout fait pour cacher l'évidence et commanditer des études contradictoires. Les entreprises veulent augmenter leurs profits, les gouvernements tiennent à récolter des taxes maintenant, quitte à laisser les coûts de santé aux gouvernements qui suivront, et les fumeurs cherchent désespérément de bonnes raisons pour continuer à s'intoxiquer jusqu'à ce qu'il soit trop tard.

Premiers signaux

Bien que le phénomène de l'effet de serre soit nommé et étudié en physique depuis le début du 19e siècle, c'est Svante Arrhénius qui a établi le premier le lien entre la combustion du charbon et l'augmentation du CO_2 dans l'atmosphère, en 1896. Il avait prédit correctement l'effet d'un doublement de la concentration de CO_2 dans l'atmosphère, mais ne s'en inquiétait pas le moins du monde. À l'époque, ses craintes étaient plutôt reliées aux conséquences d'un refroidissement du climat sur les conditions de vie en Scandinavie. Il faut dire qu'on sortait à peine du Petit Âge glaciaire, une période froide qui avait sévi pendant cinq siècles en Europe et en Amérique du Nord.

À peu près au même moment, Eduard Brückner, un Autrichien, s'inquiétait d'un réchauffement global produit par les activités humaines, mais il n'y faisait pas intervenir la modification de la composition de l'atmosphère. En effet, son hypothèse était fondée sur les impacts de la déforestation et de la mise en culture des terres qui changeaient l'albédo des surfaces et accélérait l'évaporation de l'eau.

En 1938, Guy Stewart Callendar, un ingénieur britannique, élucida le rôle physique joué par le CO_2 dans l'effet de serre par l'absorption du rayonnement infrarouge. Malgré quelques études, le sujet ne souleva pas de controverses, en partie parce qu'avant la fin des années 1950, on ne disposait pas des moyens pour mesurer de façon correcte la concentration de CO_2 dans l'atmosphère. Cette carence fut comblée avec la mise en place du dispositif de Keeling à Hawaï et en Antarctique. Ce dispositif enregistre encore aujourd'hui, avec une très grande précision, les variations de concentration du CO_2 depuis 1958, le méthane depuis les années 1980, et le protoxyde d'azote depuis la fin des années 1990. Ce sont les trois plus importants gaz à effet de serre naturels en dehors de la vapeur d'eau. Ces concentrations et leur évolution récente sont illustrées à la figure 3.2.

FIGURE 3.2
Évolution des trois principaux gaz à effet de serre naturels et du SF_6 tels qu'enregistrés à l'Observatoire de Mauna Loa, à Hawaï

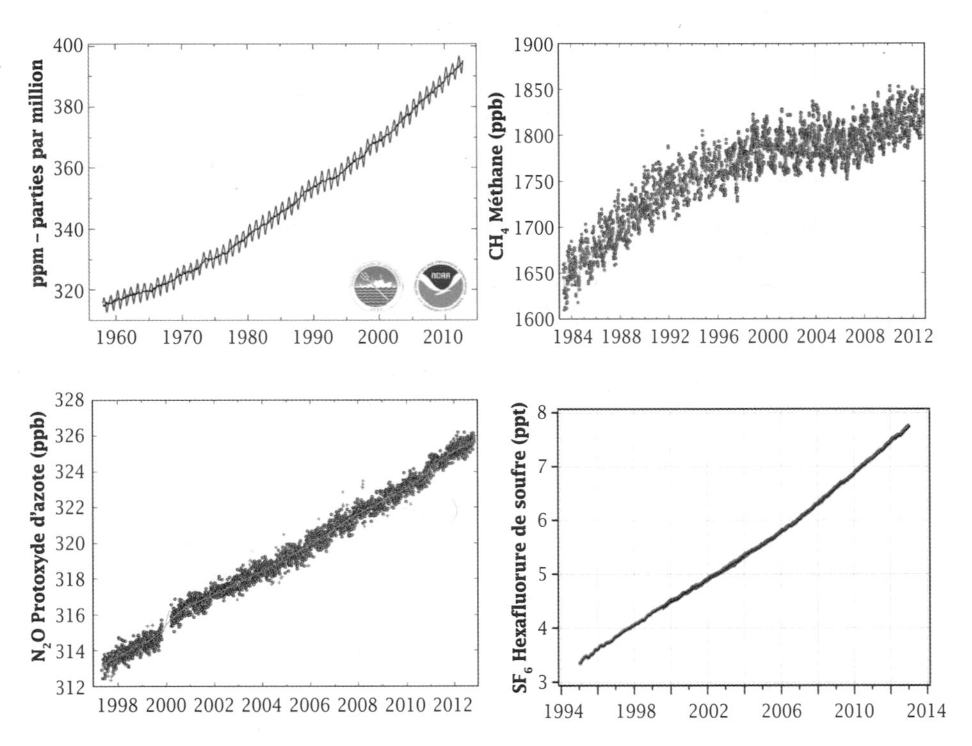

Source : NOAA, février 2013.

Comme on peut le voir, l'augmentation de la concentration des trois gaz à effet de serre dits « naturels » progresse inexorablement avec le temps. Or, aucun phénomène naturel documenté ne peut expliquer cette progression. Ce sont les activités humaines qui sont prédominantes. Par exemple, on voit dans la courbe d'évolution du CO_2 l'effet de la variation annuelle de la photosynthèse dans l'hémisphère nord, qui crée une variation entre l'hiver et l'été. Cette variation demeure de la même amplitude d'une année à l'autre, alors que la concentration augmente chaque année en raison de l'activité humaine. L'Observatoire de Mauna Loa analyse aussi l'évolution des gaz purement anthropiques comme l'hexafluorure de soufre (SF_6), un puissant gaz à effet de serre produit par l'industrie et dont il n'existe aucune source naturelle. On peut voir au quatrième graphique de la figure 3.2 que ce gaz suit la même tendance que les gaz à effet de serre naturels, sans variations saisonnières toutefois.

L'évolution soutenue de la concentration de CO_2 atmosphérique, telle que mesurée par Keeling, était révélatrice et, comme nous l'avons relaté au chapitre précédent, les premiers modèles de circulation générale de l'atmosphère à trois dimensions coïncident avec cette mesure. Déjà, on pouvait tester l'hypothèse du doublement de CO_2 et en simuler les effets, mais ces premiers modèles prenaient très mal en compte les océans et les nuages. Leurs résultats n'étaient donc pas très convaincants.

Si on ajoute à cela que les températures moyennes sur la planète ont été très variables entre 1940 et 1970, et que les séries temporelles plus anciennes n'avaient pas encore été établies correctement, on peut comprendre que la littérature scientifique publiée entre 1960 et 1980 comptait autant d'articles annonçant le début d'une nouvelle ère glaciaire que d'articles proposant l'hypothèse d'un réchauffement global dont on ne voyait pas la trace dans la météo de tous les jours.

À la fin des années 1970, on connaissait globalement les mécanismes par lesquels l'augmentation des gaz à effet de serre dans l'atmosphère pouvait interférer avec le transfert d'énergie dans le système planétaire et on commençait à disposer de calculateurs suffisamment puissants pour faire des projections sur l'évolution du climat dans le siècle à venir. En 1981, James Hansen et son équipe publiaient dans la revue *Science* un article marquant sur les impacts climatiques de l'augmentation du CO_2 dans l'atmosphère (Hansen et collab., 1981). Les choses allaient changer; la recherche commençait à donner des indications claires.

Encadré 3.1
LIGNE DU TEMPS

CdP : Conférence des Parties à la CCNUCC
RdP : Réunion des Parties au Protocole de Kyoto

1987	Publication du rapport Brundtland
1988	Création du GIEC
1990	Premier rapport du GIEC
1992	Sommet de Rio | Convention-cadre des Nations Unies sur les changements climatiques
1994	Ratification de la Convention
1995	Deuxième rapport du GIEC | CdP 1– Berlin
1996	CdP 2 – Genève
1997	CdP 3 – Kyoto | Protocole de Kyoto
1998	CdP 4 – Buenos Aires
1999	CdP 5 – Bonn
2000	CdP 6 – La Haye
2001	Troisième rapport du GIEC | CdP 7 – Marrakech
2002	CdP 8 – Delhi
2003	CdP 9 – Milan
2004	Ratification du Protocole de Kyoto | CdP 10 – Buenos Aires
2005	Entrée en vigueur du Protocole de Kyoto | CdP 11 – RdP 1 Montréal
2006	CdP 12 – RdP 2
2007	Quatrième rapport du GIEC | CdP 13 – RdP 3 Bali | Feuille de route de Bali
2008	Début de la première période d'engagement du Protocole de Kyoto | CdP 14 – RdP 4 Poznan
2009	CdP 15 – RdP 5 Copenhague | Accord de Copenhague
2010	CdP 16 – RdP 6 Cancun
2011	CdP 17 – RdP 7 Durban | Le Canada annonce son retrait du Protocole de Kyoto
2012	CdP 18 – RdP 8 Doha | Fin de la première période d'engagement du Protocole de Kyoto | Entente sur la deuxième période d'engagement du Protocole de Kyoto
2013	Cinquième rapport du GIEC | CdP 19 – RdP 9 Varsovie

La réaction politique

Dans les années 1970, on avait sonné l'alarme et il avait été question d'un possible changement climatique induit par l'humain à la Conférence des Nations Unies sur l'environnement humain à Stockholm, en 1972, dans la foulée des travaux du Club de Rome, en 1970. En 1979, Keeling, après 20 ans d'observations, pouvait établir clairement l'augmentation du CO_2 dans l'atmosphère.

Le sujet du réchauffement du climat planétaire induit par l'activité humaine a par conséquent été retenu dans le rapport de la Commission Brundtland en 1987 (CMED, 1988) parmi les problématiques les plus préoccupantes dans les changements qui menaçaient le développement humain, tout comme la détérioration de la couche d'ozone et la perte de biodiversité. À la demande des Nations Unies, cette commission mondiale avait pour mandat d'examiner le lien entre l'environnement et le développement. On pourrait donc croire que les gouvernements du monde entier allaient prendre des décisions pour appliquer le principe de précaution et instaurer des mesures immédiates pour agir contre le changement climatique avant que celui-ci ne s'avère catastrophique. En effet, le rapport Brundtland esquissait dans les grandes lignes ce qui allait être par la suite confirmé par de multiples travaux scientifiques auxquels nous ferons référence au chapitre suivant.

La réponse politique a été différente. On a d'abord décidé de créer le GIEC, en 1988, avec le mandat de dissiper l'incertitude. À la suite du premier rapport de l'organisme en 1990, les pays ont convenu de négocier l'accord international qui allait devenir la Convention-cadre des Nations unies sur les changements climatiques (CCNUCC), lors du Sommet de la Terre à Rio, en 1992. La Convention fut adoptée en 1992 et ratifiée en 1994.

La CCNUCC est un accord vertueux, concocté dans la foulée du rapport Brundtland et de l'idée d'un développement qui se veut durable. Il est aussi caractéristique d'une époque marquée par la chute de l'Union soviétique. Politiquement, les pays membres reconnaissent que les changements climatiques sont une éventualité qui peut avoir des effets graves et irréversibles sur l'avenir de l'humanité et des écosystèmes dont elle dépend.

La CCNUCC est construite sur 5 principes :

- L'augmentation des niveaux de gaz à effet de serre est une responsabilité commune, mais différenciée. Cela signifie que les pays industrialisés reconnaissent qu'ils sont essentiellement les responsables des émissions historiquement enregistrées.
- Il faut porter une attention spéciale aux populations les plus vulnérables. Par exemple, celles des petits États insulaires, dont l'intégrité territoriale est menacée par l'augmentation du niveau des océans et, en général, les populations pauvres, qui dépendent étroitement de leur milieu pour leur subsistance.
- Le pollueur doit payer pour ses émissions, c'est-à-dire qu'il faut appliquer les règles du marché économique pour décourager l'augmentation des émissions et stimuler les secteurs innovants qui les réduisent.
- Appliquer le principe de précaution, c'est-à-dire prendre des mesures immédiates, même si toutes les preuves scientifiques n'ont pas été complètement réunies, de manière à éviter des effets irréversibles liés au dépassement de seuils dans la capacité de support de la biosphère.
- Faire la promotion du développement durable, c'est-à-dire intégrer au développement économique des contraintes de protection de l'environnement, de cohésion sociale et d'équité intra et intergénérationnelle.

L'objectif ultime de la convention est de : « Stabiliser les concentrations de gaz à effet de serre à un niveau qui permettra de prévenir des interférences anthropiques dangereuses avec le système climatique. Un tel niveau devra être atteint suffisamment tôt pour permettre aux écosystèmes de s'adapter naturellement au changement climatique, pour assurer que la production alimentaire ne soit pas affectée et pour permettre au développement économique de se faire d'une manière durable. » En gros, tout le monde est d'accord pour fumer la cigarette, mais pas jusqu'à développer un cancer.

Un tel objectif soulève plusieurs questions. D'abord, qu'est-ce qu'une interférence anthropique dangereuse avec le climat ? Quel est le seuil en dessous duquel on peut se permettre d'émettre des gaz à effet de serre ? À quelle vitesse le réchauffement du climat doit-il se produire pour permettre aux écosystèmes et aux espèces de s'adapter ? À quel endroit place-t-on la barre entre l'adaptation et l'atténuation des impacts ? Plusieurs facteurs peuvent influencer la sécurité alimentaire. Ils sont d'ordres politique, économique, technique et aussi climatique. À quel moment le climat devient-il déterminant par rapport aux autres et comment s'assurer que les changements dans le régime des précipitations, par exemple, n'interfèrent pas avec la sécurité alimentaire ? À quel niveau le changement climatique va-t-il interférer avec le développement économique et par quel mécanisme ? Par exemple, les efforts investis pour réduire les émissions peuvent avoir un coût pour certains secteurs économiques, mais peuvent présenter des occasions d'affaires pour d'autres. C'est le cas pour les filières d'énergie fossile par rapport aux filières d'énergie renouvelable. Comment les mesures de réduction des émissions, d'atténuation des impacts et d'adaptation vont-elles influencer l'économie mondiale et dans quelle mesure cela se vivra-t-il dans les différents pays ?

Toutes ces questions allaient faire évoluer le mandat du GIEC. Cependant, les principes et l'objectif de la Convention sont de belles intentions auxquelles il est difficile de ne pas adhérer (191 pays l'avaient ratifiée en 2009) et elles nécessitaient qu'on définisse un plan d'action. Voilà ce qui fut convenu à Rio :

- Tous les pays doivent prendre les moyens de limiter leurs émissions, protéger et augmenter leurs puits de carbone et les pays industrialisés, inclus à l'Annexe 1 de la Convention, doivent stabiliser leurs émissions en 2000.

- Tous les pays doivent faire la promotion, le déploiement, le développement et le transfert dans le domaine des technologies à faibles émissions de carbone. Les pays de l'Annexe 1 devront aider les pays en développement en cette matière.
- Tous les signataires doivent coopérer et se préparer à l'adaptation.
- Tous les pays doivent coopérer dans le domaine de la recherche et du développement.
- Les pays de l'Annexe 1 doivent tenir un inventaire de leurs émissions et des mesures prises pour les réduire afin d'en faire rapport annuellement au secrétariat de la CCNUCC. Les pays en développement ne sont pas tenus à une reddition de compte annuelle.
- Les pays de l'Annexe 1 doivent aider financièrement les pays en développement dans leurs activités de conformité à la convention.

Cependant, outre la stabilisation des émissions des pays industrialisés en 2000, aucune cible ni moyen particulier n'était déterminé par la CCNUCC. Pis encore, la chute de l'URSS et la crise économique profonde qui a affecté ses pays satellites dans les années 1990 avaient déjà diminué les émissions liées à la production d'énergie et à la production industrielle dans ces pays, de près de un milliard et demi de tonnes. Les émissions combinées des pays industrialisés de l'Annexe 1 étaient donc très au-dessous du niveau de 1990 en 1992 et il était peu probable que ce déficit soit récupéré par la croissance économique dans ces pays entre 1992 et 2000. On promettait donc de ne rien faire de particulier, sauf de créer un secrétariat, d'encourager la recherche et de se revoir chaque année pour discuter du sujet. Jusque-là, figurer sur la photo ne coûtait pas cher aux chefs d'État. Pour continuer notre analogie, le fumeur qui avait l'habitude de griller 60 cigarettes par jour, n'ayant plus les moyens de se payer son vice, se félicitait de n'en fumer plus que 50 et promettait dorénavant de compter ses clopes.

Comme personne ne peut être contre la vertu et que la CCNUCC ne demandait pas d'efforts particuliers, tout le monde l'a signée, même Georges Bush père. Le processus de ratification s'est aussi déroulé rondement et la Convention est entrée en vigueur en 1994. Les choses n'allaient pas tarder à se gâter.

Le Protocole de Kyoto

La diplomatie internationale est une chose noble. Les moyens pour parvenir à ses fins lorsqu'il s'agit d'économie le sont beaucoup moins. Ceux qui ont suivi le développement de la négociation pour appliquer la CCNUCC peuvent en témoigner.

Rappelons le contexte des années 1990. La décennie 1970 a connu deux chocs pétroliers : en 1973 et en 1979. L'industrie automobile aux États-Unis est en sortie de crise, alors que les fabricants japonais et européens, en offrant des modèles beaucoup moins gourmands, ont pris une plus grande part du marché mondial. En 1980, Margaret Thatcher, en Angleterre, et Ronald Reagan, aux États-Unis, instaurent une série de politiques de droite qui vont créer une illusion de prospérité par la privatisation du patrimoine de l'État et ouvrir les portes au néolibéralisme. Cette conjoncture accélère la mondialisation de l'économie et de la finance. L'énergie atomique, après avoir été présentée comme l'alternative aux carburants fossiles pour la production d'électricité, a du plomb dans l'aile après l'accident de Three Mile Island, en 1978, et, surtout, après le désastre de Tchernobyl, en 1986. L'Union soviétique, après sa guerre désastreuse en Afghanistan, ne représente plus une menace pour le capitalisme triomphant et s'effondre à la fin des années 1980.

Les années 1990 sont celles de la mondialisation, des fusions et acquisitions d'entreprises qui deviennent rapidement des conglomérats mondiaux. C'est aussi la décennie au cours de laquelle la politique chinoise s'ouvre au commerce international et commence à produire à très faible prix les biens qui étaient autrefois l'apanage des pays industrialisés.

Les années 1990 sont enfin celles du contre-choc pétrolier. En raison de la crise, la demande pour le pétrole baisse momentanément. Aflors qu'il avait frôlé les 100 $ en 1980, le baril descend sous la barre de 16 $ en 1998, un prix inférieur en dollars constants à tout ce qui avait été enregistré depuis 1946. Ce prix artificiellement bas rend le transport international très peu cher, ce qui a favorisé la délocalisation d'un grand nombre d'industries vers les pays de l'Asie du Sud-Est, préfigurant leur développement économique exceptionnel de la décennie 2000-2010.

Entre 1992 et 1994, pendant que se ratifiait la CCNUCC, le GIEC préparait son deuxième rapport d'évaluation de la littérature scientifique. Ce rapport fut présenté aux Parties juste avant leur première rencontre à Berlin en 1995. Il contenait une phrase fatidique : « Un faisceau d'éléments suggère qu'il y a une influence perceptible de l'homme sur le climat global. » Cette phrase, négociée pendant deux jours lors de l'adoption du *Résumé à l'intention des décideurs* du deuxième rapport du GIEC, est un euphémisme. Les preuves de l'influence anthropique commençaient à s'accumuler et il devenait évident que, sans un effort immédiat pour stabiliser rapidement les émissions de gaz à effet de serre, la situation allait devenir rapidement incontrôlable. La concentration du CO_2 à Mauna Loa dépassait alors à peine 360 parties par million.

C'est à la lumière de ce constat que les négociateurs des pays ont convenu que les mesures volontaires prévues à la CCNUCC n'allaient pas être suffisantes pour relever le défi. La conférence de Berlin se conclut donc sur un mandat pour convenir d'un outil contraignant pour les pays industrialisés, qui permettrait de réduire les émissions de gaz à effet de serre sous le niveau de 1990 après l'an 2000. C'est ainsi que le Protocole de Kyoto fut adopté deux ans plus tard.

Bâti dans la même logique et avec les mêmes principes que la CCNUCC, le Protocole de Kyoto est un accord contraignant focalisé sur les résultats, alors que la CCNUCC était essentiellement basée sur la bonne foi des Parties. Les pays industrialisés s'engageaient en effet à réduire de 5,2% leurs émissions moyennes pendant la période 2008-2012 par rapport à l'année de référence 1990, sans quoi les délinquants devraient soit acheter des quantités équivalentes de réductions d'émissions ou encore se voir imposer des pénalités dans une période de référence ultérieure.

Seuls les pays industrialisés étaient touchés par le Protocole de Kyoto en vertu du principe de responsabilité commune, mais différenciée. Dans la cour d'école, on va dorénavant compter ses cigarettes chez les grands tout en permettant aux petits d'apprendre à fumer. Les grands qui dépasseront les 50 cigarettes par jour devront acheter leurs cigarettes supplémentaires aux petits qui ne les ont pas fumées ou à des collègues qui ont réduit leur consommation.

Bien que vertueux, le principe de la responsabilité commune, mais différenciée, est l'un des objets de discorde les plus contre-productifs dans la CCNUCC. Il explique le refus persistant des États-Unis de ratifier le Protocole de Kyoto. Encore aujourd'hui, il constitue l'un des principaux blocages entre les États-Unis et les pays émergents, en particulier la Chine. En effet, même si la Chine est, depuis 2008, un émetteur plus grand que les États-Unis et que ses émissions continuent de croître au rythme de son développement économique et de son commerce extérieur, elle refuse de se fixer une cible pour plafonner ses émissions. L'Inde, le Brésil et d'autres pays émergents font de même et soulignent que leurs émissions par personne sont encore très au-dessous de celles des pays industrialisés.

Le raisonnement est simple : il ne faut pas demander aux pays en développement qui n'ont pas profité de l'industrialisation de brider leur développement sous prétexte de protéger le climat. Il faut d'abord que les pays déjà industrialisés, qui sont coupables de la majeure partie des gaz à effet de serre excédentaires déjà accumulés, montrent l'exemple de manière crédible et réduisent de 50%, voire de 75% leurs émissions pour laisser la marge de manœuvre aux pays en développement. Bref, chacun son tour de polluer !

Mais les choses ne sont pas si simples. Une partie significative des émissions des pays émergents vient de la délocalisation de l'industrie manufacturière des pays industrialisés vers l'Asie au cours des vingt dernières années. Donc, les émissions associées à cette production, destinée à la consommation dans les pays industrialisés, devraient être attribuées à ces derniers pour respecter une règle d'équité. Ce n'est naturellement pas le cas.

De leur côté, les États-Unis ne veulent pas non plus nuire à leurs industries en diminuant leur compétitivité parce qu'on leur impose une énergie plus chère ou des taxes sur le carbone, sous prétexte de réduire leurs émissions. C'est en vertu de ce principe que les républicains et plusieurs démocrates refusent d'entériner toute action internationale dans le domaine des changements climatiques. Ajoutons à cela une stratégie fondée sur l'entretien d'un doute systématique sur la science des changements climatiques et sur le rôle des Nations Unies, largement alimentée par la droite américaine. L'industrie des carburants fossiles subventionnant généreusement ces idées, vous pourrez apprécier à sa juste valeur le sabotage du Protocole de Kyoto par les États-Unis.

Cela a commencé dès 1998, avec un amendement au Sénat qui interdisait au gouvernement américain d'adopter un accord international contraignant dans lequel les pays en développement n'auraient pas eux aussi de contraintes. L'élection de Georges W. Bush à la présidence, en 2000, a réglé le dossier. Un de ses premiers gestes fut de déclarer que les États-Unis n'allaient pas ratifier le Protocole de Kyoto. L'affaire était mal partie.

En effet, les États-Unis, alors le plus grand émetteur mondial de gaz à effet de serre (environ 25% des émissions mondiales et 40% des émissions visées par le Protocole de Kyoto), avaient fait adopter, en 1997, une curieuse règle de ratification : la règle du « double 55 ». Elle stipulait que, pour entrer en vigueur, le Protocole de Kyoto devait obtenir la ratification de 55 pays membres de la CCNUCC, mais aussi de pays qui totalisaient 55% des émissions visées par la cible de réduction. Dans les faits, avec les États-Unis à 40% et la Russie à 25%, cela constituait à toutes fins utiles un droit de veto.

Le suspense a duré jusqu'en 2004, au moment où l'Europe a convaincu la Russie de ratifier le Protocole. C'est ainsi que le premier accord contraignant signé dans le cadre de la CCNUCC entra en vigueur en février 2005, trois ans à peine avant sa première période de référence. Beaucoup de gouvernements, comme celui du Canada, avaient fait le pari que cela ne se produirait pas et n'étaient pas préparés à répondre de leurs engagements.

La décennie 1998-2007 a été marquée par une croissance économique importante qui s'est brutalement terminée par la crise financière de 2008. Cette crise s'est traduite par une récession dont plusieurs pays peinent encore à sortir en 2013. Ce ralentissement, qui a surtout affecté les pays de l'OCDE visés par des cibles de réduction, a beaucoup facilité l'atteinte des objectifs du Protocole, entre 2008 et 2012.

Toutefois, pendant toute la période durant laquelle le Protocole de Kyoto attendait sa ratification, la tentation était grande de ne rien faire pour lutter contre l'augmentation des émissions. Après tout, si l'accord contraignant n'était pas approuvé selon la règle du «double 55», on restait sous l'égide de la CCNUCC, avec ses objectifs vagues et ses mesures volontaires.

À l'exception de la Communauté européenne qui a agi de manière à atteindre les objectifs du Protocole de Kyoto dès 1998, l'ensemble des autres pays a fait comme s'il n'allait pas être ratifié. L'exemple du Canada est très révélateur à cet égard. Pour sa part, la délégation des États-Unis a tout tenté pour faire déraper l'accord, en discréditer la valeur et retarder le progrès de la CCNUCC. Ces manœuvres dilatoires ont atteint leur objectif. Très peu de progrès réels ont résulté de la première période de référence du Protocole de Kyoto, reportant de 15 ans les actions qui auraient pu déjà se

Encadré 3.2

LE CANADA : BEAUX DISCOURS ET PROCRASTINATION

Le Canada a été, dans toute l'histoire de la CCNUCC, l'exemple de ce qu'il ne fallait pas faire. Depuis 1975, les scientifiques d'Environnement Canada et des universités canadiennes ont été au premier plan parmi les contributeurs à la recherche sur les changements climatiques, mais les gouvernements qui se sont succédé entre 1992 et 2012 ont aussi mal géré le dossier qu'il était possible de le faire.

En 1990, le Canada émettait 589 millions de tonnes de CO_2éq Jusqu'à 1993, ses émissions se sont maintenues pour amorcer ensuite une croissance accélérée et culminer à 751 millions de tonnes en 2008. Par la suite, le gouvernement ayant changé son mode de comptabilisation pour inclure les puits de carbone forestiers, elles ont baissé à 692 millions de tonnes en 2010 (en réalité, 701 millions de tonnes), soit 138 millions de tonnes au-dessus de l'objectif que le pays s'était fixé dans le Protocole de Kyoto. La cible était ratée par plus de 23%. L'augmentation continue des émissions sous les gouvernements de Jean Chrétien, Paul Martin et Stephen Harper montre avec plus d'éloquence que n'importe quel argument que les gouvernements successifs du Canada, tous partis confondus, n'ont pas fait les efforts nécessaires dans leur politique intérieure pour respecter leur engagement international.

La stratégie internationale du Canada dans le domaine climatique est relativement simple : rester à la remorque des États-Unis. Ainsi, à partir de 2001, les négociateurs canadiens se sont ajustés à la position du gouvernement Bush. La ratification du Protocole de Kyoto en 2002 a été un coup politique de Jean Chrétien, premier ministre poussé à démissionner en février 2003 par son successeur Paul Martin. Pour embarrasser ce dernier tout en se donnant une bonne image environnementale, il a promis la ratification de l'accord lors du Sommet de Johannesburg, à la surprise générale. Les plans d'action successifs du gouvernement canadien pour réduire les émissions de GES n'ont jamais été mis en œuvre.

En 2010, dans la foulée de l'accord de Copenhague censé succéder au Protocole de Kyoto, le Canada a ajusté sa cible sur celle des États-Unis, c'est-à-dire à –17% des émissions de 2005, pour l'horizon 2020, ce qui correspond à 607 millions de tonnes, c'est-à-dire 3% de plus qu'en 1990.

En décembre 2011, le gouvernement canadien, ajoutant l'injure à l'insulte, s'est retiré du Protocole de Kyoto. Il n'aura donc plus à faire amende honorable pour les dépassements de plus de 500 millions de tonnes qu'il a accumulés dans la période 2008-2012. Une étude du London School of Economics, (Townsend et collab., 2013) indique que, pour la première fois depuis que cette recension est effectuée, un pays avait enregistré un recul : le Canada.

Cette étude suit l'évolution des législations concernant les changements climatiques dans 33 pays représentant 85% des émetteurs de la planète.

Les quelques progrès attribuables au Canada viennent de fermetures d'usines et d'actions prises par les gouvernements provinciaux, en premier lieu le Québec et la Colombie-Britannique. Ce sont pourtant les provinces qui émettent le moins de gaz à effet de serre par personne. Le rapport des émissions du Canada pour 2011 montre que ses émissions dépassent 702 millions de tonnes et se situent à 26% au-dessus de ses engagements de Kyoto et à 90 millions de tonnes de son engagement de Copenhague qui doit être atteint dans six ans. À moins d'une récession inouïe, cela ne sera pas réussi.

montrer efficaces et paver la voie à l'intégration des pays émergents dans une deuxième phase[2].

Les mécanismes de flexibilité

Le premier engagement du Protocole de Kyoto se voulait davantage une période de référence pour tester de nouveaux instruments qu'une réelle solution au contrôle des émissions à l'échelle planétaire. Ces instruments, basés sur le marché, devaient permettre de réduire les émissions en les intégrant aux calculs économiques. Cette approche respectait le principe du «pollueur payeur» de la CCNUCC. En effet, dans le cours des négociations, les Parties ont rapidement pris conscience de l'importance d'utiliser les forces du marché tout en aidant les pays en développement. Dans cette optique, une simple taxe sur le carbone ne pouvait pas suffire, même si cette solution aurait été plus facile d'application pour plusieurs pays industrialisés.

Il a donc été décidé de mettre en place un marché international du carbone, à l'initiative des États-Unis qui avaient appliqué une telle démarche avec succès dans la réduction des émissions d'oxydes de soufre pour lutter contre les précipitations acides. Ce marché devait, pour être efficace, toucher le plus large éventail de

2. Par exemple, le 25 juin 2013, le président Obama annonçait un plan de réduction des émissions permettant d'atteindre ses engagements pris à Copenhague en 2009. Si ce plan se réalise (et ce n'est pas sûr), le niveau d'émissions des États-Unis sera malgré tout, en 2020, supérieur à la cible qu'ils s'étaient fixée dans le Protocole de Kyoto.

sources d'émissions, transiger des unités normalisées et être transparent de manière à éviter les fraudes. Créer de telles conditions demandait du temps et des efforts, ce qui explique sans doute pourquoi, malgré que le Protocole de Kyoto ait été convenu en 1997, il ne s'appliqua que huit ans plus tard.

Par ailleurs, la notion de marché du carbone implique qu'il y ait un plafonnement des émissions, sans quoi personne n'accorderait de valeur à les réduire. Il fallait donc que chaque pays impose des cibles de réduction à ses émetteurs, de manière à atteindre son objectif. Cette approche présentait un double avantage : une industrie qui pouvait réduire facilement ses émissions était avantagée de le faire rapidement pour dépasser son objectif. À partir de ce moment, les réductions d'émissions supplémentaires pouvaient être transférées d'un secteur à l'autre ou d'un pays à l'autre selon leur valeur au marché.

Cette approche est beaucoup plus flexible et respecte le temps d'adaptation qui est nécessaire pour développer et implanter des innovations destinées à réduire les émissions. De plus, elle récompense les plus performants et pénalise les récalcitrants. Elle respecte donc le principe du « pollueur-payeur » autant que le ferait une taxe sur le carbone. Mais il fallait faire avaler la pilule aux industriels. Émettre des polluants avait toujours été gratuit et ils allaient dorénavant devoir mesurer, rapporter et réduire, sinon ils allaient payer.

Cela ne réglait pas le problème des pays en développement qui, n'étant pas soumis à une cible pour leurs émissions, ne pouvaient pas profiter de ce marché et n'avaient donc aucun intérêt à freiner la progression de leurs propres émissions en choisissant, par exemple, l'énergie renouvelable pour leur approvisionnement énergétique. Pour résoudre ce problème, on a choisi une approche par comparaison d'options, donc une approche relative.

Les pays en voie de développement n'avaient pas d'incitation pour adopter des technologies moins intensives en carbone si elles étaient plus chères ou plus complexes à appliquer. On a donc décidé qu'ils devaient être encouragés à le faire. Comment ? Il s'agit d'établir un scénario de référence représentant le cours normal des affaires. Par exemple, une centrale électrique utilisant le diésel est un appareillage commun qui produit environ 600 grammes de CO_2 par kWh. Si on installe une centrale utilisant du gaz naturel ou qu'on remplace une partie du carburant de la centrale au diésel par du biodiésel, on peut descendre les émissions à 300 grammes par kWh. On peut donc affirmer que la décision de choisir l'une ou l'autre des options apporte un bénéfice climatique de 300 grammes par kWh.

Le Mécanisme de développement propre (MDP) a donc été inventé dans le cadre du Protocole de Kyoto pour émettre des Unités de réduction certifiées (URCE) qui peuvent être par la suite achetées par des industriels des pays développés pour leur permettre d'atteindre leurs cibles. Ce mécanisme de flexibilité a été mis en œuvre dès 2002.

Le troisième outil de flexibilité est la Mise en œuvre conjointe (MOC). Sous ce vocable, on retrouve des projets qui peuvent être effectués par une entreprise dans un pays industrialisé et dont les réductions seront transférées pour atteindre ses cibles dans un autre pays. Les réductions transférées doivent naturellement être déduites du quota du pays où se réalise le projet. Ce type de mécanisme est intéressant par exemple pour une entreprise multinationale qui a des installations à la fois dans un pays où les cibles sont difficiles à atteindre, comme la France, et dans un pays de l'ancien bloc soviétique, comme la Roumanie, où les réductions sont faciles et la marge de manœuvre est très grande.

Ainsi, le Protocole de Kyoto et ses mécanismes de flexibilité permettaient, en théorie, d'expérimenter une approche marché à l'échelle mondiale, pour encadrer la nécessaire lutte contre les changements climatiques en réduisant à la source les causes du problème. La première période de référence 2008-2012 devant être une période d'expérimentation, dans laquelle seuls les pays industrialisés avaient une obligation de contraindre leurs émissions, quitte à étendre progressivement cette obligation aux autres par la suite. Car il fallait qu'il y ait une suite, sans quoi l'effort investi s'avérerait un coup d'épée dans l'eau.

Encadré 3.3

LES HAUTS ET LES BAS DU MÉCANISME DE DÉVELOPPEMENT PROPRE (MDP)

En mars 2013, en raison d'une demande trop faible, les Unités de réduction certifiées (URCE) avaient une valeur au marché de 0,08 € alors qu'elles valaient cent fois plus il y a cinq ans. Ce prix rend inintéressant de mettre sur pied de nouveaux projets et de payer pour les enregistrer et les faire vérifier. Le MDP a connu de nombreuses difficultés avec sa lourdeur d'application et en raison de problèmes structurels. Il est aujourd'hui victime de l'incapacité des pays industrialisés à faire fonctionner efficacement leur marché.

Dès le départ, il a affecté des projets comme la suppression des émissions de HFC-23. Ce gaz indésirable est produit lors de la fabrication du HFC-22 utilisé pour la réfrigération. Des projets de suppression du HFC-23 ont été soumis en masse par la Chine. Il faut dire que supprimer une tonne de HFC-23 représente un gain de 11 299 tonnes de CO_2éq. Il devenait donc payant de construire des usines de HFC-22 simplement pour le revenu des URCE obtenus en supprimant le HFC-23. On a dû retirer ce type de projet du MDP.

Sans surprise, le MDP, en raison de sa complexité, n'a pas profité à ceux à qui il était destiné au point de départ. Ce sont les pays émergents, déjà bien industrialisés, qui en ont profité presque exclusivement. Les pays moins avancés d'Afrique, par exemple, arrivent à peine à générer des URCE sur le tard alors que cela n'en vaut guère la peine.

En décembre 2012, lors de la conférence de Doha, il a été demandé de préparer un mécanisme de remplacement pour le MDP qui pourrait être enchâssé dans un accord post-2020. Il s'agit d'un nouveau mécanisme de marché appelé pour le moment NMM[3].

3. On peut suivre les nouvelles sur le MDP et la MOC sur le site http://www.ifdd.francophonie.org/ressources/ressources-pub.php?id=15

Le parcours du combattant

Pour arriver au noble objectif d'engager tout le monde dans la lutte contre les changements climatiques, la route allait être balisée de pièges et d'embûches. La communauté internationale n'a pas manqué une occasion de s'y empêtrer.

Avec l'élection de Georges W. Bush en 2000 et l'intention clairement manifestée par le gouvernement américain de ne pas ratifier le Protocole de Kyoto, la septième Conférence des Parties, qui se tenait à Marrakech, à l'automne 2001, dans le but d'adopter les détails opérationnels pour la mise en œuvre du Protocole de Kyoto, était mal partie. Cependant, le troisième rapport du GIEC renforçait le consensus scientifique sur l'origine humaine du dérèglement climatique et évoquait des conséquences catastrophiques pour le 21e siècle, à partir des scénarios d'émissions élaborés en 2000 pour alimenter des simulateurs climatiques toujours plus performants.

Malgré tout, les règles du futur marché du carbone et celles du Mécanisme de développement propre et de la mise en œuvre conjointe furent débattues et adoptées à Marrakech. Cela permit de mettre en place un secrétariat pour le MDP et de lancer le développement de méthodologies et de protocoles de quantification de réductions d'émissions pour les projets. Par exemple, l'Agence internationale de normalisation (ISO) a ainsi développé la série de normes ISO 14064 1-2-3 et 14065 permettant respectivement d'encadrer les méthodes d'inventaire d'émissions, de quantification des réductions attribuables à un projet, de vérification des projets et inventaires et d'accréditation des équipes de vérificateurs.

Plusieurs marchés volontaires de réductions d'émissions se mirent spontanément en place soit pour tester le potentiel et les outils, soit pour profiter du marché naissant de la compensation carbonique. Pour sa part, la Communauté européenne préparait la mise en place pour 2005 du premier marché réglementaire EU-ETS pour une période expérimentale 2005-2007, qui lui permettrait d'être pleinement fonctionnel pour la période 2008-

2012. Le marché du MDP se mit aussi rapidement en place et commença à générer ses premières URCE entre 2005 et 2008, la Chine étant le joueur le plus dynamique dans ce domaine.

Encadré 3.4

LA COMPENSATION CARBONIQUE

Le principe de la compensation carbonique (*offset*) est de payer quelqu'un pour réduire des émissions à sa place. Supposons que je ne puisse pas réduire mes émissions parce qu'il n'y a pas d'alternative, je peux demander à quelqu'un d'autre de réduire ses émissions à ma place. L'effet net sera le même pour l'atmosphère. Ce genre de situation se produit par exemple lorsque l'on doit prendre l'avion pour traverser l'océan. C'est aussi le cas dans certains procédés industriels comme la fabrication d'aluminium ou de ciment où une partie des émissions est incompressible.

À l'impossible nul n'étant tenu, l'émetteur qui ne peut pas réduire ses émissions peut acheter en compensation des réductions «supplémentaires» faites par une tierce partie qui n'y est pas obligée. On peut ainsi compenser ses vols en avion en achetant des URCE du MDP ou en finançant des projets de boisement qui respectent les critères méthodologiques du marché du carbone. Ces derniers sont très contraignants, car, dans ce domaine, il est facile de vendre du grand n'importe quoi. Et nombreux sont les filous qui ont abusé de la bonne foi des gens.

Pour plus de détails, on peut consulter le site http://carboneboreal.uqac.ca

Mais, par la suite, les discussions ont piétiné. D'abord, la règle du double 55 donnait maintenant un pouvoir de négociation énorme à la Russie qui ne voyait pas son avantage à ratifier le Protocole. La Russie disposait de plus de un milliard de tonnes de réductions liées à sa reconversion politique et industrielle après 1990, mais, dès Marrakech, plusieurs ONG mettaient en garde les pays contre la tentation d'acheter des unités d' «air chaud», c'est-à-dire des réductions obtenues sans effort à la suite de l'effondrement économique du bloc soviétique.

Les États-Unis ayant manifesté leur opposition à la ratification, le Protocole ne pouvait pas entrer en vigueur sans la Russie, peu importe le nombre d'autres pays qui l'eussent ratifié. De manœuvres dilatoires en faux-fuyants, les Russes se sont laissé désirer jusqu'à l'automne 2004, ce qui ne permit l'entrée en vigueur du Protocole de Kyoto qu'en février 2005.

L'honneur était sauf et on pouvait préserver la première période de référence entre 2008 et 2012, mais la plupart des joueurs, à l'instar du Canada, ne s'étaient pas préparés adéquatement à faire face à leurs engagements. La délégation américaine et ses alliés, comme l'Arabie saoudite, continuaient de ralentir les négociations au plus grand désespoir des écologistes. On en a vu pleurer des peluches d'ours polaire!

Un autre problème se profilait à l'horizon : si on n'avait pas été capable de faire mieux que cela pour le Protocole de Kyoto, qu'allait-il se passer après 2012, au terme de la première période d'engagement ? Après tout, s'il avait fallu sept ans pour qu'entre en vigueur un accord permettant d'expérimenter, il faudrait au moins autant de temps pour négocier la suite, surtout si on voulait élargir la portée de l'accord pour y inclure les pays émergents.

À la conférence de Montréal à l'automne 2005, on a donc convenu de se rencontrer sur le sujet, sans obligation de résultat. Ces rencontres ont permis d'élaborer, deux ans plus tard, lors de la conférence de Bali, une feuille de route formelle pour conclure un accord post-2012 à Copenhague, lors de la 15e Conférence des Parties, en 2009. Il faut dire que le dépôt du quatrième rapport du GIEC avait alimenté la conférence de Bali avec de nouvelles données et un consensus scientifique toujours plus fort. La fin annoncée du mandat de Georges W. Bush, en 2008, permettait tous les espoirs si les démocrates étaient élus.

Les démocrates ont en effet été élus en novembre 2008 avec à leur tête, Barack Obama. Les espoirs étaient tels que, dès octobre 2009, on lui accordait le Prix Nobel de la paix « pour ses efforts extraordinaires en faveur du renforcement de la diplomatie et de la coopération internationales entre les peuples».

Peine perdue, la rencontre de Copenhague allait finir en eau de boudin. Incapable de faire évoluer les parlementaires même sur un simple amendement législatif visant à instaurer un plan de réduction intérieur des émissions de gaz à effet de serre, le président Obama, sous l'effet combiné d'un blocage républicain et de grands lobbys industriels, était impuissant. Il arriva à Copenhague les mains vides. Ses vis-à-vis ne s'en laissèrent pas imposer et, à l'arraché, la conférence aboutit à un accord non contraignant de trois pages dans lequel on demandait aux parties de se fixer un objectif pour 2020 en toute liberté, sans engagement supplémentaire des pays émergents et sans référence aux objectifs déjà fixés dans le Protocole de Kyoto. Les États Unis et le Canada, par exemple, se fixèrent de nouvelles cibles de –17 % de l'année de référence 2005, ce qui constituait dans les deux cas un net retard sur les objectifs qui auraient dû être atteints en 2010 avec le Protocole de Kyoto.

Ne reculant devant aucun ridicule, la communauté internationale promettait en même temps de faire des efforts sérieux pour éviter que le climat ne se réchauffe de plus de 2 °C au 21e siècle. Pensée magique, quand tu nous tiens !

Mince progrès, l'accord de Copenhague donnait son aval pour ouvrir le marché du carbone à une nouvelle forme de crédits pour la réduction des émissions liées à la déforestation et à la dégradation des forêts (REDD). Il promettait aussi un financement pour l'adaptation des pays en voie de développement.

Non seulement avait-on perdu l'aspect contraignant de Kyoto, mais on n'avait gagné aucun engagement formel de la part des pays émergents, alors que la part des émissions liées aux pays en développement dépassait maintenant celle des pays industrialisés. Cet écart allait augmenter dans les années suivantes, en raison de la crise économique apparue en 2008 qui a affecté beaucoup plus les pays industrialisés que les pays émergents.

Cette crise a particulièrement touché l'Europe, qui exploitait, depuis 2005, le seul marché réglementé avec, comme conséquence, la baisse du prix de la tonne de CO_2 transigée. Cette dernière est passée d'un sommet de 27 € à un creux de 2 €. Comme la valeur des URCE du MDP dépend en bonne partie de la demande et que le marché européen n'est plus un débouché intéressant, elle a aussi chuté, ce qui a rendu peu intéressant de réduire ses émissions pour les transiger par la suite.

L'Accord de Copenhague ne faisait surtout pas l'affaire de ceux qui avaient joué honnêtement le Protocole de Kyoto. En effet, si la période contraignante se terminait en 2012, comment continuer à utiliser le marché du carbone réglementé pour s'assurer que les objectifs des pays participants soient atteints? Comment maintenir de l'intérêt pour le MDP et la mise en œuvre conjointe? Comment sanctionner ceux qui n'avaient pas respecté leurs engagements dans la première période, s'il n'y en avait pas une deuxième? Autrement dit, à quoi cela sert-il d'être honnête quand tout le monde triche? D'ailleurs, que faire avec le Canada qui, sachant qu'il n'allait pas, et de loin, atteindre son engagement s'était retiré du Protocole de Kyoto en décembre 2011, une chose inconcevable en diplomatie internationale?

C'est à Doha, en décembre 2012, encore une fois à la dernière heure, que les pays encore engagés dans le Protocole de Kyoto ont demandé une seconde période de référence, cette fois-ci de huit ans, jusqu'à décembre 2020, ouverte à ceux qui voulaient bien y rester. La Russie et le Japon s'étant retirés, il ne reste plus que 15% des émissions mondiales qui sont visées par des objectifs qui se situent maintenant à 20% sous le seuil de 1990.

Pour les autres, on s'est contenté de dire à Doha qu'on se donnait jusqu'en 2015 pour conclure un accord contraignant qui engloberait tous les émetteurs après 2020. Vingt ans après la photo de Rio, il est difficile de conclure au succès des négociations sur le climat!

Le travail de sape des « climato-sceptiques »

Depuis le premier rapport du GIEC en 1990 et, par la suite, en crescendo jusqu'à la conférence de Copenhague, de curieux personnages se sont manifestés sur la scène publique. Ils se font appeler « climato-sceptiques[4] » et, par le biais des médias généralistes, de matériel promotionnel, de pétitions ou de sites Internet dédiés, ils contestent avec véhémence la validité des bases scientifiques et des projections qu'on trouve dans les rapports d'évaluation du GIEC. Leurs origines sont diversifiées. Il s'agit quelquefois de scientifiques à la retraite, qui ont très rarement publié dans le domaine des sciences du climat, d'économistes ou de spécialistes des relations publiques, voire d'anciens politiciens.

Curieusement, depuis le troisième rapport d'évaluation du GIEC en 2001, les quelques scientifiques qui restaient au sein du groupe s'en sont progressivement dissociés. On y trouve toutefois quelques irréductibles polémistes qui ne perdent pas une occasion pour mêler les cartes. Car, c'est bien de cela qu'il s'agit. Depuis 2001, aucun des climato-sceptiques autoproclamés n'a publié d'articles étayant sa thèse dans des revues soumises au jugement des pairs. Qu'à cela ne tienne ! Tous les arguments sont bons ! « C'est parce qu'il y a un complot mondial pour refuser leurs articles », disent-ils à qui veut les entendre. Et on veut bien les entendre malheureusement.

Plusieurs facteurs expliquent ce phénomène :

- La majorité des fonds nécessaires au fonctionnement des lobbies qui alimentent la position des climato-sceptiques provient de secteurs industriels à haute intensité d'émissions de gaz à effet de serre qui craignent par-dessus tout les taxes et les réglementations qui pourraient affecter leur rentabilité ou leur compétitivité. Dans un livre fort intéressant publié en

4. Cette appellation française est pernicieuse. En anglais, on les appelle « climate change deniers » ce qui devrait se traduire par « négationnistes ». Cependant, ce terme ayant été utilisé pour les gens qui refusent l'existence de la Shoah, on s'insurge contre son application à ceux qui nient pourtant l'évidence scientifique.

2009, James Hoggan explique les liens entre ces entreprises et regroupements d'entreprises et leur mode d'intervention auprès des journalistes et des politiciens[5] (Hoggan, 2009).

- Les journalistes ont rarement une formation scientifique suffisante pour faire la part des choses entre deux thèses en apparence documentées. Comme leur éthique impose de présenter de manière équitable les positions divergentes, ils ont tendance à présenter avec une valeur égale les résultats d'études poussées et les arguments idéologiques établis sur des bases scientifiques fumeuses ou carrément fausses.
- Le public est très mal outillé pour faire la part des choses et adhère plus aisément à des opinions présentées avec panache qu'à des démonstrations chiffrées et quelquefois compliquées.
- Les écologistes utilisent la peur et le catastrophisme comme arguments d'autorité en oubliant l'incertitude et la nature probabiliste du climat. Comme les catastrophes climatiques annoncées ne se produisent pas sur demande, les gens s'en désintéressent ou n'y croient simplement pas.
- La lutte contre les changements climatiques passe par de profonds changements de comportements et les gens ont tendance à aimer leur confort et leurs habitudes.
- La peur d'une crise économique ou d'une récession immédiate est plus facile à justifier que la peur d'une augmentation du niveau de la mer, surtout pour ceux qui vivent loin de la grève.

Ajoutons à cela l'aversion que de nombreux politiciens américains entretiennent envers les Nations Unies, les innombrables théories du complot qui circulent sur Internet et la propagation à grande vitesse des opinions par les réseaux sociaux et vous obtenez un terreau fertile pour les manipulateurs.

Cela est d'autant plus dangereux que le doute est une vertu en sciences. La critique des résultats de recherche est un réflexe sain

5. On peut suivre ces auteurs sur www.desmogblog.com.

et les scientifiques ne s'en privent pas. Après tout, le sort d'une hypothèse n'est définitif que lorsqu'elle a été démontrée fausse. Mais on ne peut répondre à une critique scientifique que par la science. Pas en criant des insultes ou en dénonçant les sources de financement de son adversaire. Le réflexe d'un scientifique qui voit ses résultats contestés scientifiquement est de retourner à ses calculs ou à ses éprouvettes, pas d'envoyer un communiqué de presse!

Le coup le plus fumant des climato-sceptiques s'est produit en 2009, juste avant la conférence de Copenhague, et constitue probablement l'une des raisons de son échec. En effet, dans les semaines qui ont précédé le sommet, un pirate a mis en ligne des dizaines de milliers de courriers électroniques échangés entre des scientifiques du Climate Research Unit de l'Université East Anglia et leurs collègues d'autres centres de recherche.

Les «climato-sceptiques» ont souligné quelques phrases hors contexte dans toute cette littérature et accusé les auteurs d'avoir «arrangé» leurs résultats, empêché des dissidents de publier leurs travaux, etc. Naturellement, les tenants de la théorie du complot ont applaudi ce geste et se sont déchaînés dans les médias.

L'épisode, a été appelé «Climategate» pour faire analogie avec le Watergate, scandale qui a emporté le président Nixon au début des années 1970. Les accusations, lancées deux semaines avant la conférence de Copenhague n'ont jamais pu être démenties avant cette réunion. Aucun journaliste n'a eu le temps d'étudier sérieusement le fatras de littérature et d'échanges techniques pour trier le vrai du faux. L'accusation a donc été relayée comme une nouvelle véritable, jetant le doute sur le travail des auteurs du dernier rapport du GIEC.

Tout cela était faux, comme l'ont démontré l'année suivante sept rapports indépendants commandés par des organismes comme le Parlement britannique, des universités, etc. Ces rapports ont tous conclu qu'il n'y avait aucune fraude, mais que certains organismes gagneraient à être plus transparents. Les dispositions appropriées ont été prises et Phil Jones, directeur du Climate Research Unit, qui avait démissionné au moment du scandale a été invité à reprendre son poste.

En novembre 2011, juste avant la conférence de Durban, 5 000 nouveaux courriels, datant de la même effraction que la précédente ont été publiés sur un serveur russe, mais, cette fois, les journalistes n'y ont accordé que très peu d'importance, sans doute parce que leurs chefs de pupitre avaient été échaudés par l'expérience précédente.

Il reste, bien sûr, des gens pour qui les changements climatiques sont une invention des «réchauffistes» qui veulent arrêter le progrès économique et nous ramener à l'âge de pierre. On les trouve surtout dans le monde politique de droite et d'extrême droite. Ce sont généralement des personnes qui n'ont aucune formation scientifique et, surtout, qui n'ont jamais lu les travaux du GIEC, pas même les *Résumés à l'intention des décideurs*. La plupart se contentent de réagir au discours catastrophiste véhiculé par les écologistes et les médias.

Certains ont une motivation économique pour protéger des intérêts dans les secteurs à forte intensité d'émissions. D'autres recherchent simplement le feu des caméras, comme le conclut Sylvestre Huet dans son livre, *L'imposteur, c'est lui*, qui a analysé le cas d'un célèbre climato-sceptique, le géochimiste et ancien ministre français, Claude Allègre.

Malgré cela, tout le monde peut changer d'idée comme l'a démontré en 2010 Bjorn Lomborg, une des figures de proue des climato-sceptiques qui avait publié, en 2001, *The Skeptical Environmentalist*. Il est aujourd'hui convaincu de la gravité des changements climatiques et de la véracité des rapports du GIEC et participe à un groupe de réflexion, The Copenhagen Consensus, qui cherche des solutions[6].

6. L'auteur a publié plusieurs chroniques démontant les arguments des climato-sceptiques que l'on peut lire dans http://synapse.uqac.ca dans l'espace éco-conseil.

En octobre 2011, un groupe de scientifiques, le Berkeley Group, dirigé par le professeur Richard Muller du Département de physique de l'Université de Californie, a mis un point final aux prétentions des climato-sceptiques en refaisant la courbe d'évolution des températures globales de 1800 à 2010 et en comparant ses résultats avec ceux du GIEC. Le résultat est présenté à la figure 3.3. L'étude indépendante a été subventionnée par plusieurs sources, dont des fondations qui avaient déjà fait des dons aux climato-sceptiques. Elles n'ont pas contesté les résultats. Les climato-sceptiques sont-ils muselés pour autant? Une simple requête sur Internet vous prouvera que non.

FIGURE 3.3

Reconstruction de la courbe des températures moyennes décennales terrestres par le Berkeley Group

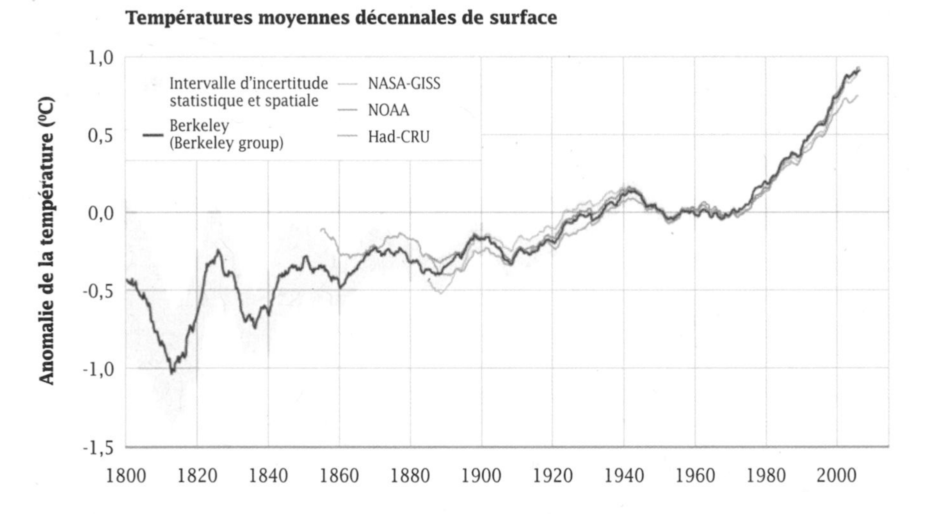

Source : http://www.bbc.co.uk/news/science-environment-15373071.

Malheureusement, les attaques des climato-sceptiques contre la science du climat ont eu un effet pernicieux, tant au niveau de la confiance que les citoyens accordent aux travaux des scientifiques que dans l'importance qu'ils jugent devoir accorder à des actions pour limiter les émissions ou préparer l'adaptation.

Encadré 3.5
LA PROCHAINE OFFENSIVE?

Il y a des climato-sceptiques qui ont la couenne dure. Sous la plume de Christopher Monkton, personnage haut en couleur, mais sans compétences particulières dans le domaine, on peut lire sur Internet que le GIEC se trompe sur toute la ligne et que le climat planétaire ne s'est pas réchauffé au cours des 17 dernières années. À preuve, le graphique suivant.

FIGURE 3.4
Graphique de Christopher Monkton*

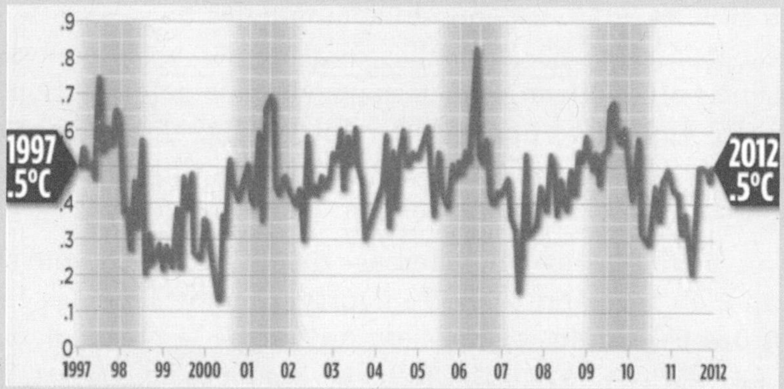

En isolant une période courte des mesures de température de l'air, l'auteur prétend que le climat ne se réchauffe plus. À noter qu'en 2009, il avançait que le climat s'était refroidi entre 1998 et 2008. Christopher Monkton n'en est pas à une contradiction près.

Sur la foi d'arguments simplistes et de données tronquées, la technique des climato-sceptiques est de jeter le doute. C'est vrai que la température moyenne planétaire ne s'est pas réchauffée statistiquement de manière significative depuis la fin des années 1990, mais les 17 dernières années sont les plus chaudes que nous ayons connues au cours des 160 dernières années. Par ailleurs, les mesures effectuées entre 0 et 2000 mètres de profondeur dans les océans montrent que la température de l'eau y a augmenté chaque année depuis le début de ces relevés systématiques comme on peut le voir à la figure 4.9.

Cela, les climato-sceptiques refuseront de l'admettre. Cette donnée ne fait pas leur affaire. Mieux vaut l'occulter.

Gageons que l'argument du plateau thermique fera le tour des médias à l'automne 2013, dans la foulée du cinquième rapport du GIEC.

---

* Graphique montrant les anomalies en dixième de degré C par rapport à la moyenne mondiale de 14°C.

De la même façon, beaucoup de décideurs et de politiciens se posent encore des questions et trouvent d'autres chats à fouetter, d'autres feux à éteindre et d'autres projets à réaliser, peu importe si cela fait augmenter les émissions de gaz à effet de serre. De plus, investir maintenant pour s'adapter à ce qui viendra dans 30 ou 50 ans est très loin des priorités de la plupart des administrations qui sont davantage préoccupées par l'urgence du moment.

Les résultats

Entre 1990 et 2010, les émissions mondiales de gaz à effet de serre sont passées de 38 à 50 milliards de tonnes de CO_2 équivalent par année, en excluant les émissions liées à la déforestation. En 2008, les émissions des pays en voie de développement ont dépassé celles des pays industrialisés et la Chine est passée devant les États-Unis comme premier émetteur mondial.

La première période de référence du Protocole de Kyoto s'est terminée en décembre 2012. La figure 3.5 montre que les émissions des pays industrialisés qui ont ratifié le protocole sont moins élevées en 2010 qu'en 1990. Les données de 2011 et 2012 seront publiées plus tard.

Compte tenu de la persistance des difficultés économiques en Europe, principal groupe de pays représentés dans ce graphique, le bilan pour 2011 et 2012 devrait ressembler à celui de 2010. L'objectif de réduire de 5 % les émissions par rapport au niveau de 1990 sera donc facilement dépassé, si on limite l'analyse à cela.

Malheureusement, penser ainsi serait de la restriction mentale. D'abord, comme nous l'avons évoqué plus haut, l'essentiel des « réductions » d'émissions attribuables aux pays de l'Annexe B du Protocole de Kyoto provient de « l'air chaud » soviétique, c'est-à-dire des résultats qui n'ont rien à voir avec des mesures volontaires de réduction. Cela masque la très mauvaise performance de pays comme le Canada ou encore l'Espagne. Par ailleurs, l'essentiel des performances des pays de l'Annexe B est lié, non aux instruments de flexibilité et aux règlements mis en place pour lutter contre l'augmentation des émissions, mais simplement à la conjoncture économique qui a suivi la crise financière de 2008.

FIGURE 3.5

Émissions totales de gaz à effet de serre des pays participant au Protocole de Kyoto

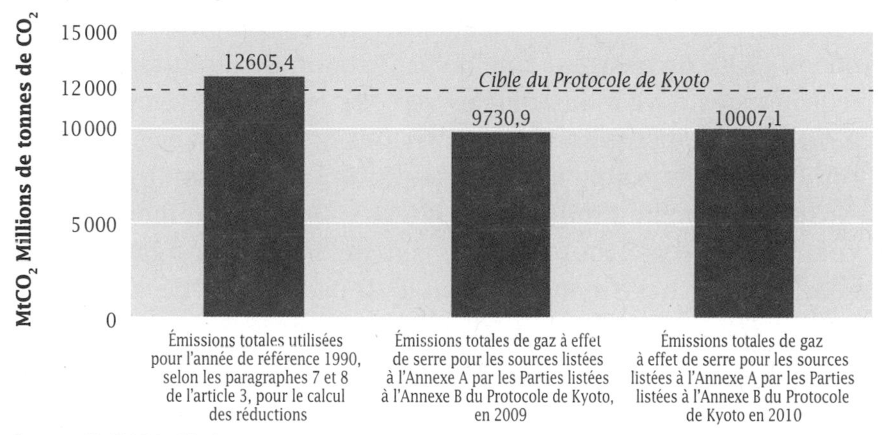

Source: UNFCCC, 2012.

En juin 2013, 6898 projets avaient été enregistrés au MDP, ce qui permettrait d'attendre 2,18 milliards de tonnes de CO_2éq. par année. Cependant, au prix extrêmement faible offert pour les URCE (0,048 à 0,08 €) il est peu probable que les détenteurs de projets paient pour la vérification de ces réductions. Jusqu'à maintenant, approximativement 1,3 milliard d'URCE a été émis, ce qui correspond, pour la période 2008-2012, à environ 260 millions par année, soit environ 40% des besoins des pays de l'Annexe B pour atteindre leurs objectifs de réduction.

Quant aux marchés réglementés, le marché européen a fonctionné durant toute la période de référence 2008-2012, mais souffre actuellement de prix très bas liés en partie à des allocations trop généreuses des États et de la faiblesse de l'économie européenne. L'Australie a instauré son propre marché et un marché nouveau, le Western Climate Initiative, entre la Californie et le

Québec a démarré en janvier 2013. Malgré qu'une dizaine d'États américains et de provinces canadiennes aient participé à sa mise en œuvre, seuls deux protagonistes y ont cru suffisamment pour s'y engager. À l'heure actuelle, l'harmonisation de ces trois grands marchés est en phase d'élaboration.

Cependant, un autre phénomène plus pernicieux est en train de se produire en raison de la mondialisation de l'économie. Depuis les années 1990, on assiste à une délocalisation de l'industrie manufacturière des pays industrialisés vers les pays en développement. Cela provoque un transfert des émissions qui sont associées à cette production et entraîne une augmentation des émissions liées au transport. Comme l'indique la figure 3.6, ce phénomène est en expansion et il est inutile de penser qu'on pourra maîtriser les émissions à l'échelle mondiale si on n'est pas capable de convaincre les pays émergents à se doter d'objectifs contraignants.

FIGURE 3.6

Émissions comparées des pays industrialisés et des pays en développement 1990-2010

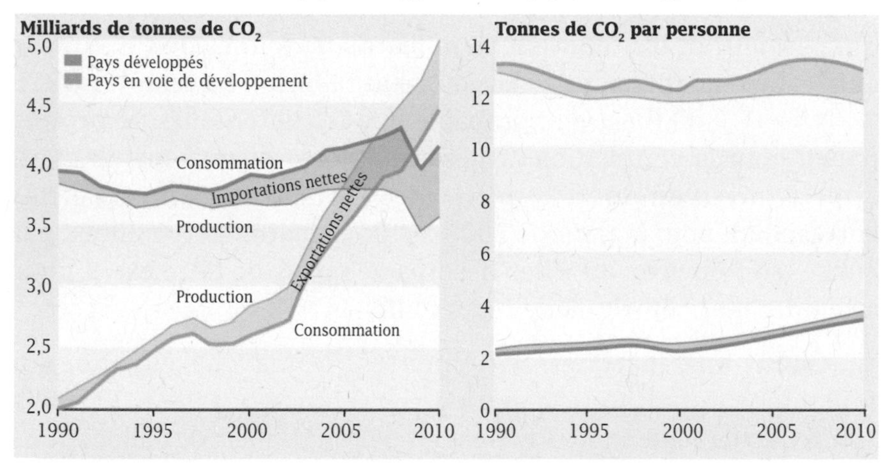

Source : GEO 5, 2012.

La suite?

L'accord de Copenhague précisait que l'objectif à atteindre était de ne pas dépasser un réchauffement de 2 °C au 21e siècle. On peut s'interroger sur l'origine de cette limite, puisque la CCNUCC avait simplement précisé qu'il fallait éviter un réchauffement «dangereux».

À la suite du deuxième rapport du GIEC, en 1996, le Conseil des ministres de l'Environnement de la Communauté européenne a fixé comme limite à ne pas dépasser le fameux 2 °C. Cette décision était basée sur une analyse intégrant la faisabilité d'atteindre l'objectif à un coût raisonnable et l'analyse coûts-bénéfices des actions à entreprendre pour y arriver. La justification de ce seuil n'avait donc pas été étayée par une analyse scientifique du risque. Cependant, les travaux scientifiques publiés par la suite et repris dans le quatrième rapport du GIEC ont montré que cette limite réduisait considérablement le risque de franchir le seuil d'un réchauffement dangereux comme l'indique la figure 3.6. Mais pour avoir une chance de réaliser cela, il faudrait stabiliser la concentration de gaz à effet de serre dans l'atmosphère autour de 450 parties par million.

Le risque est une notion abstraite pour la plupart des gens. On le calcule en associant la probabilité d'un événement et la gravité de ses conséquences. Ainsi, même si les conséquences de la chute d'un météorite de grande taille pourraient être catastrophiques, la probabilité que cela se produise est si faible que le risque associé est minime. En conséquence, personne ne va vous recommander de vous préparer à cette éventualité en construisant un bunker indestructible. En revanche, la possibilité de subir des blessures graves dans une collision automobile et la probabilité d'une telle collision sont élevées. La société va donc vous obliger à porter une ceinture de sécurité et contraindre les fabricants à installer des sacs gonflables en équipement de série pour diminuer ce risque. Pourtant, il y a encore des gens qui ne portent pas leur ceinture…

Dans le domaine des changements climatiques, la probabilité que des épisodes de temps violent se produisent augmente avec la

FIGURE 3.7
Impacts prévisibles

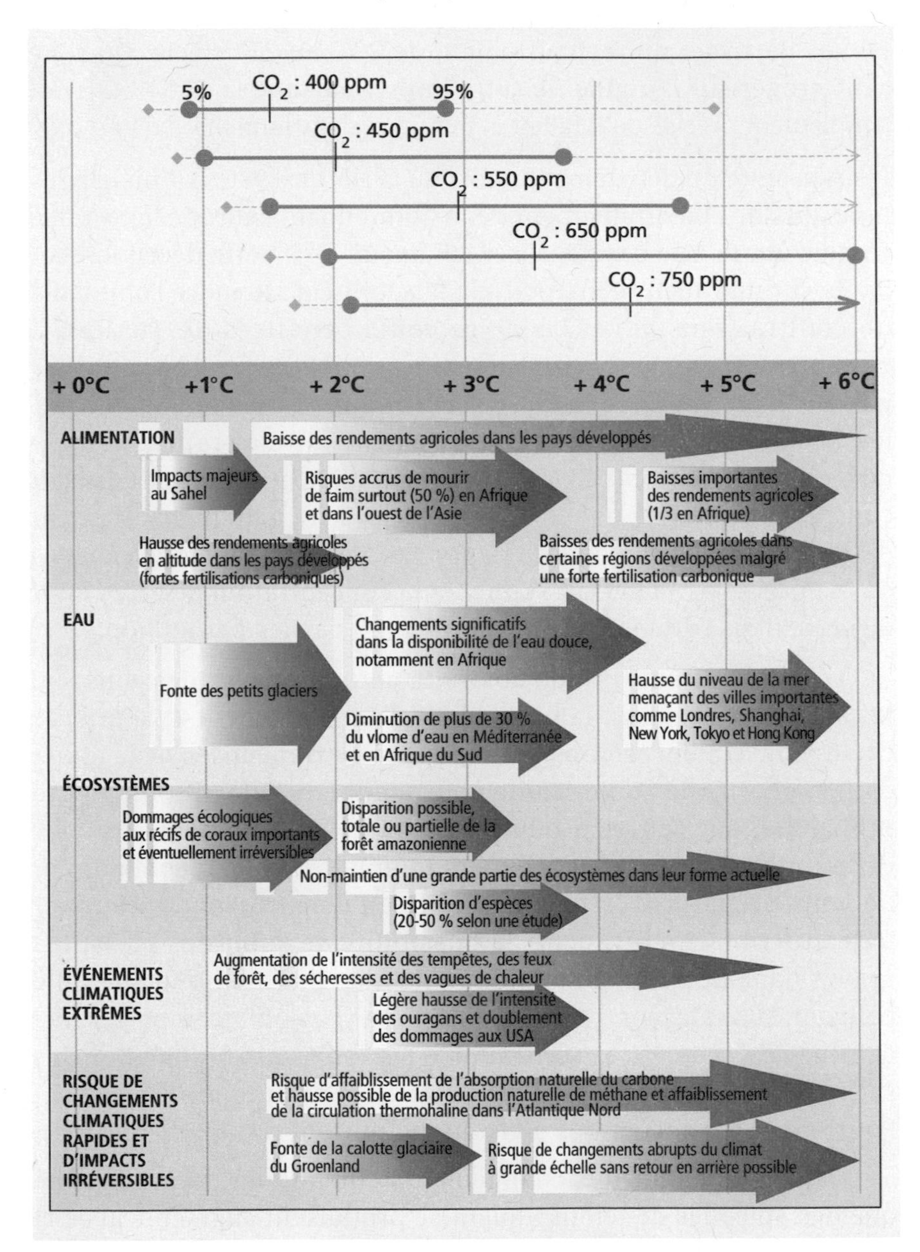

quantité d'énergie présente dans l'atmosphère et à la surface de l'océan. La gravité de ces épisodes dépend de l'endroit où la tempête frappe et du degré de vulnérabilité des gens qui y vivent ou des infrastructures qui s'y trouvent. Ainsi, la même tempête tropicale fait beaucoup plus de victimes en Haïti qu'à Cuba.

Dans les dix dernières années, le nombre d'épisodes de temps violent a augmenté et le niveau de la mer aussi, comme le prédisaient les modèles climatiques. Avec des tempêtes comme Katrina qui a frappé La Nouvelle-Orléans en 2005, ou Sandy qui a affecté la côte est des États-Unis en 2012, les médias et les décideurs comprennent mieux la notion de risque climatique. Comme pour l'accident d'automobile, c'est lorsque la chose se produit qu'on regrette de ne pas avoir pris ses précautions.

Malheureusement, nous avons tous la mémoire courte et, pour la plupart des décideurs, l'instant présent compte nettement plus que le futur. Par ailleurs, le risque climatique n'affecte pas tout le monde également. Paradoxalement, les pays industrialisés sont moins menacés et plus capables de se préparer que les pays en voie de développement. Cela joue un rôle important dans la dynamique des négociations.

Positions bloquées

En effet, outre les questions de la responsabilité commune, mais différenciée, du financement de l'adaptation et des engagements contraignants à déployer, le niveau de réchauffement tolérable pour l'adaptation est une pomme de discorde supplémentaire qui divise les pays en blocs irréconciliables. Ces questions empoisonnent les négociations depuis la conférence de Marrakech.

Résumons les arguments. D'un côté, les pays industrialisés pensent qu'il est faisable de réduire les émissions suffisamment pour permettre d'éviter un réchauffement dangereux qui entraînerait des conséquences irréversibles. Et cela tout en maintenant l'économie mondiale en croissance. De l'autre, les pays en développement qui seront durement frappés par les conséquences d'un réchauffement de 2 °C font valoir l'urgence et l'injustice de la situation. Ces pays qui sont de tout petits émetteurs n'ont à peu près aucune responsabilité, et ils sont vulnérables au plus haut degré. Au premier rang se trouvent les petits États insulaires menacés de disparaître par l'élévation du niveau de la mer et les pays sahéliens promis à des sécheresses dévastatrices.

D'un côté se trouvent les États-Unis, dont la politique intérieure est réfractaire aux cibles contraignantes, les pays émergents qui refusent de brider la croissance de leur économie sous prétexte de rattrapage historique et les pays pétroliers qui se refusent à voir imposer des restrictions sur leur rente. De l'autre côté, on trouve les pays pauvres menacés des conséquences. Ils voudraient qu'on limite le réchauffement à 1,5 °C et qu'on leur fasse des transferts massifs de fonds pour leur donner une chance de s'adapter. Les pays européens qui ont intégré le marché du carbone à leur économie et qui ressentent une certaine culpabilité historique face au sous-développement de leurs anciennes colonies penchent du même côté.

Les États-Unis refusent de s'engager si les pays émergents ne font pas partie de l'accord. Les pays émergents exigent plus d'efforts des pays industrialisés. Les pays en développement exigent plus d'efforts contraignants de tous les autres. C'est facile de comprendre pourquoi les sommets n'arrivent jamais à grand-chose !

À Copenhague, une promesse majeure a été faite pour dénouer la question du financement avec la promesse d'un fonds pour l'adaptation des pays en développement qui serait financé à hauteur de 100 milliards de dollars par année à compter de 2020. Mais les conditions de financement et surtout les conditions d'allocation de ces fonds encore hypothétiques sont difficiles à négocier à la satisfaction de tous. Et cela ne règle pas la question de limiter le réchauffement à 1,5 °C ! Les deux seules voies pour y arriver sont de cesser totalement les émissions en 2016 ou d'appliquer brutalement les freins avec le scénario RCP-3PD.

Évolution des émissions 2010-2035

En attendant qu'une série de désastres climatiques frappent en rafale les États-Unis, ou que l'empathie et la générosité deviennent les vertus cardinales de la politique extérieure, l'industrie des carburants fossiles est bien en selle dans le domaine de l'énergie, avec 83% de l'énergie primaire consommée dans le monde en 2010, comme l'indique la figure 3.8.

FIGURE 3.8

Sources d'énergie consommées dans le monde en 2010

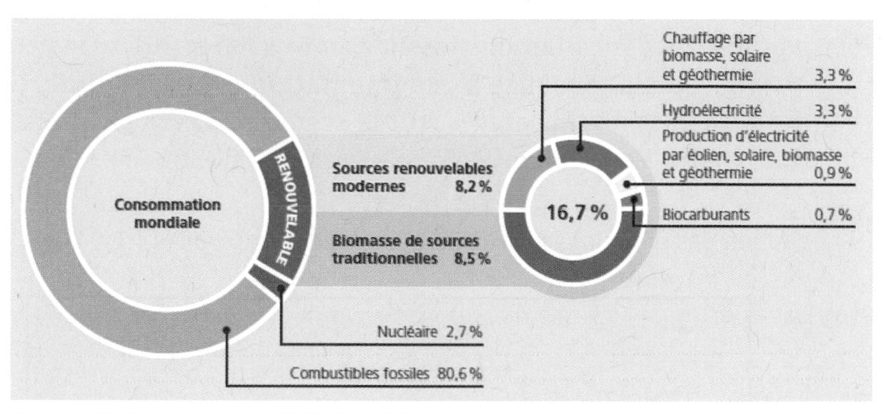

Source: REN21, *Renewables 2012 Global Status Report.*

Le groupe de travail 3 du GIEC a publié, en 2011, une analyse sur le potentiel de réduire les émissions de gaz à effet de serre en développant l'efficacité énergétique et les diverses sources d'énergie renouvelable. Les résultats ne sont pas très édifiants. De 2010 à 2035, le potentiel est limité à peu près exactement à la croissance de la demande. En d'autres termes, si on utilisait 418 exajoules d'énergie fossile en 2008, il faudra encore en utiliser 450 en 2035. Donc, en 2035, les émissions auront encore augmenté. Comment? On sait que les sources de combustibles non conventionnels (gaz de schiste, pétrole de schiste, pétrole des sables bitumineux, gaz de houille, etc.) seront de plus en plus présentes dans le cocktail énergétique mondial. Le cycle de vie de ces carburants provoque plus d'émissions que celui des carburants conventionnels. Sans des mesures draconiennes permettant de capter et de stocker le CO_2, il est très difficile de croire qu'il puisse en être autrement.

Or, comme nous le verrons au chapitre 6, les technologies à émissions négatives sont encore loin d'être applicables et ne le seront sans doute qu'au tout début de leur déploiement en 2035, si, et seulement si, on peut mettre un prix suffisant sur la tonne de carbone. Cela exigera une entente contraignante entre tous les grands pays émetteurs de gaz à effet de serre avec des objectifs ambitieux. Ce n'est pas gagné.

La figure 3.9 montre l'évolution des émissions de gaz à effet de serre provenant des carburants fossiles entre 1990 et 2010. On peut y constater que la tendance à l'augmentation est très lourde. La courbe des émissions observées suit le scénario le plus pessimiste du GIEC. Pourra-t-elle être infléchie d'ici à 2035 ? C'est peu probable.

FIGURE 3.9

Évolution des émissions provenant des carburants fossiles 1990-2010

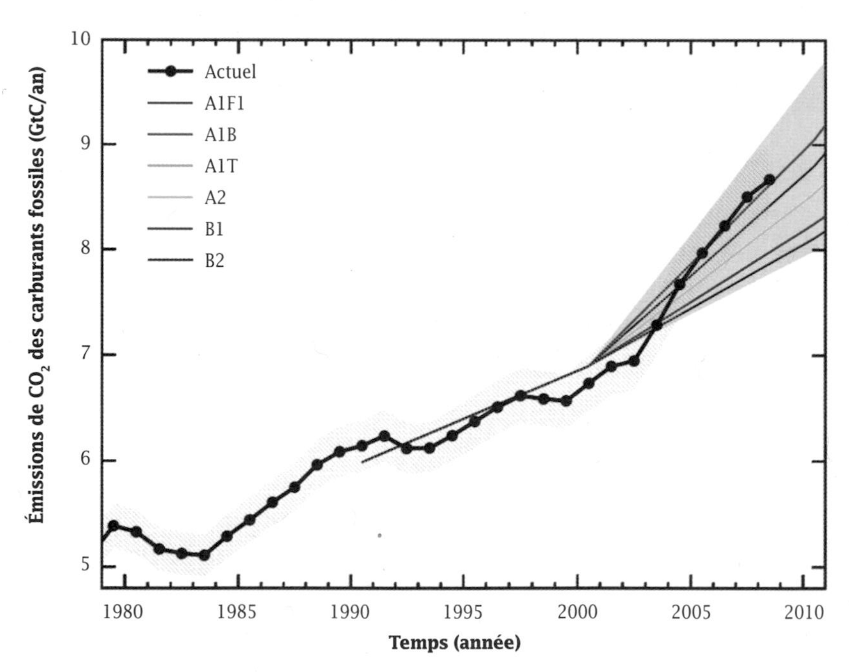

Source : Le Quéré et collab., 2009.

Les raisons en sont simples. D'abord, la production d'électricité par des centrales au charbon continuera d'augmenter en Chine, aux États-Unis et dans les pays émergents, particulièrement en Inde et en Afrique du Sud. Une centrale au charbon a une espérance de vie de 50 ans. Celles qui ont été mises en service depuis 1990 n'auront pas encore terminé leur vie utile en 2030.

La deuxième raison est l'augmentation du parc automobile mondial qui a atteint un milliard de véhicules en 2012 et qui est censé tripler d'ici à 2050. Un véhicule a une espérance de vie de 15 ans. En conséquence, les voitures vendues aujourd'hui ne seront hors service qu'en 2025 ou après. Les mesures d'efficacité énergétiques imposées aux constructeurs par les nouvelles normes américaines ne commenceront à s'appliquer qu'en 2015. En conséquence, beaucoup de véhicules moins efficaces émettront encore en 2025, voire en 2030. Par ailleurs, comme nous le verrons au chapitre 6, les biocarburants qui sont actuellement ajoutés à l'essence sont issus essentiellement de la culture des céréales et émettent presque autant de CO_2 dans leur cycle de vie que l'essence conventionnelle.

Finalement, le développement de la fracturation hydraulique depuis les années 2000 a permis d'exploiter efficacement le gaz et le pétrole de schiste. Cette nouvelle source d'hydrocarbures permet de maintenir le prix du gaz plus bas que dans les années 1990-2000 et favorise son utilisation pour la production d'électricité. Cela aura sans doute un avantage pour le remplacement de quelques centrales au charbon en fin de carrière, mais des analyses récentes démontrent qu'en raison des émissions fugitives lors de l'exploration et de l'exploitation, la production d'électricité avec ce type de gaz a une empreinte carbonique plus élevée que la production au charbon.

Si l'on prend en considération la durée de vie des installations existantes, la résistance au changement et les difficultés inhérentes au déploiement de nouvelles filières énergétiques sans l'aide du marché du carbone, le temps de mise en place d'une réglementation contraignante à l'échelle nationale et internationale et les enjeux économiques à court terme, il n'est pas étonnant que les prévisions soient, dans le meilleur des cas, une augmentation de l'ordre de 35 % des émissions de gaz à effet de serre à l'horizon 2030.

L'application d'un ensemble de mesures de réduction, dès les années 1990, aurait pu signifier des émissions stabilisées au même niveau que 1990 en 2030, mais évidemment, il est trop tard. Le scénario normalisé, c'est-à-dire intégrant la diminution de l'intensité énergétique de la production nous situerait actuellement à 50 % plus d'émissions en 2030 et le scénario du cours normal des affaires nous mènerait à 60 % plus d'émissions en 2030 qu'en 1990 (JRCEC, 2007). Rappelons-nous qu'aucun accord international contraignant n'est censé s'appliquer à tous les grands émetteurs avant 2021. La figure 1.9 à la page 29 a montré l'évolution des émissions prévue à l'horizon 2020, au moment où cet hypothétique accord sera enfin en vigueur. Cela explique, comme l'a montré la figure 1.8 à la page 28, l'effet très mineur que les engagements actuels pour limiter le réchauffement en 2100.

Conclusion

Dans ce chapitre, nous avons vu que les éclairages scientifiques, aussi solidement étayés soient-ils, ne sont pas suffisants pour que le monde économique et politique prenne au sérieux les problèmes associés au réchauffement anthropique de l'atmosphère. La communauté internationale a manqué l'occasion de diminuer l'ampleur de ses impacts sur le climat planétaire en intégrant le prix du carbone dans l'économie mondiale. Les fumeurs achètent des cigarettes autant qu'ils peuvent. Les plus petits ont pour objectif de fumer autant que les plus grands, sans égard pour les conséquences.

La force de l'habitude, la pensée magique, la poursuite des intérêts immédiats au détriment de la vision prospective ne sont que quelques-unes des raisons qui motivent l'immobilisme. Elles rendent difficile la prise en considération des mesures efficaces pour réduire les émissions de gaz à effet de serre qui sont le moteur des changements climatiques.

L'impératif politique de croissance économique, la croissance démographique, la mondialisation de l'économie, l'incrédulité des décideurs, le manque de compétitivité des alternatives et l'impunité des pollueurs continueront de pousser les émissions à la hausse pour au moins deux décennies. À ce moment, le premier seuil pour une augmentation de 2 °C, soit une concentration de 450 ppm de CO_2, sera atteint au rythme actuel de croissance des émissions. Aucune solution politique applicable dès maintenant ne peut nous empêcher de franchir ce seuil. Il est donc trop tard.

Il y a peut-être une lueur d'espoir : on cherche actuellement à inviter, en plus des ministres de l'Environnement, les ministres des Finances à la conférence de Varsovie. Après la déclaration du Forum économique mondial de Davos, en janvier 2013, qui situe les changements climatiques comme une grave menace à l'économie mondiale, peut-être les pays verront-ils enfin leur intérêt à agir.

Il convient maintenant d'examiner ce que seront les conséquences d'un tel réchauffement climatique à la lumière de notre compréhension du fonctionnement de la planète. Ce sera l'objet du prochain chapitre.

Références

Commission mondiale sur l'environnement et le développement, 1988, *Notre avenir à tous*, Les éditions du Fleuve.

Global Carbon Capture and Sequestration Institute, 2012, *The global status of CCS 2012*, 228 pages.

Grassl Helmut et Bert Metz, 2013, « Climate Change : Science and the Precautionary Principle », dans EEC, 2013, *Late Lessons from Early Warnings*, p. 340-378.

Hansen, J., D. Johnson, A. Lacis, S. Lebedeff, P. Lee, D. Rind et G. Russell, 1981, « Climate Impact of Increasing Atmospheric Carbon Dioxide », *Science*, 213, 957-966.

Hoggan, James, 2009, *Climate Cover-Up*, Greystone Books Ltd, 240 pages.

Huet, Sylvestre, 2010, *L'imposteur, c'est lui*, Stock, 186 pages.

IPCC, 2011, *Special Report on Renewable Energy and Climate Change Mitigation*, Cambridge University Press, 1088 pages.

Joint Research Center of the European Commission, 2007, *Global Climate Policy Scenarios for 2030 and Beyond, European Commission*, 98 pages.

Le Quéré, C. et collab., 2009, « Trends in the Sources and Sinks of Carbon Dioxide », *Nature Geosciences* 2 : 831-836.

Townshend Terry, Sam Fankhauser, Rafael Aybar, Murray Collins, Tucker Landesman, Michal Nachmany et Carolina Pavese, 2013, *The GLOBE Climate Legislation Study*, third edition, Globe International, 486 p.

UNFCCC (2012), *Annual Compilation and Accounting Report for Annex B Parties under the Kyoto Protocol for 2012*, 14 pages.

Villeneuve Claude dir., 2012, *Forêts et humains, une communauté de destins. Pièges et opportunités de l'économie verte pour le développement durable et l'éradication de la pauvreté*, OIF, IEPF et UQAC, 584 pages.

Villeneuve, Claude et François Richard, 2007, *Vivre les changements climatiques. Réagir pour l'avenir*, Québec, Éditions, MultiMondes, 484 pages.

Weber, E.U., 2006, « Experience-Based and Description-Based Perceptions of Long Term Risk : Why Global Warming Does Not Scares Us (Yet) », *Climatic Change*, 77 :103-120.

World Bank, 2012, *Turn Down the Heat. Why a 4 ºC Warmer World Should Be Avoided*, 84 pages.

Chapitre 4
Chaud devant!

Que savons-nous du futur? Rien de certain en tout cas. La sagesse populaire a depuis longtemps posé l'hypothèse que le passé est garant de l'avenir, mais si l'on change les conditions de fonctionnement de la machine climatique, peut-on encore compter là-dessus?

Dans le présent chapitre, nous examinerons les réactions déjà observables au réchauffement global de la planète. Par la suite, nous tenterons d'émettre des hypothèses sur ce qui pourrait être notre futur dans un monde à 2°, 3°, 4°C, ou même plus, de réchauffement au 21e siècle. Les simulateurs planétaires sont des modèles mathématiques, complexes certes, mais ils ne sont pas la planète, laquelle nous cache encore bien des secrets. Ce sont toutefois des outils indispensables pour explorer des futurs possibles et essentiels pour éclairer la prise de décision d'aujourd'hui.

Les décideurs aimeraient bien savoir de quoi demain sera fait. Ils ont tendance à préférer les solutions optimistes tout en protégeant ce qui a fonctionné dans le passé comme garantie de succès dans le futur. Mais les conditions d'existence sur la planète peuvent changer, ne serait-ce que du fait que nous serons 9 milliards et peut-être 10 milliards d'humains à la fin du siècle. Pour mieux comprendre ce qui nous attend, voyons d'abord quelques notions de «Planète 101».

Échanges et circulation des éléments

Nous l'avons vu au chapitre 1, la planète se compose de compartiments qui sont liés entre eux par un ensemble d'interactions complexes. Ces interactions se produisent essentiellement aux interfaces, par exemple la surface de la mer et l'atmosphère, mais, par la suite, les particules ou les molécules échangées d'un compartiment à l'autre peuvent diffuser plus ou moins rapidement dans l'ensemble de la masse. Par exemple, les échanges gazeux se font à la surface de l'océan pour le dioxyde de carbone et l'oxygène, mais, par la suite, les molécules dissoutes peuvent être entraînées en profondeur par les courants. Heureusement, car sans cela, l'oxygène ne serait présent qu'à la surface de l'eau et nous serions privés de la riche faune des fonds océaniques, pour peu que nous ayons vu le jour!

Dans l'atmosphère, les principaux composants de l'air sont des molécules chimiquement neutres, comme le diazote (N_2), le dioxygène (O_2) et l'argon (Ar). Les molécules peu polaires comme le dioxyde de carbone (CO_2), le méthane (CH_4), le protoxyde d'azote (N_2O) et les autres gaz à effet de serre à longue durée de vie peuvent diffuser par le mouvement brownien et leur concentration dans le temps tend à s'uniformiser dans toute la masse.

Cycle du carbone

La biosphère, c'est-à-dire la portion vivante de la planète, est le constituant le plus dynamique en termes d'échanges. D'abord, à travers la photosynthèse qui extrait le CO_2 de l'atmosphère et qui le transforme en sucres, puis en longues chaînes carbonées qui serviront de nourriture aux animaux, aux champignons et aux bactéries. Ces derniers retourneront une partie du carbone à l'atmosphère et en stockeront une partie dans les sols. Ce carbone, s'il est insoluble, par exemple du charbon de bois, s'intégrera progressivement à la lithosphère. C'est pourquoi on dit que les forêts sont un puits de carbone. Les flux nets de CO_2 qu'elles génèrent tendent à appauvrir l'atmosphère.

De même, à la surface océanique, le CO_2 se solubilise dans l'eau et y est transformé en acide carbonique et en bicarbonate. L'acide carbonique peut réagir avec des ions calcium ou magnésium de l'eau de mer et former des molécules insolubles. Ces dernières se précipitent par la suite dans les fonds océaniques et s'intègrent aux roches sédimentaires par la pression. Les algues du phytoplancton vont capter le CO_2 dissous et le transformer en matière vivante comme le font les plantes terrestres.

En milieu marin, il y a deux puits biologiques pour le carbone. D'abord, le phytoplancton; étant à la base des réseaux trophiques dans les océans, il constitue un puits de carbone. Ensuite, plusieurs animaux, comme les mollusques, mais aussi le corail, fixent des quantités importantes de carbonates dans leurs coquilles. À leur mort, ces coquilles sédimentent et s'intègrent à la lithosphère. Enfin, les molécules carbonées qui sont perdues en dehors de la zone photique[1] ont peu de chances de revenir à l'atmosphère, sauf dans les zones de remontée d'eau[2] où des courants marins ramènent vers la surface des éléments provenant des profondeurs. Une partie du CO_2 produit par les organismes marins revient à ce moment à la surface. La biomasse marine, pour sa part, finira par former le pétrole, à travers un processus complexe d'accumulation sédimentaire et de pyrolyse[3] durant des millions d'années. Les océans sont donc aussi un puits net de carbone.

Comment alors, si les forêts et les océans sont des puits de carbone, la concentration de CO_2 dans l'atmosphère peut-elle se maintenir à long terme? En réalité, les choses sont un peu plus complexes et, comme l'indique la figure 4.1, le volcanisme, les incendies de forêt et l'altération des roches carbonatées libèrent une certaine quantité de CO_2 qui revient à l'atmosphère. L'ensemble de ces interactions explique que la concentration de CO_2 varie

1. Zone dans laquelle pénètre la lumière.
2. La remontée d'eau (*upwelling*, en anglais) est un phénomène océanographique qui se produit lorsque de forts vents marins (généralement des vents saisonniers) poussent l'eau de surface des océans laissant ainsi un vide où peuvent remonter les eaux de fond et, avec elles, une quantité importante de nutriments.
3. La pyrolyse est un procédé de décomposition de la matière organique par la chaleur en l'absence d'oxygène.

dans le temps, de façon naturelle. Dans le dernier million d'années, cette variation a été de l'ordre de plus ou moins 20 parties par million, soit 7 à 10%. Depuis le début de la Révolution industrielle, la concentration de CO_2 a augmenté de plus de 110 parties par million en raison de la libération de centaines de milliards de tonnes de carbone de la lithosphère vers l'atmosphère par la combustion des carburants fossiles. L'augmentation se continue à hauteur de 2-3 ppm par année à cause de l'incapacité des puits de carbone forestiers et océaniques de récupérer tout le CO_2 émis par les activités humaines.

FIGURE 4.1
Le cycle du carbone

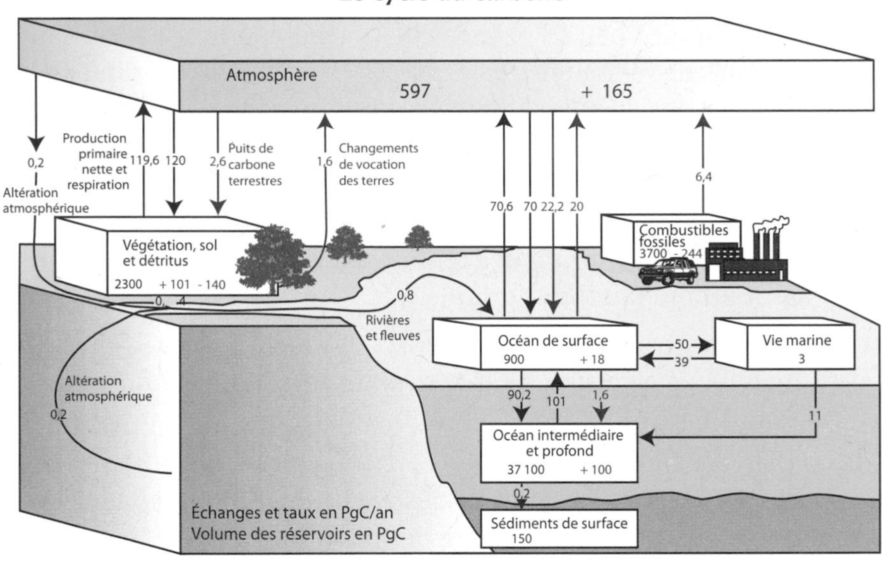

Cycle de l'eau

Le cycle de l'eau est un autre élément important à prendre en considération dans le transfert d'éléments d'un compartiment à l'autre de la planète. Absorbant l'énergie véhiculée par la lumière solaire et les vents, des centaines de milliards de tonnes d'eau s'évaporent chaque jour de la surface des océans, des lacs et de la végétation continentale pour passer dans l'atmosphère. L'eau sera transportée, parfois à des milliers de kilomètres sous forme de nuages ou d'humidité atmosphérique. Elle peut aussi précipiter sur place.

L'eau ne reste pas longtemps dans l'atmosphère. En moyenne, une molécule y séjourne 9 jours. Son destin est de retomber, sous forme de pluie ou de neige, sur les continents ou sur les océans. Même si les continents occupent une surface moindre que les océans, les précipitations y sont relativement plus importantes en raison du relief. Ainsi, pour 424 unités d'eau qui s'évaporent des océans, seules 385 y retombent. La différence tombe sur les continents et y alimente les réserves d'eau douce et les calottes glaciaires. Soixante et un pour cent de l'eau tombée sur les continents est retournée dans l'atmosphère par évapotranspiration des végétaux et 39 % retourne vers les océans, équilibrant ainsi le bilan.

Lorsqu'elle passe dans l'atmosphère, l'eau évaporée est chimiquement pure, mais elle transporte une quantité importante d'énergie. En effet, pour évaporer de l'eau, il faut y injecter environ 2 500 joules par gramme, c'est-à-dire 2,5 mégajoules ou 0,7 kWh par litre.

Le transfert d'énergie se fait lorsque l'eau précipite. En effet, il y a, lors du retour à la phase liquide, une libération de l'énergie de la vapeur par la condensation ou par la cristallisation, si les précipitations se font sous forme de neige. Ainsi, une partie importante de l'énergie solaire absorbée par les masses d'eau entre les tropiques est amenée vers les latitudes plus élevées par les nuages.

Dans son parcours sous forme liquide sur les continents et sur les côtes, l'action érosive de l'eau transporte des particules qui sédimenteront dans les plans d'eau ou dans les estuaires. L'eau douce est aussi un solvant très efficace pour dissoudre les molécules polaires et oxyder les métaux. Elle transporte ainsi vers les océans une partie de nutriments minéraux qui favoriseront la productivité aquatique.

Enfin, lorsque l'eau gèle, elle prend de l'expansion, ce qui favorise le fractionnement des roches dans lesquelles elle s'est infiltrée. Cette altération met en circulation dans les sols, dans la biosphère et dans l'eau une partie de minéraux contenus dans la lithosphère. Une autre forme d'altération de la roche se produit à l'interface de la glace et de la lithosphère, sous les glaciers. Il s'agit d'une abrasion combinée de la pression de la glace et du mouvement des roches transportées par la glace. Ce mouvement provoque l'accumulation de matériaux meubles ou hétéroclites qui sont transportés ou sériés par les eaux et se déposent à la fonte du glacier. Ainsi naissent les eskers, le sable et les tills.

Interactions entre les glaces et le niveau de l'océan

La cryosphère est la partie de la planète qui est gelée toute l'année. Elle comprend les glaciers de montagne, les inlandsis ou glaciers continentaux qui couvrent le Groenland et l'Antarctique, le pergélisol et la banquise pluriannuelle de l'océan Arctique et de la bordure océanique de l'Antarctique. Les surfaces glacées, en raison de leur albédo élevé, ont une grande importance pour le climat, puisqu'elles reflètent la lumière vers l'espace, sans l'absorber ou la transformer en infrarouges.

Contrairement à la banquise pluriannuelle, qui peut atteindre de trois à cinq mètres d'épaisseur et qui flotte sur l'océan, les glaciers de montagne et les inlandsis correspondent à un volume d'eau stocké sur les continents. Ce volume s'accumule quelquefois depuis plus de un million d'années et atteint une épaisseur de deux ou trois kilomètres à certains endroits. Pendant la dernière période glaciaire, les inlandsis et les glaciers de montagne ont accumulé la quantité d'eau équivalente à une hausse du niveau de la mer de 120 mètres.

Les stocks de glace qui sont présentement accumulés sur la planète correspondent à un volume d'eau de l'ordre de 32 millions de kilomètres cubes, c'est-à-dire une possibilité d'élever le niveau de la mer de près de 80 mètres. Toutefois, cette situation n'est que théorique, compte tenu de la localisation de la plus grosse masse de glace, l'Antarctique, au pôle Sud. L'Antarctique représente plus de 90% de la masse de glace avec 29 millions de kilomètres cubes alors que le Groenland en porte 2,5 millions et que l'ensemble des glaciers continentaux n'en contient que 200 000 kilomètres cubes.

Les glaciers les plus susceptibles de fondre sont les glaciers de montagne, mais leur contribution à la hausse du niveau de l'océan est nécessairement beaucoup plus limitée que ne le serait celle des inlandsis. En revanche, sur la bordure des inlandsis, des masses de glace s'étalent sur la bordure océanique. Lorsque ces glaciers se mettent à bouger plus rapidement, lubrifiés par l'eau de fonte, ils peuvent engendrer des icebergs ou encore d'immenses radeaux de glace qui iront fondre dans l'océan.

La banquise pluriannuelle empêche la pénétration de la majeure partie de l'énergie lumineuse dans l'océan. Lorsqu'elle fond, la surface océanique se réchauffe plus qu'à l'habitude et retarde la prise des glaces, l'automne venu. Il existe donc un mécanisme de rétroaction positive entre la superficie d'eau libre et le réchauffement de l'océan Arctique qui, à son tour, favorise la fonte accélérée de la glace pluriannuelle.

Un autre phénomène de rétroaction positive affecte le pergélisol. Le pergélisol contient de nombreuses bulles de méthane provenant de la décomposition anaérobie de matière organique, souvent dans d'anciens marécages ou des zones estuariennes exondées par le relèvement isostatique[4]. Lorsque ces zones dégèlent, il y a libération

4. Lorsqu'un continent est libéré du poids des glaces, il se relève, comme le fait un bateau qu'on décharge. Ce mouvement de relèvement peut se faire sur des milliers d'années suivant le départ des glaces. Des zones autrefois recouvertes par la mer peuvent ainsi se retrouver en dehors de l'eau.

du méthane qui est un gaz à effet de serre 25 fois plus puissant que le CO_2, ce qui contribue à amplifier le réchauffement.

Climat et biodiversité

Un dernier élément reste à préciser pour bien comprendre comment les changements climatiques affectent et vont affecter le monde dans lequel nous vivons. Il s'agit de la relation entre la biosphère et le climat.

Tout le monde a pu observer que la faune et la flore changent sur un gradient nord-sud. Par exemple, quiconque fait un voyage entre le nord du Québec et la Floride verra se succéder la forêt boréale caractérisée par la dominance des conifères, puis des forêts feuillues avec des compositions spécifiques qui diffèrent à mesure qu'on descend vers le sud. Arrivés à destination, les palmiers et les palétuviers composent un paysage complètement différent.

En milieu tropical, de telles gradations s'observent à mesure que l'on monte en altitude dans une haute montagne, les forêts tropicales étant au niveau de la mer et les conifères en altitude. Même si la transition est moins visible, la faune se répartit aussi selon un gradient qui est fortement déterminé par le climat. La limite nord du serpent à sonnette atteint à peine le sud du Canada, alors que l'orignal ne supporte pas la chaleur dans les forêts de Caroline du Nord.

Cela s'explique par les exigences écologiques et la capacité d'adaptation des organismes vivants. Celles-ci sont étroitement associées à des éléments climatiques comme la température moyenne, le nombre de jours sans gel, la fréquence et la durée des sécheresses, les températures maximales et minimales.

Par exemple, l'orignal cesse de manger et doit déployer des stratégies pour réduire son activité métabolique lorsque la température diurne excède 14 °C, ce qui explique qu'il ait des mœurs nocturnes l'été. Le cerf de Virginie n'a pas ce type de limite, mais il doit dépenser énormément d'énergie si l'épaisseur de neige au sol dépasse 30 cm et lorsque la température descend sous les –20 °C. Plusieurs plantes ont besoin d'un certain nombre de degrés-jour pour compléter leur cycle vital. Les graines d'autres plantes doivent subir un gel prolongé pour pouvoir germer le printemps suivant. Des insectes ont un stade larvaire intolérant au gel alors que d'autres, au contraire, le tolèrent très bien. Le climat, par ses caractéristiques, explique donc en partie la biodiversité dans un lieu donné.

Les animaux et les plantes doivent aussi s'adapter à la présence de compétiteurs, de parasites et de prédateurs. Cela signifie que l'accès aux ressources du milieu peut être rendu difficile par la présence d'organismes mieux adaptés, plus compétitifs ou plus opportunistes. Les espèces les moins compétitives dans ce contexte seront rapidement éliminées, surtout si leur état de santé est affecté par des parasites ou à la limite de la capacité d'adaptation.

Par exemple, les poissons d'eau froide comme le saumon atlantique tolèrent mal l'eau qui dépasse 23°. Pour éviter le stress et la mortalité, ils doivent alors se regrouper dans des zones plus froides où ils cessent de s'alimenter, ce qui diminue leurs chances de survie lorsque la situation se prolonge.

En règle générale, les espèces qui sont limitées par le froid sont plus compétitives et agressives que celles qui y sont adaptées. Un réchauffement du climat permet la migration des premières dans le territoire des secondes. C'est ce qu'on appelle une extension d'aire. Les espèces poïkilothermes, dont la température varie avec la température extérieure, comme les insectes et les reptiles, sont sujettes à augmenter leur aire en période de réchauffement, mais c'est aussi le cas de mammifères comme le cerf de Virginie qui est homéotherme, mais dont on a décrit la fragilité au froid plus haut.

Notre planète est caractérisée par ses aspects dynamiques, la vie en étant la manifestation la plus évidente. Plusieurs facteurs peuvent influencer le climat et être influencés par lui. Si, par nos interventions, nous avons le pouvoir de modifier le climat, il n'est pas téméraire de postuler que nous avons le pouvoir de changer nos propres conditions d'existence. Or, c'est ce que nous faisons en modifiant la composition de l'atmosphère. Voyons maintenant comment cela se traduit déjà et comment on peut penser que cela évoluera dans le futur.

Évolution des températures récentes

La température moyenne de surface est une mesure qui est construite à partir de milliers de stations d'observation situées sur terre et sur mer. Ces observations sont faites de façon normalisée, c'est-à-dire qu'elles sont comparables d'une année à l'autre pour un même point de mesure. Les températures moyennes représentent la médiane entre le maximum et le minimum observé chaque jour sur une station météo et ces données sont ramenées sur une moyenne annuelle par la suite. Ainsi, si la température oscille entre +5 °C et – 5 °C dans 24 heures, la température notée pour ce jour sera de zéro. L'addition des températures moyennes de chaque jour de l'année et la division par 365 du total obtenu nous donneront la température moyenne annuelle pour une station. La « normale » correspond à la moyenne des températures moyennes pour une période de 30 ans.

La figure 4.2 présente l'évolution des anomalies des températures moyennes de surface depuis 1880. Entre 1880 et 2012, le nombre de stations d'observation a été multiplié jusqu'à couvrir la grille actuelle. Les données plus anciennes ont fait l'objet de validation. La moyenne quinquennale est représentée par la ligne rouge. La valeur de référence (0) est la moyenne des températures mesurées de 1951 à 1980.

Sur la période étudiée, on peut noter trois tendances qui se succèdent. Entre 1880 et 1910, on observe d'abord une période de léger refroidissement. Par la suite, la température se réchauffe d'environ 0,4 °C jusqu'en 1940. La période 1940-1970 connaît une grande variabilité. Depuis 1970, le climat s'est réchauffé très rapidement de 0,6 °C par rapport à la période de référence.

FIGURE 4.2
Températures globales de surface 1880-2012

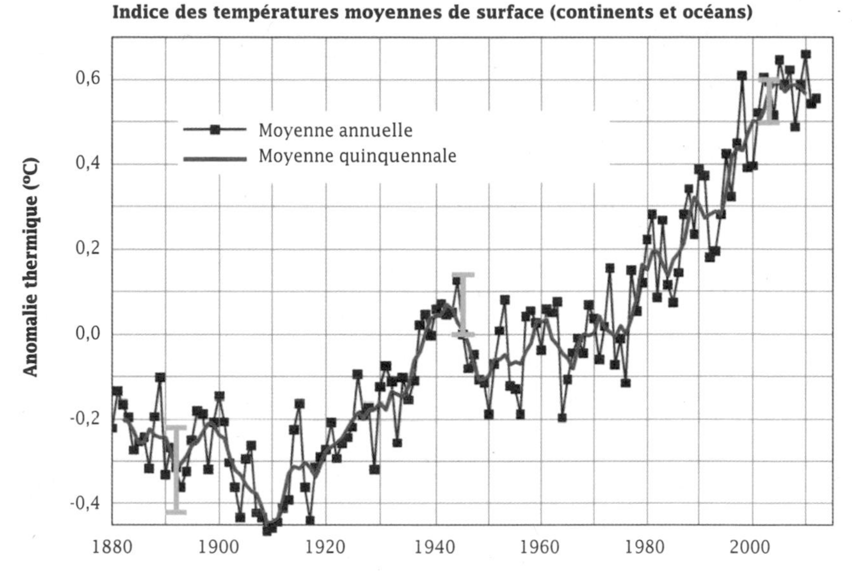

Source: NOAA.

Encadré 4.1
LA COURBE NORMALE

La courbe normale ou courbe de Laplace-Gauss représente une distribution de données reportées également autour d'une valeur moyenne. Cela donne une courbe en forme de cloche dont on peut facilement déduire les probabilités de rencontrer une valeur en fonction de son écart à la moyenne.

Pour déterminer en termes de probabilité la chance qu'un événement se produise dans le temps, on doit calculer l'écart-type des données autour de la moyenne. Cette formule permet de savoir si une donnée se situe dans la variabilité normale. Ainsi, à l'intérieur d'un écart-type (sigma) de chaque côté de la moyenne, les événements ont une probabilité «normale» de se produire. On pense par exemple à une température mensuelle de 20ºC avec un écart-type de plus ou moins 2ºC, une moyenne de 21ºC ou de 19ºC n'est pas exceptionnelle. À mesure qu'on multiplie les écarts-types, par exemple deux sigmas ou trois sigmas, la donnée devient plus exceptionnelle. Ainsi, dans l'exemple précédent, une température de 10ºC serait considérée comme exceptionnellement froide et sa récurrence serait peut-être d'une fois par deux siècles. Plus l'écart-type est grand, plus la variabilité normale est forte et plus il faut s'éloigner de la moyenne pour qualifier un événement d'exceptionnel.

Ce réchauffement est, selon le GIEC, attribuable de manière déterminante aux activités anthropiques, au premier chef l'accumulation dans l'atmosphère de gaz à effet de serre.

Naturellement, les températures moyennes élevées, observées au cours des dernières 15 années, représentent un phénomène remarquable, car elles ne peuvent être attribuées par les modèles climatiques à l'influence d'aucun phénomène naturel (activité solaire, volcanisme, etc.), comme nous l'avons vu à la figure 2.7 page 57, alors que ces derniers sont fidèlement reproduits pour les années antérieures. L'écart-type des températures moyennes annuelles au cours du dernier millénaire ayant été de 0,2 °C, cette variation de trois sigmas est anormale. Même si les moyennes de température semblent plafonner depuis 15 ans, nous verrons plus loin que la chaleur continue de s'accumuler dans les océans.

La figure 4.3, tirée du quatrième rapport du GIEC (Solomon et collab., 2007), montre que ce réchauffement est notable sur tous les continents et sur les océans, mais avec une moindre amplitude sur les océans. Cette différence s'explique par l'effet de tampon thermique des océans qui atténue les variations de température et par l'effet de refroidissement causé par l'évaporation de l'eau.

L'amplitude des variations est aussi plus limitée dans l'hémisphère sud, en raison de la position plus équatoriale des terres dans cet hémisphère que dans l'hémisphère nord. Ces données sont limitées à 2004, mais en examinant l'évolution de la température depuis 2004 sur la figure 4.2, il est peu probable que la tendance observée se soit atténuée depuis.

L'augmentation des températures notée dans les stations météorologiques devrait normalement se traduire par des observations cohérentes sur les composantes de la planète les plus sensibles. Nous ferons donc un survol des symptômes les plus évidents de ce réchauffement sur la cryosphère, l'hydrosphère et la biosphère.

FIGURE 4.3
Répartition spatiale du réchauffement

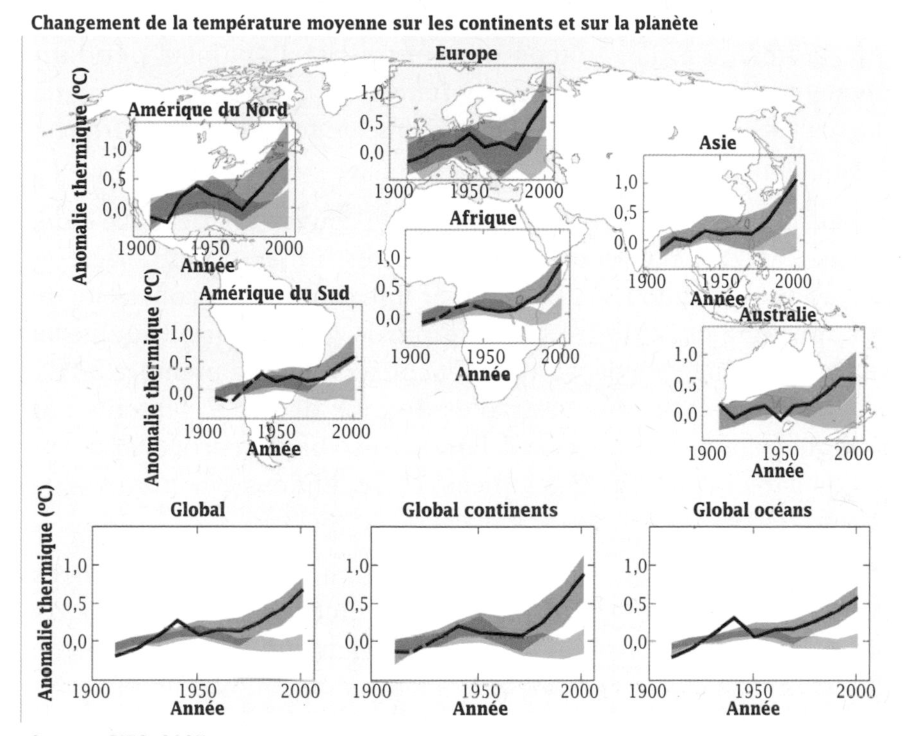

Source: GIEC, 2007.

Évolution de la cryosphère

L'augmentation de la température affecte au premier chef la partie gelée de la planète. Les composantes les plus sensibles sont la banquise qui couvre l'océan Arctique, le pergélisol et les glaciers de montagne.

Chaque année, l'océan Arctique dégèle sur son pourtour. La surface maximale des eaux libres se rencontre au mois de septembre. Par la suite, le gel forme à nouveau une couverture de glace qui persiste jusqu'au mois de juin. Selon les températures estivales, il arrive que la glace formée un hiver donné ne fonde pas l'été suivant. Cela s'explique par des empilements de glace poussée par le vent ou encore par une saison estivale plus froide que la normale. Les glaces peuvent ainsi s'épaissir pendant plusieurs années. Naturellement, fondre de la glace pluriannuelle plus épaisse demande plus d'énergie que de fondre la glace fraîche sur la même surface.

La figure 4.4 illustre l'évolution de la couverture de glace dans l'océan Arctique au cours des dernières années comparée à la moyenne 1979-2000. On peut y voir une diminution constante de la superficie océanique couverte par la glace pluriannuelle, la surface minimale englacée ayant été observée en septembre 2012. On peut aussi voir que les glaces de plus de quatre années ont pratiquement disparu. À moins d'une série d'hivers particulièrement froids dans les prochaines années, cette tendance ne pourra que s'amplifier.

Ce minimum historique de 3,4 millions de kilomètres carrés illustré à la figure 4.5 laisse voir de façon éloquente que de nouvelles voies navigables sont dorénavant envisageables en été, dans l'Arctique, si on compare avec la surface moyenne qui était englacée en septembre durant la période de référence 1979-2000. Ce nouvel état des lieux explique l'intérêt nouveau des pays riverains de l'Arctique pour la propriété territoriale des fonds marins. De plus en plus, des compagnies pétrolières et minières voudront se lancer dans l'exploration dans l'Arctique.

FIGURE 4.4

Évolution récente de la couverture de glace dans l'océan Arctique

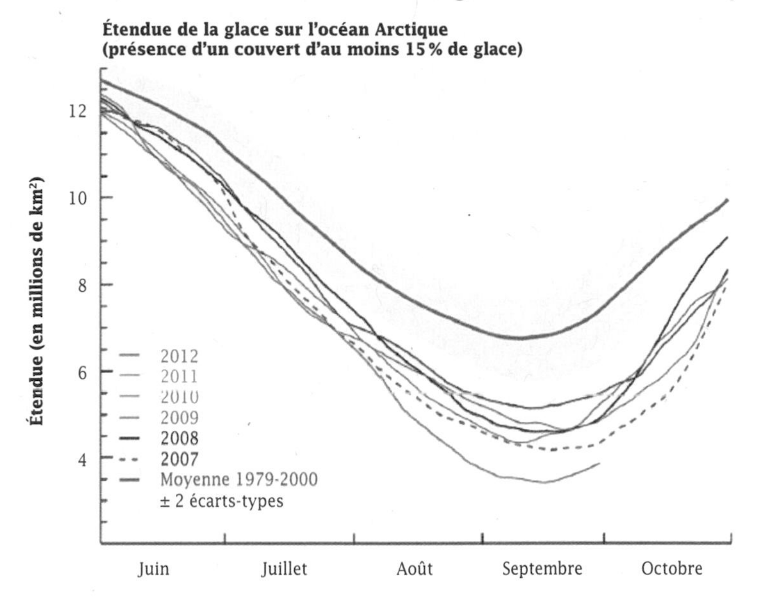

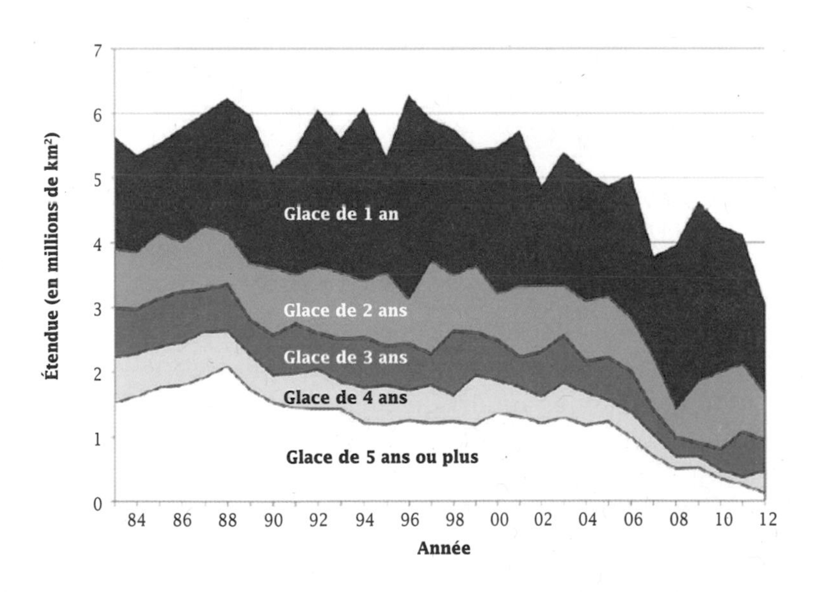

Source: Banque mondiale, 2012.

FIGURE 4.5
Surface de la banquise pluriannuelle dans l'océan Arctique en septembre 2012

Banquise arctique, septembre 2012

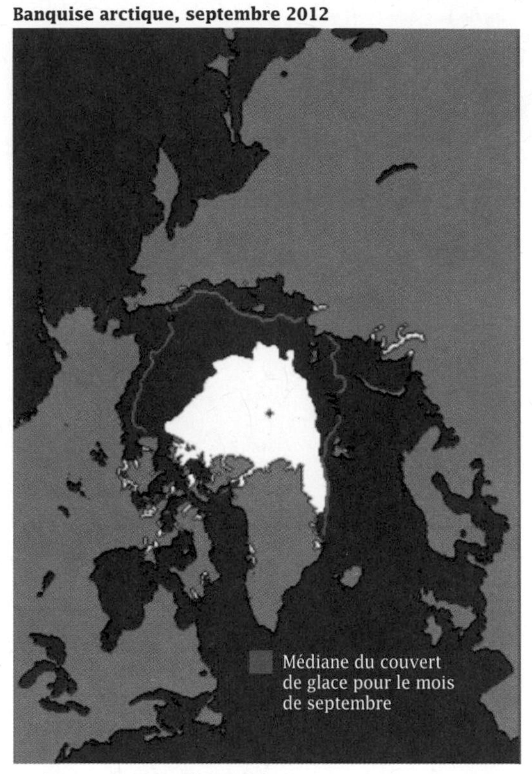

Surface totale : 3,6 millions de km^2

Note : On peut avoir un rapport journalier sur les observations satellitaires de la banquise de l'Arctique à l'adresse : http://nsidc.org/arcticseaicenews/

Source : NASA, 2012.

Le pourtour de l'océan Arctique est la zone la plus étendue de pergélisol sur la planète. Comme l'indique la figure 4.6, tirée du rapport du quatrième rapport du GIEC (Solomon et collab., 2012), l'évolution de la surface du pergélisol suit de façon cohérente la tendance observée sur la banquise. Ce phénomène affecte d'ailleurs plusieurs communautés, dont les villages sont construits en bordure de l'Arctique. Les conséquences du dégel du pergélisol obligent à délocaliser des bâtiments, posent des problèmes importants aux infrastructures et entraînent des glissements de terrain.

FIGURE 4.6
Évolution du pergélisol au 20e siècle

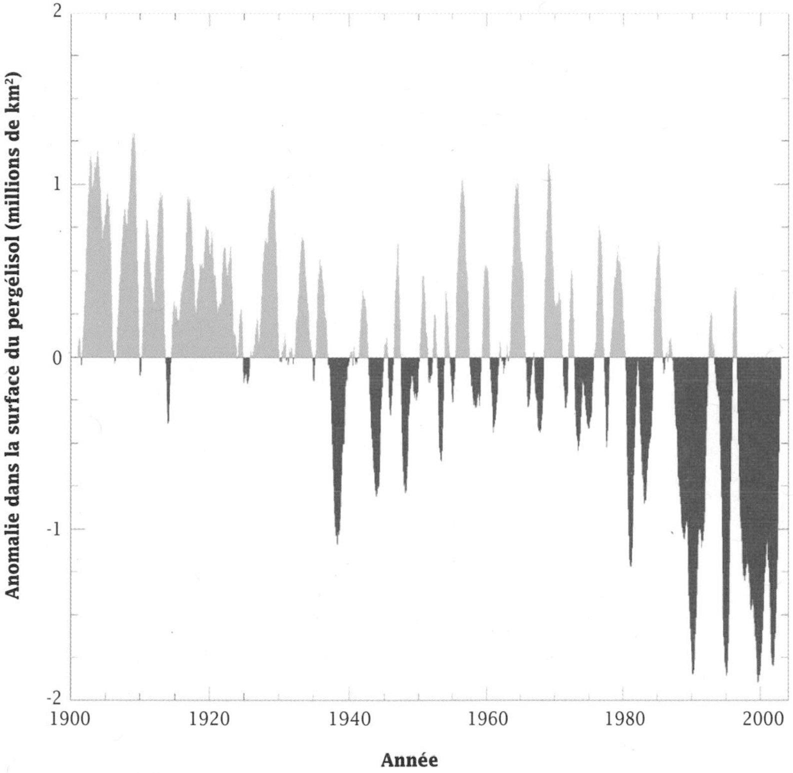

Anomalie dans la surface du pergélisol (millions de km²)

Année

Source: GIEC, 2007.

Le réchauffement affecte aussi l'inlandsis groenlandais, comme le montre la figure 4.7. On peut constater qu'à l'été 2012, la température de surface a dépassé le point de congélation sur l'ensemble de l'inlandsis, ce qui n'avait jamais été observé auparavant. Cela n'est qu'un événement fortuit et il ne signifie pas que le Groenland va fondre dans le présent siècle, mais il faut comprendre que l'eau de fonte s'infiltre sous la surface des glaciers et qu'elle contribue à en accélérer le mouvement vers la mer. Cette situation peut donc présager des saisons d'icebergs plus abondants et une perte de volume de glace plus considérable vers les océans.

FIGURE 4.7

Surface du Groenland soumise au dégel de surface à l'été 2012, telle que mesurée par trois satellites le 8 et le 12 juillet

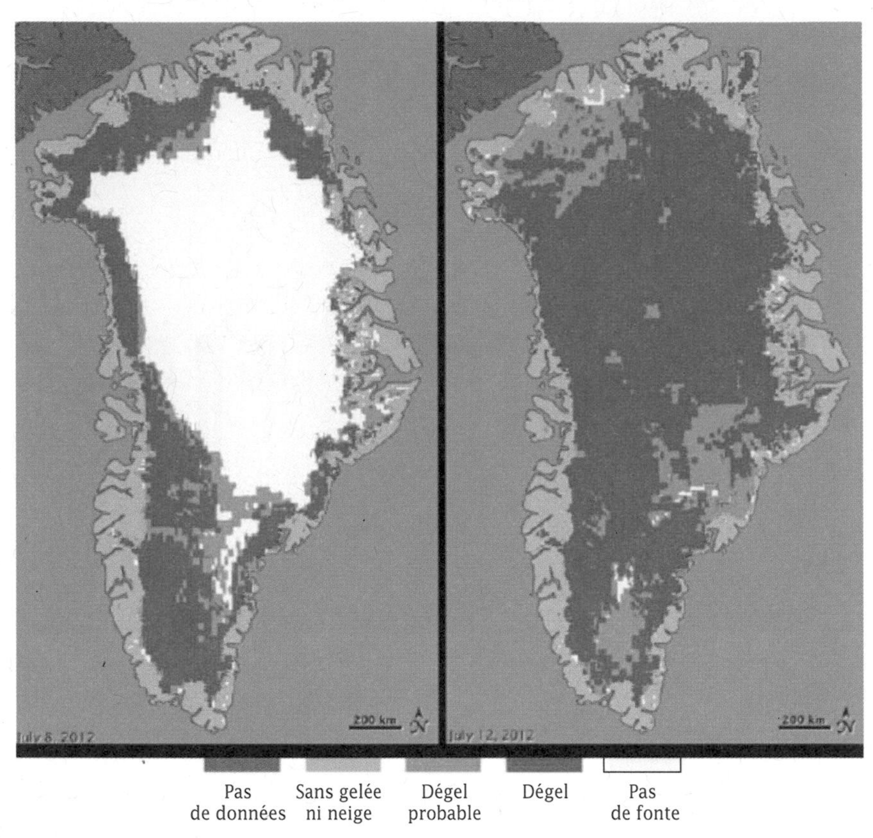

Source : NASA, 2012.

Le phénomène affecte aussi les glaciers de montagne qui, bien qu'ils ne forment que 0,2 % de la masse de glace continentale, perdent en moyenne un peu plus de volume (–36,2 km^3) que le Groenland (–21,9 km^3) et l'Antarctique (–13,5 km^3) réunis.

C'est ainsi que, comme l'indique la figure 4.8, les trois plus importantes composantes de la cryosphère montrent depuis 20 ans une tendance marquée à la fonte. Cela amène dans les océans une quantité importante d'eau supplémentaire qui contribue à l'augmentation observée du niveau de la mer d'environ 1,3 millimètre par année sur un total de 3,3 millimètres. Le reste est attribuable à la dilatation thermique en raison de la chaleur qui s'y accumule d'année en année.

Le graphique montrant la fonte de l'Antarctique comporte deux interpolations. L'une, sur la période 1992-2010, montre une pente légèrement plus forte que la seconde sur la période 2004-2010. Cette différence résulte de la variabilité interannuelle dont l'effet tend à s'estomper avec une période plus longue d'observations.

Niveau des océans

Les océans sont une composante majeure du système climatique planétaire. D'une profondeur moyenne de 4 000 mètres, ils couvrent 71 % de la surface terrestre. L'eau présente une chaleur spécifique très élevée. Il faut une calorie (4,184 joules) pour élever un gramme d'eau de 1 °C, c'est-à-dire approximativement[5] 1,3 kWh par mètre cube pour un seul degré. On a évalué la quantité de chaleur qui a été accumulée par les océans en fonction de l'augmentation de température notée depuis cinquante ans. La figure 4.9 nous montre que cette quantité est croissante et a augmenté de l'ordre de 20×10^{22} joules c'est-à-dire un peu moins de 3 fois le total de l'énergie contenue dans les réserves de pétrole de la planète en 2010 ($7,9 \times 10^{21}$ J).

5. La relation entre l'énergie nécessaire pour élever un gramme d'eau de un degré n'est pas parfaitement linéaire; elle dépend de la densité de l'eau qui varie avec la température.

FIGURE 4.8

Évolution des masses de glace continentales depuis 1992

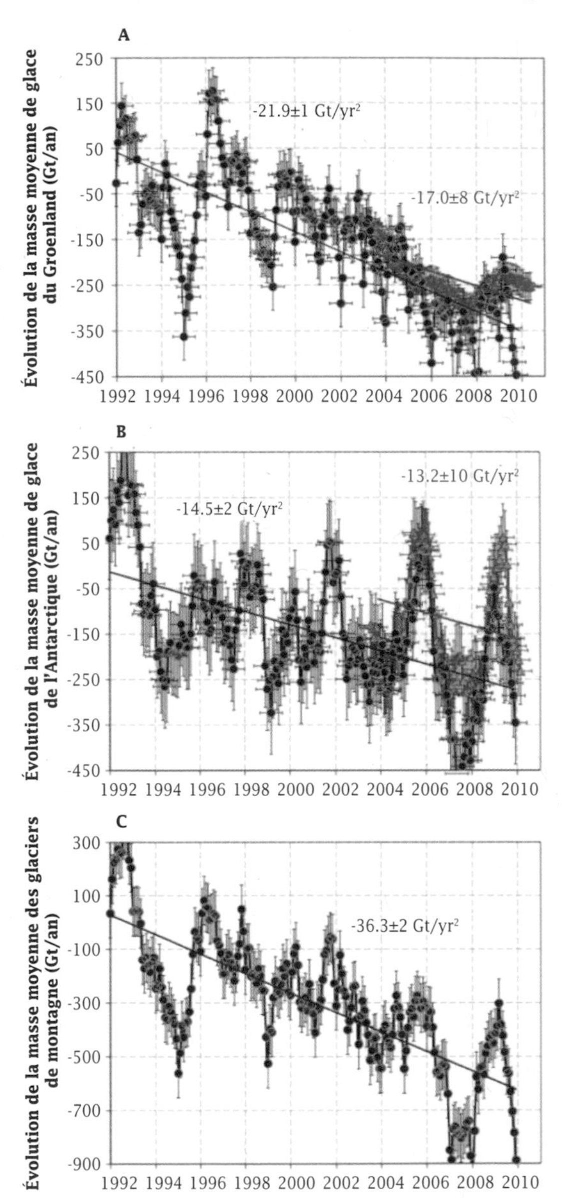

Source : Rignot, E. et collab., 2011.

FIGURE 4.9
Chaleur stockée dans les océans

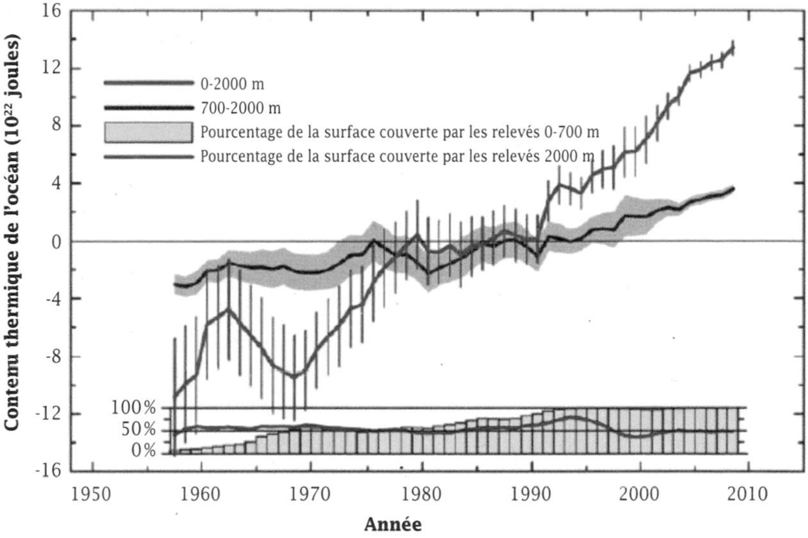

Source: Levitus et collab., 2012.

Ces chiffres donnent le tournis, mais ils évoquent une idée de la quantité d'énergie que notre planète reçoit annuellement du Soleil (1,5 × 10^{22} J). Cette chaleur stockée est déduite à partir des données de température mesurées. Comme on peut le voir dans le diagramme au bas de la figure 4.9, la couverture des mesures est à peu près complète depuis 1990.

Lorsque l'eau se réchauffe, sa densité diminue. Elle prend donc de l'expansion, ce qui provoque un relèvement du niveau de la mer qui occupe dorénavant plus de place. Avec l'ajout de l'eau de fonte de la cryosphère, la dilatation thermique des océans explique les observations de l'évolution du niveau de la mer illustrée à la figure 4.10. Depuis les années 1970, ces observations sont faites à partir de satellites, ce qui permet une précision beaucoup plus grande. Les données qui sont issues des observations avant cette date peuvent être comparées en termes de fiabilité avec les observations satellitaires 1970-2010. Les marges d'erreur pour les données les plus anciennes sont plus grandes que pour les données actuelles, comme le démontre la trame d'incertitude du graphique. La vitesse d'augmentation telle que mesurée par satellites en 1993 et 2007 est de 3,3 mm par année (Cazenave et Llovel, 2010).

FIGURE 4.10

Évolution du niveau de la mer, 1870-2008

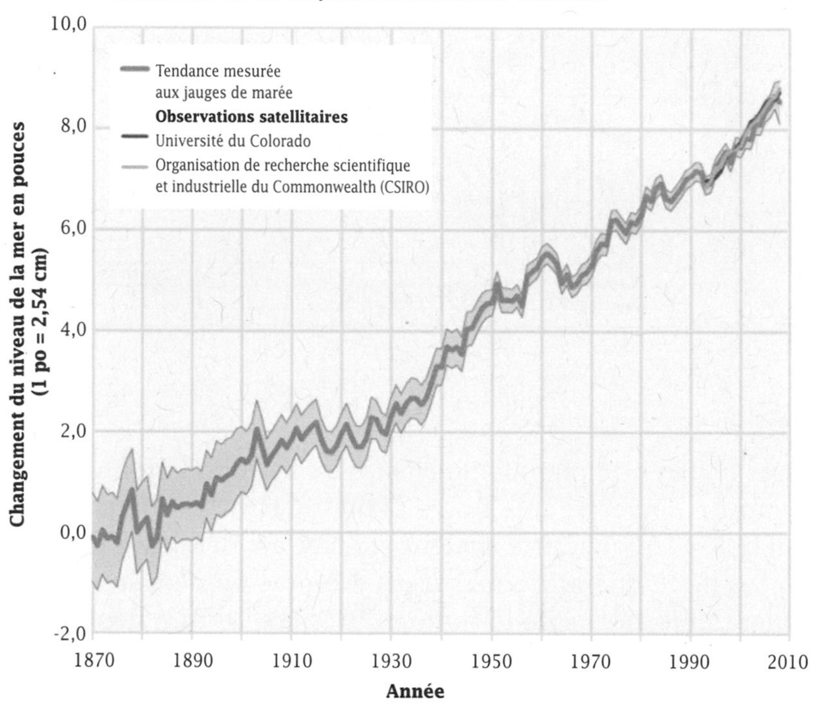

Sources : CSIRO (Commonwealth Scientific and Industrial Research Organisation), 2009. Sea and level rise. http://www.cmar.csiro.au/sealevel ; University of Colorado at Boulder, 2009. Sea level change: 2009 release #2. http://sealevel.colorado.edu.

Les échanges gazeux représentent un autre facteur d'interaction entre l'océan et l'atmosphère. Comme le montre la figure 4.11, la pression partielle de CO_2 dans la couche superficielle de l'océan varie en parallèle avec l'augmentation de la concentration de ce gaz dans l'atmosphère. De façon tout à fait cohérente, cela cause une variation inverse du pH des eaux de surface. Cette acidification croissante affecte la capacité de l'eau de mer de dissoudre plus de CO_2. Elle affecte aussi les organismes vivants, comme les coraux et certaines larves de poissons, qui ont un stade planctonique et qui sont sensibles à ce paramètre.

FIGURE 4.11
Évolution du pH de surface océanique et lien avec la concentration atmosphérique de CO_2

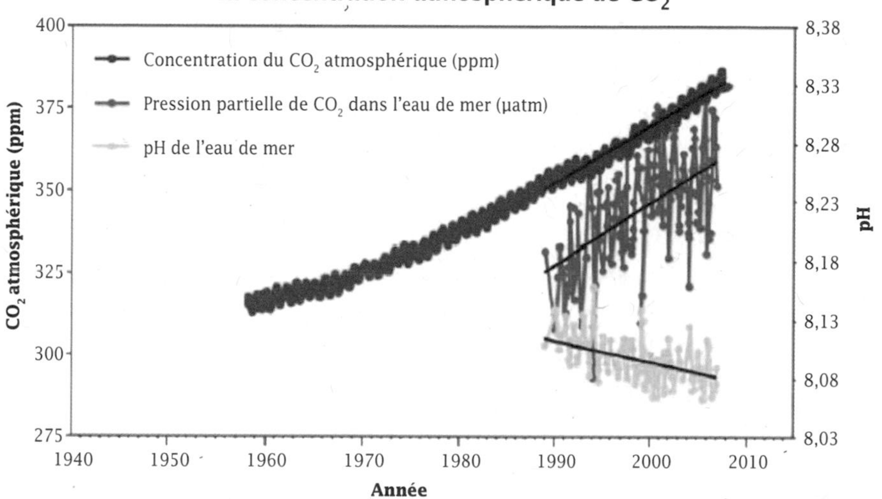

Source: NOAA, 2012, PMEL Carbon Program.

Temps violent et extrêmes climatiques

Les pertes de glace pluriannuelle dans l'Arctique et le réchauffement océanique modifient les échanges de chaleur entre l'air et l'océan dans cette région, ce qui a un effet sur les courants d'air dominants. Cela explique les hivers plus difficiles notés en Europe depuis quelques années, selon des études récentes (Francis et Vavrus, 2012). Cependant, les épisodes de temps violent et surtout les sécheresses de plus en plus dévastatrices sont les problèmes sur lesquels se focalise l'attention des médias.

Une température plus élevée favorise l'évaporation de l'eau et un air plus chaud transporte des quantités plus importantes d'eau dans les nuages, ce qui favorise des précipitations plus violentes. Ces précipitations ont tendance à saturer rapidement les sols et à ruisseler en surface plutôt que de s'infiltrer dans les nappes souterraines. Il reste donc au net moins d'eau disponible pour l'agriculture et les écosystèmes, même s'il en tombe plus. Pendant les périodes où il n'y a pas de précipitations, une température plus élevée favorise l'évaporation. Cela signifie donc une prévalence plus grande de sécheresses et une augmentation de la force des tempêtes tropicales.

En effet, les cyclones se nourrissent de l'énergie disponible à la surface des océans. Plus la température est chaude, plus les systèmes peuvent évaporer d'eau et prendre de l'expansion. On devrait donc s'attendre à des saisons des tempêtes tropicales plus nombreuses et plus violentes.

La dernière décennie a vu un nombre inhabituel d'épisodes de canicules un peu partout dans le monde comme le montre la figure 4.12 pour la vague de chaleur en Russie à l'été 2010 et aux États-Unis à l'été 2012.

Les canicules, comme celles qui ont affecté l'Europe en 2003, la Grèce en 2007, l'Australie en 2009 et en 2013, la Russie en 2010, le Texas en 2011 et les États-Unis en 2012 peuvent avoir des impacts économiques et sociaux importants et représentent aussi une menace pour l'agriculture. En effet, la production agricole demande un approvisionnement en eau suffisant et assez régulier pour permettre aux plantes de compléter leur cycle vital sans stress. Les grandes sécheresses peuvent précariser l'approvisionnement céréalier mondial, ce qui a une incidence sur le prix des céréales. Dans les villes, la canicule cause une surmortalité des segments vulnérables de la population. Par exemple, la canicule en Europe, à l'été 2003, a fait des dizaines de milliers de morts alors que celle qui a affecté la Russie, en 2010, a tué 55000 personnes, dont le cinquième dans la ville de Moscou seulement. De la même canicule ont résulté des incendies qui ont dévasté plus de un million d'hectares de forêts.

La canicule de l'été 2012, aux États-Unis, a affecté 63% du territoire, comme l'indique la figure 4.13, alors que la période de janvier à août 2012 a été la plus chaude jamais enregistrée dans ce pays; les feux y ont dévasté plus de 2,7 millions d'hectares.

FIGURE 4.12
Anomalies climatiques à l'été 2010 en Russie et à l'été 2012 aux États-Unis

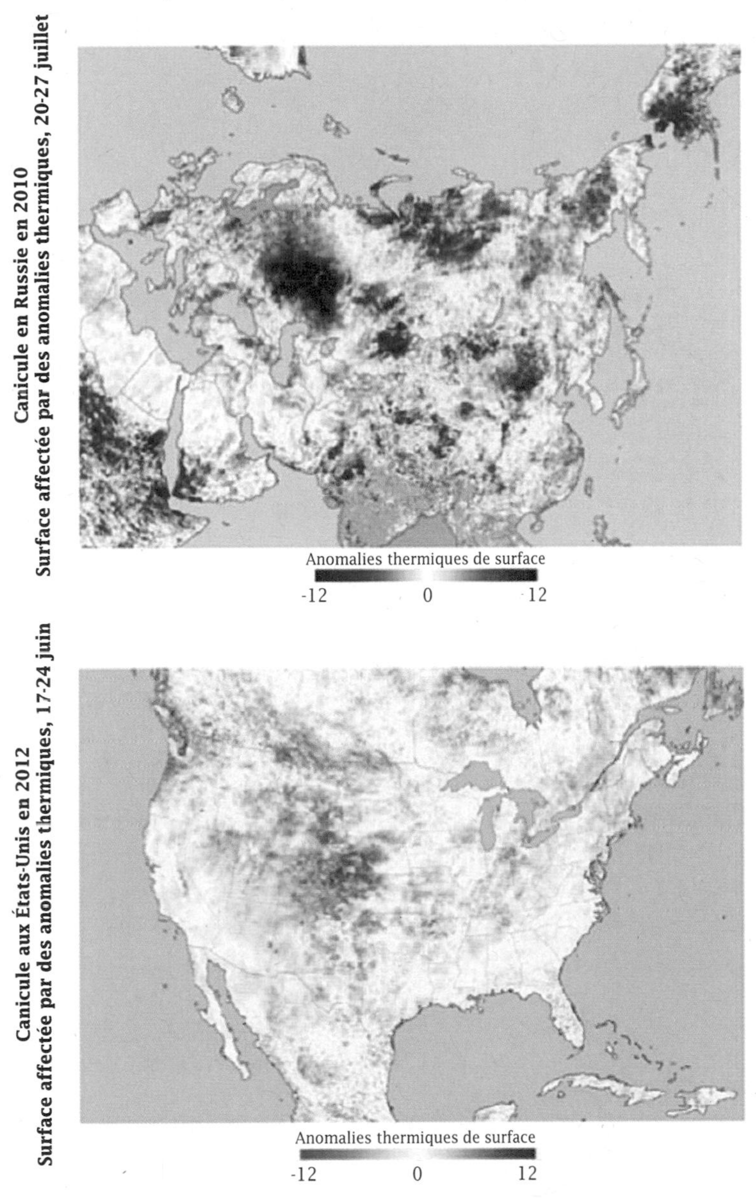

Source: NASA Earth Observatory, 2012.

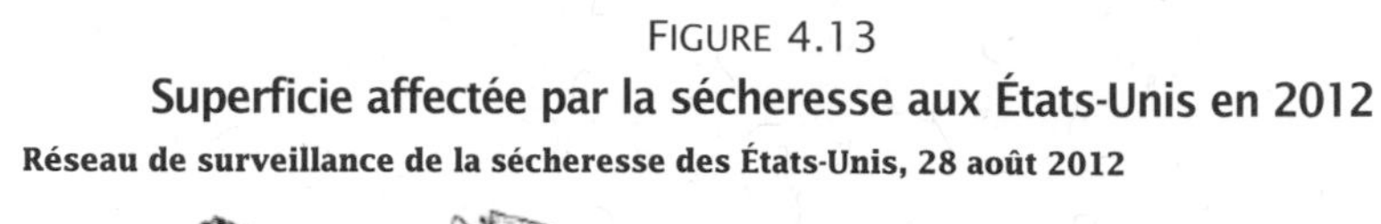

FIGURE 4.13

Superficie affectée par la sécheresse aux États-Unis en 2012

Réseau de surveillance de la sécheresse des États-Unis, 28 août 2012

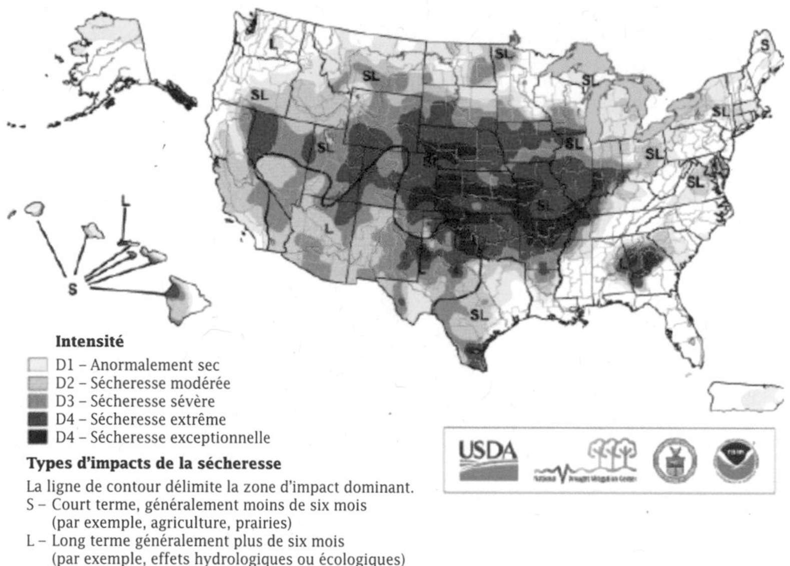

Le réseau de surveillance de la sécheresse s'intéresse aux conditions à grande échelle. Les conditions locales peuvent varier. Pour plus d'information, voir le résumé des prévisions météo.

Source : U.S. Drought Monitor, 2012.

En ce qui concerne les précipitations inhabituelles, il semble y avoir un lien statistique entre ces événements et les sécheresses et canicules. Toutefois, les études ont encore besoin d'être précisées. Le mécanisme explicatif s'articule autour de la persistance des systèmes au-dessus d'une région précise qui provoquerait des modifications à la baisse de la circulation atmosphérique autour du pôle Nord. La perte de la banquise sur l'océan Arctique contribuerait à accentuer ce phénomène.

Quant aux cyclones et aux tempêtes tropicales, on ne peut pas faire de lien entre leur fréquence et le réchauffement du climat pour le moment, mais il semble avéré que la violence des tempêtes soit affectée positivement par un climat plus chaud. Le tableau 4.1 présente quelques-uns des événements climatiques exceptionnels qui sont survenus entre 2000 et 2012 et établit la probabilité qu'ils soient en tout ou en partie liés aux changements climatiques.

TABLEAU 4.1

Événements météorologiques records depuis 2000, leurs incidences sociétales et le niveau de confiance (qualitatif) avec lequel les changements climatiques peuvent être mis en cause

Région (année)	Événement météorologique record	Niveau de confiance	Incidences et coûts
Angleterre et Pays de Galles (2000)	Automne le plus pluvieux enregistré depuis 1766. Plusieurs records au niveau des pluies de courte durée (REF 2)	Moyen (REF 3-5)	~1,3 milliard £ (REF 3)
Europe (2003)	Été le plus chaud enregistré depuis au moins 500 ans (REF 6)	Élevé (REF 7, 8)	Bilan en pertes de vies humaines dépassant les 70 000 (REF 9)
Angleterre et Pays de Galles (2007)	Période de mai à juillet la plus pluvieuse enregistrée depuis 1766 (REF 10)	Moyen (REF 3, 4)	Inondations majeures causant ~3 milliards £ de dommages
Europe méridionale (2007)	Été le plus chaud enregistré en Grèce depuis 1891 (REF 11)	Moyen (REF 8, 12-14)	Feux de forêt dévastateurs
Méditerranée orientale, Moyen-Orient (2008)	Hiver le plus sec depuis 1902	Élevé (REF 15)	Dommages importants aux cultures céréalières (REF 16)
Victoria (Australie) (2009)	Vagues de chaleur, plusieurs records de température enregistrés (REF 17)	Moyen (REF 8, 14)	Feux de brousse les plus importants jamais enregistrés, 173 décès, 3500 foyers détruits (REF 17)
Russie occidentale (2010)	Été le plus chaud enregistré depuis 1500 (REF 18)	Moyen (REF 8, 13, 14, 19)	500 feux de forêt aux environs de Moscou, pertes de récolte de l'ordre de 25%, environ 55 000 décès, pertes économiques de l'ordre de 15 milliards US$ (REF 18)
Pakistan (2010)	Précipitations records (REF 20)	Bas à moyen (REF 21, 22)	Pires inondations de l'histoire récente, près de 3000 décès, 20 millions de personnes affectées (REF 23)
Colombie (2010)	Précipitations les plus importantes enregistrées depuis 1969 (REF 26)	Bas à moyen (REF 21)	47 décès, 80 personnes portées disparues (REF 26)
Amazone occidentale (2010)	Sécheresse, plus faible niveau d'eau jamais enregistré dans la rivière Rio Negro (REF 27)	Bas (REF 27)	Augmentation significative de la mortalité des arbres sur un territoire couvrant 3,2 millions de km^2 (REF 27)
Europe occidentale (2011)	Printemps le plus chaud et le plus sec enregistré en France depuis 1880 (REF 28)	Moyen (REF 8, 14, 29)	Récolte céréalière en baisse de 12% en France
4 États américains (TX, OK, NM, LA) (2011)	Chaleur et sécheresse estivales les plus importantes enregistrées depuis 1880 (REF 30, 31)	Élevé (REF 13, 14, 31, 32)	Feux de forêt ayant brûlé 3 millions d'acres (environ 12 000 km^2), impact économique préliminaire estimé entre 6 et 8 milliards US$ (REF 33)

Région (année)	Événement météorologique record	Niveau de confiance	Incidences et coûts
Zone continentale des États-Unis (2012)	Juillet fut le mois le plus chaud enregistré depuis 1895 (REF 34), conditions de sécheresse importantes	Moyen (REF 13, 14, 32)	Hausse marquée du prix des denrées alimentaires à l'échelle mondiale due aux pertes de récoltes (REF 35)

1. D. Coumou et S. Rahmstorf, *Nature Climate Change* 2, 491 (2012).
2. L.V. Alexander et P.D. Jones, *Atmospheric Science Letters* 1 (2001).
3. P. Pall, T. Aina, D.A. Stone *et al.*, n 470, 382 (2011).
4. S.K. Min, X. Zhang, F.W. Zwiers *et al.*, n 470, 378 (2011).
5. A.L. Kay, S.M. Crooks, P. Pall *et al.*, *Journal of Hydrology*, 406, 97 (2011).
6. J. Luterbacher *et al.*, s. 303, 1499 (2004).
7. P.M. Della-Marta, M.R. Haylock, J. Luterbacher *et al.*, *Journal of Geophysical Research*, 112 (D15103), 1 (2007), P.A. Scott, D.A. Stone et M.R. Allen, n 432 (7017), 610 (2004).
8. D. Coumou, A. Robinson et S. Rahmstorf (in review), J. Hansen, M. Sato et R. Ruedy, *Proc. Nat. Ac. Sc.* (early edition) (2012).
9. J.M. Robine, S.L.K. Cheung, S. Le Roy *et al.*, *Comptes Rendus Biologies*, 331 (2) 171 (2008).
10. World Meteorological Organisation, Report N° WMO-No 1036, 2009.
11. D. Founda et C. Giannakopoulos, *Global and Planetary Change*, 67, 227 (2009).
12. F.G. Kuglitsch, A. Toreti, E. Xoplaki *et al.*, *Geophysical Research Letters*, 37 (2010).
13. G.S. Jones, P.A. Stott et N. Christidis, jgr 113 (D02109), 1 (2008).
14. P.A. Stott, G.S. Jones, N. Christidis *et al.*, *Atmospheric Science Letters* 12 (2), 220 (2011).
15. M. Hoerling, J. Eischeid, J. Perlwitz *et al.*, *Journal of Climate*, 25, 2146 (2012), A. Dai, J. Geoph. Res. 116 (D12115), doi : 10 1029/2010JD015541 (2011).
16. Ricardo M. Trigoa, Célia M. Gouveiaa et David Barriopedroa, *Agricultural and Forest Meteorology* 150 (9) 1245 (2010).
17. D.J. Karoly, *Bulletin of the Australian Meteorological and Oceanographic Society* 22, 10 (2009).
18. D. Barriopedro, E.M. Fischer, J. Luterbacher *et al.*, s 332 (6026), 220 (2011).
19. F.E.L. Otto, N. Massey, G.J. van Oldenborgh *et al.*, *Geoph Res Lett* 39 (L04702), 1 (2012), S. Rahmstorf et D. Coumou, *Proceedings of the National Academy of Science of the USA* 108 (44), 17905 (2011) ; R. Dole, M. Hoerling, J. Perlwitz *et al.*, *Geophy Res Lett.* 38, L06702 (2011).
20. P.J. Webster, V.E. Toma et H.M. Kim, *Geophys. Res. Lett.* 38 (L04806) (2011).
21. K. Trenberth et J. Fassullo, *J. Geoph. Res.*, doi: 2012JD018020 (2012).
22. W. Lau et K.M. Kim, J. *Hydrometeorology* 13, 392 (2012).
23. C. Hong, H. Hsu, N. Lin *et al.*, *Geophys. Res. Let.* 38 (L13806), 6 (2011).
24. Australian Bureau of Meteorology, Australian climate variability and change - Time series graphs, Available at http://www.bom.gov.au/cgi-bin/climate/change/timeseries.cgi, (2011).
25. R.C. van den Honert et J. McAneney, *Water* 3, 1149 (2011).
26. NOAA, http://www.ncdc.noaa.gov/sotc/hazards/2010/12. (publié en ligne janvier 2011) (2011).
27. Simon L. Lewis, Paulo M. Brando, Oliver L. Phillips *et al.*, s 331, 554 (2011).
28. WMO, http://www.wmo.int/pages/mediacentre/press_releases/gcs_2011_en.html (2011).
29. J. Cattiaux, BAMS, 1054 (2012).
30. NOAA, http://www.ncdc.noaa.gov/sotc/national/2011/8 (publié en ligne septembre 2011) (2011b).
31. D.E. Rupp, P.W. Mote, N. Massey *et al.*, BAMS, 1053 (2012).
32. P.B. Duffy et C. Tebaldi, cc 2012 (111) (2012).
33. NOAA, http://www.ncdc.noaa.gov/sotc/hazards/2011/8 (publié en ligne septembre 2011) (2011c).
34. NOAA, http://www.ncdc.noaa.gov/sotc/national/2012/7 (publié en ligne août 2012) (2012).
35. World-Bank, World Bank - Communiqué de presse (disponible: http://www.worldbank.org/en/news/2012/08/30/severe-droughts-drive-food-prices-higher-threatening-poor) (2012).

Migration des espèces

La figure 4.14 montre l'évolution des hivers et des étés dans l'hémisphère nord au cours des 60 dernières années. La tendance à la réduction des hivers froids et à la progression des étés chauds est nette. Pour les espèces vivantes, ce type de changement à long terme influence les végétaux et les animaux et produit des réactions adaptatives dont nous allons traiter brièvement ici.

Le graphique montre les saisons anormalement froides ou chaudes se situant entre un et deux écarts-types de la normale entre deux et trois écarts-types et à plus de trois écarts-types. L'ordonnée présente la surface continentale affectée.

FIGURE 4.14

Évolution des saisons 1950-2010 dans l'hémisphère nord

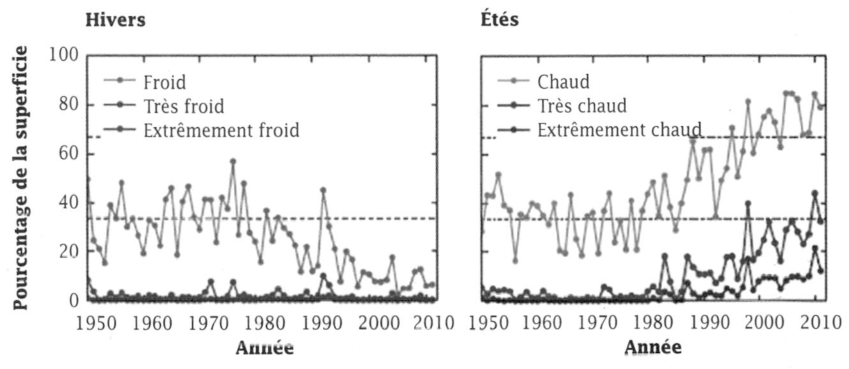

Source: Hansen et collab., 2012.

En 2003, Camille Parmesan et Gary Yohe ont publié une méta-analyse portant sur des milliers d'espèces et démontré que la majorité montrait des modifications phénologiques[6] significatives. Depuis lors, un très grand nombre d'études ont confirmé ces conclusions. Le monde vivant change, des espèces autrefois absentes de territoires trop froids s'y implantent résolument. D'autres populations sont affectées négativement. Souvent, les études sont difficiles à

6. La phénologie décrit les aspects du comportement qui sont influencés par des facteurs climatiques, par exemple la migration, la feuillaison et la floraison.

interpréter, car pour expliquer la raréfaction d'une espèce, plusieurs facteurs de stress entrent en ligne de compte, tels la pollution, la destruction de l'habitat ou le prélèvement excessif. Dans d'autres cas, la couverture du terrain et les échantillonnages biologiques sérieux avec des séries temporelles longues manquent pour bien cerner les causes de disparition des populations. Ces éléments sont à prendre en considération lorsque l'on veut tirer des conclusions justes.

L'ours polaire est une victime emblématique des changements climatiques. Devant les préoccupations formulées par plusieurs études scientifiques à la fin des années 1990, les écologistes ont alerté l'opinion publique à ce sujet. Depuis lors, il n'y a à peu près pas une manifestation où on ne voit pas son image comme symbole des dommages aux écosystèmes causés par les changements climatiques.

L'ours blanc fait un bon symbole. Mais est-il vraiment menacé ? Il faut comprendre que ce grand prédateur parcourt la banquise pour chasser les phoques qui représentent la majeure partie de son alimentation. La période où l'océan Arctique est recouvert de glaces étant de moins en moins longue, les ours se trouvent sous-alimentés, ce qui nuit au succès reproductif des femelles. Mais, il y a plusieurs populations d'ours polaires, en Russie, au Groenland, en Alaska et dans le nord du Canada et ces populations ne sont pas toutes également menacées. Certaines peuvent même être gérées par la chasse. C'est le cas de la population du Nunavut, au centre-nord du Canada, qui abrite plus des deux tiers de toute la population d'ours polaires du monde. Pour le moment, cette population ne semble pas menacée, mais son statut est tout de même préoccupant. Il mériterait d'être étudié de plus près.

Il n'en demeure pas moins que les indices du réchauffement du climat sont partout. Une feuillaison avancée de huit jours depuis 1970, en Angleterre et un peu partout en Amérique du Nord, l'extension d'aire altitudinale et latitudinale de populations d'insectes ou de maladies parasitaires n'en sont que quelques exemples. La biosphère réagit aux changements climatiques en tentant de s'y adapter à la mesure de sa plasticité naturelle.

Ces constatations vérifiables sont des faits incontestables. Sachant que la réaction de la planète au réchauffement déjà acquis corrobore les impacts anticipés, comment pouvons-nous pousser plus loin la prévision? À quel moment le système cessera-t-il d'évoluer de façon linéaire? Pour répondre à ces questions, il faut faire tourner les simulateurs planétaires.

Les prévisions pour un monde à + 4 °C

Comme nous l'avons vu au chapitre précédent, la vitesse à laquelle augmentent les émissions de gaz à effet de serre et l'incapacité politique de conclure des accords efficaces pour les plafonner, nous laissent bien peu d'espoir de ne pas excéder, au 21e siècle, le seuil d'adaptabilité. Ce dernier a été fixé à 2 °C d'augmentation de la température moyenne planétaire. Si on en croit les tendances actuelles, il est beaucoup plus vraisemblable de se préparer à une augmentation de l'ordre de 4 °C, voire plus. Il reste largement assez de carburants fossiles pour multiplier par sept la concentration atmosphérique en CO_2. La population mondiale devra accueillir trois milliards de personnes de plus dans le présent siècle et, pour le moment, tout le monde aspire à un niveau de vie «à l'occidentale», basé sur la consommation.

Quelle est la probabilité d'atteindre ce niveau de réchauffement au prochain siècle? Cela dépend essentiellement de la vitesse à laquelle nous laisserons croître les émissions dans les deux prochaines décennies et au-delà.

À Copenhague, les pays se sont fixé des objectifs non contraignants pour 2020, c'est-à-dire que nul ne pourra leur reprocher de ne pas les avoir atteints et personne ne pourra prendre de sanctions contre les délinquants. C'est mauvais signe, mais supposons qu'on puisse leur faire confiance et que les objectifs fixés soient réellement au rendez-vous, à l'échéance. Supposons ensuite que l'ensemble de pays maintienne sa manière de faire jusqu'à la fin du siècle. Il s'agit d'hypothèses osées, si on examine la façon dont les choses se sont déroulées au cours des 20 dernières années. En admettant qu'elle s'avère, le résultat en 2100 serait un réchauffement de plus de 3 °C. On estime même que les probabilités qu'il atteigne 4 °C sont de 20 %. C'est mal parti !

En supposant que les émissions continuent sur la trajectoire actuelle, il y a 40 % de probabilités que la température dépasse les 4 °C d'augmentation en 2100 avec 10 % de probabilités que cela se produise entre 2070 et 2080. Autrement dit, c'est une éventualité très plausible.

Mais qu'est-ce que les modèles nous prédisent pour un monde à + 4 °C ? La Banque mondiale (qui n'a rien d'un groupe écologiste radical !) a publié un rapport intéressant sur cette question, à la fin de 2012. Attention ! Les lignes qui vont suivre ne sont pas une réalité avérée, mais elles illustrent les conséquences possibles de ne pas s'attaquer maintenant aux causes des changements climatiques. Seul l'avenir nous dira si les modèles disent vrai. Les optimistes et les pessimistes peuvent toujours spéculer.

Le premier sujet d'inquiétude concerne l'acidification de la surface océanique. Un scénario de + 4 °C signifierait que la concentration de CO_2 dans l'atmosphère atteindrait les 800 parties par million, c'est-à-dire deux fois plus qu'aujourd'hui et presque deux fois et demie la concentration préindustrielle.

Une telle concentration de CO_2 entraînerait une chute de 0,3 unité de pH des eaux de surface océaniques. Cela signifierait la disparition presque totale des coraux, puisque les effets de l'acidification sont déjà perceptibles aujourd'hui avec une baisse de 0,1 unité. L'échelle de pH étant logarithmique, cette modification n'est pas anodine. L'effet sur la biodiversité océanique serait draconien, les récifs coralliens étant des zones particulièrement riches en espèces marines. Idéalement, un niveau de 350 ppm devrait être maintenu pour protéger la santé des coraux. Il est déjà trop tard pour cela. Le seuil des 400 ppm a été touché pour la première fois au printemps 2013 et la moyenne annuelle atteindra ce seuil bien avant 2020.

Un monde plus chaud sera aussi vraisemblablement plus sec dans les zones arides et semi-arides, particulièrement aux latitudes subtropicales. Les simulations faites avec les dernières versions des modèles climatiques suggèrent que le déficit des précipitations dans les zones subtropicales, comme le Sahel et la zone méditerranéenne, sera accompagné par une augmentation des précipitations dans la zone tropicale et dans les latitudes plus élevées. Les précipitations des jours les plus pluvieux sont susceptibles d'augmenter de 20 à 30%, ce qui laisse supposer des probabilités plus grandes d'inondations ou d'érosion par les débits de crue.

Pour les zones sujettes à la sécheresse, le portrait est nettement plus sombre. L'augmentation de l'évaporation en raison des températures plus chaudes va contribuer à diminuer l'humidité du sol, ce qui amplifiera l'indice de sécheresse. Dans les zones au climat continental, de faibles précipitations neigeuses suivant un été sec peuvent exacerber le phénomène.

Dans un monde à + 4 °C, ce phénomène se produira plus souvent et plus intensément en Amérique du Nord, dans la zone méditerranéenne et au Sahel. L'indice de Palmer, qui établit les différences entre les précipitations et l'évaporation, donne des sécheresses très importantes en Amazonie, aux États-Unis, en Afrique du Sud et en Australie. Les modèles montrent aussi un assèchement dans les hautes latitudes de l'hémisphère nord, ce qui laisse craindre une augmentation des incendies de forêt.

Dans les zones exposées aux cyclones et aux tempêtes tropicales, ces événements sont supposés augmenter en intensité. Dans son rapport spécial sur les événements extrêmes, le GIEC (Solomon, 2012) prévoit une augmentation de l'intensité de ces tempêtes. La tendance n'est pas aussi claire en ce qui concerne la fréquence, mais il se fait des progrès importants dans la modélisation statistique des événements inhabituels depuis 2010, ce qui pourrait donner des réponses plus claires à ce sujet d'ici à quelques années.

L'effet combiné de ces changements portera sans doute un dur coup à l'économie mondiale, comme l'anticipait le rapport Stern en 2006. Naturellement, les populations les plus démunies et les plus mal préparées seront celles qui écoperont en premier.

Le principal impact identifié du réchauffement a trait à l'insécurité alimentaire. Il frappera les gens qui vivent de l'agriculture de subsistance ou les populations qui dépendent de l'agriculture irriguée dans les zones semi-arides. Les gens seront affectés par la perte de leurs récoltes, mais surtout par l'augmentation du prix des aliments qui sont déjà l'objet de spéculations boursières.

Comme on l'a vu avec les ouragans Sandy en 2012 et Katrina en 2005, les dommages liés au temps violent peuvent atteindre plusieurs dizaines de milliards de dollars par événement lorsqu'ils touchent des pays développés. Lorsqu'ils se produisent dans des pays en développement, ils peuvent faire des milliers de morts. On prévoit un doublement des dommages économiques liés aux cyclones dans un monde à + 4 °C. Les pays émergents d'Asie du Sud-Est, les États-Unis et les pays des Caraïbes et d'Amérique centrale sont les plus susceptibles de voir leurs économies affectées par les effets des temps violents.

À travers tout cela, le niveau des océans va augmenter. Prévoir l'augmentation du niveau de la mer dans un contexte de changements climatiques est un défi scientifique considérable. Outre l'expansion thermique et l'effet des apports d'eau de fonte qui peuvent être calculés avec une relative facilité par les simulateurs climatiques, l'incertitude qui concerne la réaction des inlandsis groenlandais et antarctique à un climat plus chaud est très grande.

En effet, un climat plus chaud entraîne des chutes de neige plus importantes sur les glaciers en hiver et une fonte plus prononcée en été. L'effet lubrifiant de l'eau dans les vallées glaciaires peut amener le transport de vastes masses de glace qui vont se retrouver dans les océans. Cette dynamique est encore mal connue. Par ailleurs, si on essaie d'associer la fonte des inlandsis et les niveaux de la mer dans le passé, on se heurte à d'autres problèmes d'interprétation, les choses n'étant pas nécessairement égales entre les époques.

Enfin, il y a une probabilité importante que le phénomène ne soit pas linéaire, un peu comme la débâcle du printemps. En quelques heures, une rivière gelée peut se trouver débarrassée de ses glaces. En quelques semaines, un lac peut passer d'une couche de glace de un mètre à l'eau claire. Des portions importantes des inlandsis pourraient ainsi se retrouver à la mer en quelques décennies, même s'ils ont pris plusieurs centaines de milliers d'années à se construire.

Les choses ne se produiront sans doute pas comme dans les films d'Hollywood, mais un relèvement de un mètre du niveau de la mer dans un monde à + 4 °C est vraisemblable d'ici à la fin du siècle. Le phénomène ne sera pas linéaire; de trois millimètres par année aujourd'hui, il passerait à un centimètre ou plus vers 2070. Ce qui est embêtant, c'est que la mer ayant une forte inertie, son niveau continuera d'augmenter pendant au moins un millénaire avant d'atteindre un nouvel équilibre. La figure 4.15 montre l'inertie comparée de la stabilisation d'émissions de GES, de la stabilisation du climat et de la stabilisation du niveau de la mer. Souvenons-nous qu'il y a dans les glaces des inlandsis l'équivalent de 70 mètres d'eau qui pourraient s'ajouter sur l'ensemble des océans. Cela ne prend pas en considération la dilatation thermique. On ne risque pas de manquer de jus pour une augmentation de 7 ou 8 mètres dans les trois prochains siècles.

D'ailleurs, comme le montre la figure 4.16, à moins de cesser immédiatement toute forme d'émissions, il est à peu près impossible de stopper l'augmentation du niveau de la mer. L'effet des mesures consenties dans l'Accord de Copenhague est particulièrement insignifiant à cet égard.

FIGURE 4.15

Patrons de stabilisation comparés des émissions de GES, de la température et du niveau de la mer

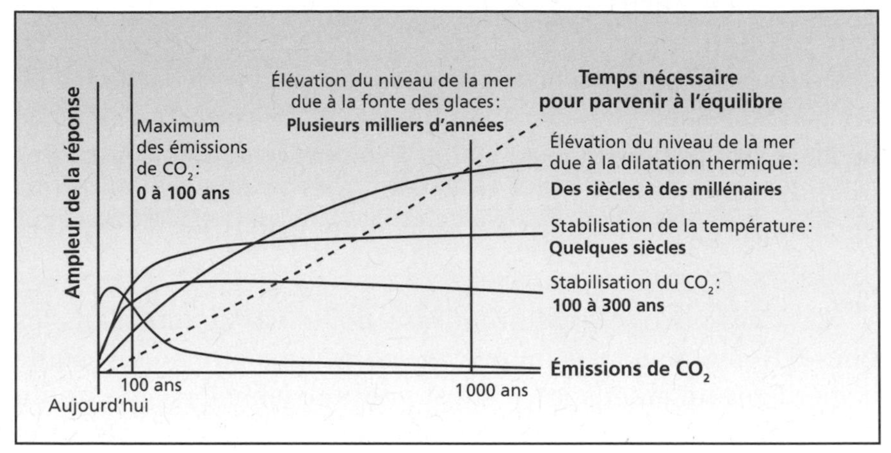

Source : Villeneuve et Richard, 2007.

FIGURE 4.16

Prévisions d'augmentation du niveau de la mer au 21e siècle selon divers scénarios

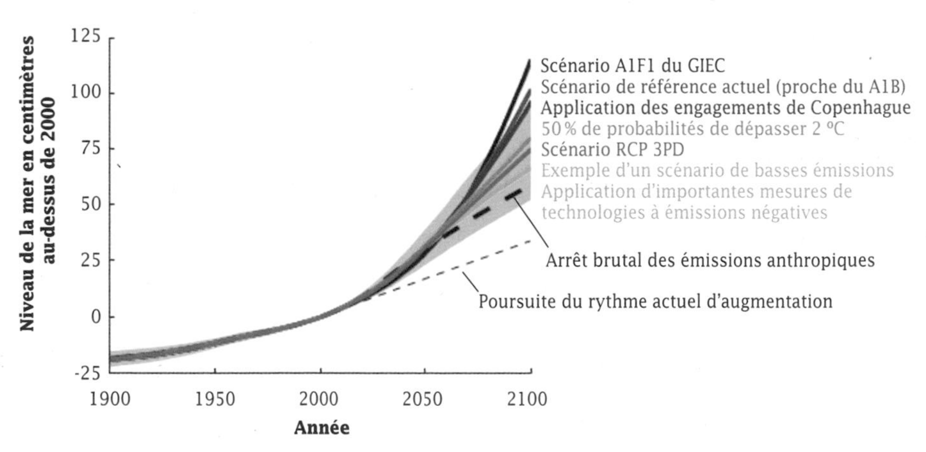

Même si l'on arrivait à atteindre la cible de + 2 °C, l'augmentation du niveau de la mer dépasserait tout de même 60 centimètres, ce qui correspond à près de trois fois l'augmentation enregistrée au 20e siècle.

Naturellement, sur un millénaire, bien des choses peuvent se produire, mais que pourrait signifier l'augmentation du niveau de la mer au prochain siècle si l'on devait atteindre un réchauffement de 4 °C ? Cela dépend essentiellement de la contribution des inlandsis groenlandais et antarctique. Selon les approches et les modèles, le scénario le plus bas est de 50 centimètres, alors que le plus haut atteint 2 mètres. Dans un scénario de 1 mètre, l'Antarctique et le Groenland contribueraient pour 26 centimètres chacun, alors que dans le scénario de 50 centimètres, l'Antarctique n'aurait aucune contribution et le Groenland compterait pour 3 centimètres. Le scénario de 2 mètres présume une déstabilisation de la masse glaciaire de l'ouest de l'Antarctique, dont une partie est située sous le niveau de la mer. Les probabilités d'un tel scénario, bien qu'on ne puisse l'écarter, sont très difficiles à calculer.

Mais 1 mètre ou même 50 centimètres d'augmentation signifient quoi pour les 60 % de la population mondiale qui vivent à moins de 2 mètres d'altitude par rapport au niveau actuel de l'océan ? Qu'est-ce que cela signifie pour les habitants des petits États insulaires ? Et pour les écosystèmes qui occupent les bords de mer ?

En effet, l'océan n'est pas simplement une masse d'eau stagnante. Il y a des vents qui y forment des vagues et des courants qui y déplacent des milliards de tonnes d'eau. L'énergie contenue dans les vagues et les courants se dissipe lorsque ceux-ci atteignent les côtes, ce qui a pour effet d'éroder les matériaux meubles qui composent ces dernières. Lorsqu'une vague attaque le pied d'une falaise sablonneuse, même si celle-ci a 10 mètres de haut, elle s'effondrera dès que sa base sera déstabilisée. C'est ainsi que, même avec un relèvement modeste du niveau de la mer observé actuellement, la côte recule parfois de plusieurs dizaines de mètres localement dans les endroits sensibles à l'érosion, mettant en péril les installations ou les infrastructures qui bordent la côte.

Plusieurs grandes villes sont situées au bord de la mer. Évidemment, les infrastructures portuaires sont à peine surélevées par rapport au niveau des plus hautes marées. Souvent, la ville s'étale derrière ces installations et les quartiers du fronton maritime ont généralement peu de relief. Comme on l'a vu à New York lors de l'ouragan Sandy, les tempêtes tropicales gonflent le niveau de l'océan par l'effet de seiche, et les vagues alors déversent des trombes d'eau sur les terres, ce qui déborde la capacité d'évacuation de l'eau et provoque des inondations destructrices. On peut penser qu'un océan qui serait en moyenne 1 mètre plus haut créerait des impacts économiques extrêmement importants pour les villes portuaires partout dans le monde.

Cela affectera aussi beaucoup les gens qui vivent dans les deltas des grands fleuves. Les deltas sont des zones de rencontre entre le courant des fleuves et la zone des marées. Les sédiments charriés par les fleuves s'y accumulent et le courant se fraie un chemin à travers des chenaux qui serpentent à travers les alluvions, formant des îles et des zones de grande importance pour la biodiversité et pour l'agriculture. Ces deltas constituent l'essentiel du territoire d'un pays comme le Bangladesh.

Comme les deltas sont régulièrement inondés par les crues des fleuves, leur fertilité est grande et ils jouent un rôle important dans la production alimentaire mondiale de riz, par exemple. Le relèvement du niveau de la mer va rapidement inonder les zones deltaïques et les rendre impropres à l'agriculture par la salinisation ou par le relèvement de la nappe phréatique. Les marées et les tempêtes vont causer l'érosion des zones stabilisées et les crues des fleuves vont inonder des territoires situés en amont des zones de débordement habituelles. C'est là que sont installés les villes et les villages.

Pour les habitants des îles, une augmentation du niveau de la mer correspond à une perte de territoire d'une ampleur qui dépend de la topographie et du type de géologie de l'île. Des îles basses et sablonneuses, comme les atolls, sont très différentes des îles volcaniques ou granitiques. Une partie du territoire peut aussi être rendue impropre à la culture en raison de la salinisation ou encore impropre au tourisme par l'érosion.

En général, les îles, pour des raisons historiques et géographiques, sont peuplées surtout sur le littoral, là où les dommages seront les plus évidents. Le retrait des populations à l'intérieur des terres, là où c'est possible, se traduira sans doute par des pertes pour les écosystèmes forestiers et la biodiversité. De nombreuses îles vont carrément devenir inhabitables et ceux qui y vivent devront être délocalisés. C'est actuellement le cas dans l'archipel polynésien de Tuvalu, dont l'altitude n'excède pas 4 mètres. Le pays est en voie de perdition en raison de la montée du niveau de la mer et de l'intensité croissante des tempêtes, ce qui oblige à délocaliser sa population (Cometti, 2010).

Le niveau des océans n'augmentera pas non plus de façon uniforme. Comme l'indique la figure 4.17, c'est dans les zones tropicales que la hausse sera plus prononcée. Cela s'explique de plusieurs façons, la principale étant le poids des inlandsis situés aux pôles. Ce poids déforme le plancher océanique et cet effet gravitationnel tend à repousser l'eau vers l'équateur. Par ailleurs, l'augmentation sera moins perceptible dans les zones récemment libérées de leurs glaces, comme le Groenland, en raison du relèvement isostatique. Ce phénomène représente un rehaussement de la masse continentale qui peut atteindre plusieurs centimètres par année et qui peut continuer plusieurs milliers d'années après le retrait glaciaire.

FIGURE 4.17

Relèvement régional de l'océan dans un scénario de +4°C au 21e siècle

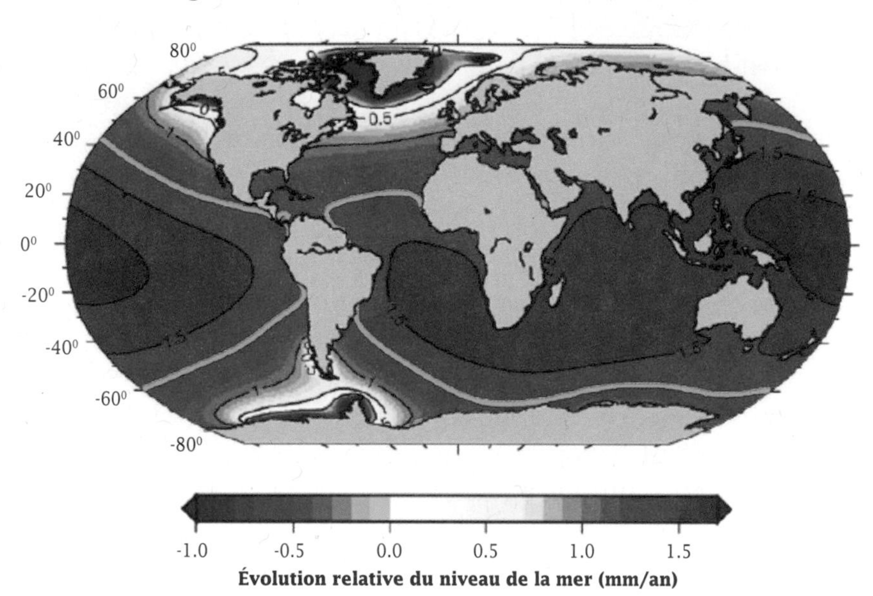

Source : Bamber et Riva, 2010.

L'ensemble de ces variations régionales se situe à l'intérieur d'une marge de plus ou moins 20%. Dans un tel contexte, une augmentation de 1 mètre signifierait 80 centimètres au Labrador et 120 centimètres en Floride. Cette péninsule étant constituée de sédiments fragiles à l'érosion et présentant une topographie peu élevée[7] et très exposée aux tempêtes tropicales serait sans doute rapidement inhabitable dans un tel scénario.

L'industrie touristique, qui est la plus grande au monde en termes économiques, est très sensible au rehaussement du niveau de l'océan, non seulement pour le tourisme de plage, mais aussi pour un ensemble d'infrastructures situées dans des endroits susceptibles d'être inondés ou endommagés par l'érosion. Enfin, les touristes sont allergiques à l'insécurité, y compris l'insécurité climatique.

7. Son point culminant est à 103 mètres et sa partie ouest est une vaste plaine côtière.

Bien sûr, les calculs économiques ne sont pas basés sur des sciences exactes. Cela ajoute une importante touche d'incertitude à toute prédiction. Les gens sont mus par toutes sortes de motivations qui les amènent à se comporter de manière quelquefois irrationnelle.

Les effets de mode et les éléments politiques influencent l'économie souvent plus que le climat. Il demeure cependant que les calculs basés sur l'ajustement nécessaire des infrastructures ou encore les pertes liées à la production agricole sont des risques importants pour l'économie mondiale qu'il faut prendre en considération dans toute projection du futur. Depuis le rapport Stern en 2006, il a été démontré que les impacts économiques d'un réchauffement de plus de 2 °C coûteraient beaucoup plus cher que les dépenses liées à des actions de prévention. Cela n'a pas suffi, semble-t-il, à convaincre les gestionnaires des budgets d'aujourd'hui. Il faut dire qu'ils ne seront pas imputables de leurs décisions demain.

Une étude publiée dans la revue *Nature*, en juillet 2013, établit à 60 000 milliards de dollars les coûts pour l'économie mondiale du dégazage du méthane du pergélisol dans l'Arctique. La valeur totale de l'économie mondiale en 2012 était de 70 000 milliards de dollars (Whiteman *et al.*, 2013).

L'humanité est urbaine à plus de 50% depuis 2008. Cette tendance à vivre dans des villes toujours plus grandes s'accentue depuis le début du 20e siècle et la proportion des urbains devrait atteindre 70% avant 2050. La vie en ville présente de nombreux avantages, mais dans un climat en changement vers +4 °C où les vagues de chaleur seront plus fréquentes et plus intenses, les effets sur la santé des populations les plus vulnérables sont à craindre.

En effet, les épisodes de chaleur extrême se traduisent dans les villes par une morbidité accrue liée non seulement à des problèmes physiologiques d'adaptation, mais aussi à une amplification des effets de la pollution atmosphérique. Les modèles prévoient pour un monde à +4 °C que la récurrence des événements chauds susceptibles de se produire une fois par millénaire pourrait passer à une fois par 10 ou 20 ans. Comme l'indique la figure 4.18, la répartition des températures exceptionnellement chaudes se fera inégalement et en fonction des saisons d'été à gauche et d'hiver à droite. Les planches du haut présentent la différence avec aujourd'hui en degrés Celsius, alors que les planches du bas l'illustrent en termes de différence d'écart-type. Cette représentation a été obtenue en combinant les sorties de plusieurs simulateurs climatiques.

FIGURE 4.18

Évolution des températures saisonnières dans un monde à +4°C entre 2080 et 2100

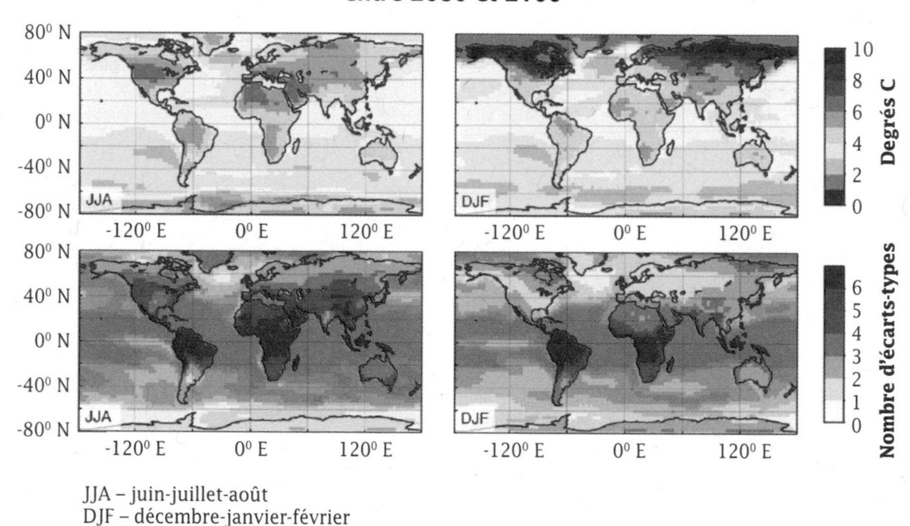

Source : Banque mondiale, 2012.

En gros, les hivers seront beaucoup plus chauds jusqu'à + 10 °C sur les continents dans l'hémisphère nord, alors que la différence sera moins marquée sur les océans et dans l'hémisphère sud. Cependant, en ce qui concerne l'écart-type, pour la zone tropicale, les anomalies températures seront beaucoup plus significatives statistiquement en été.

Les anomalies locales montrent que des situations jusqu'à maintenant inimaginables (événements 5 sigmas), sont susceptibles de se produire sur une base récurrente. Cela signifiera une révolution biologique, surtout dans les zones tropicales, où se trouve la majeure partie de la biodiversité continentale.

Il n'est donc pas alarmiste de poser l'hypothèse d'une importante réduction des forêts tropicales humides. Pensons qu'au même moment, il faudra assurer la production alimentaire pour une population croissante. Les pressions sur le déboisement de nouvelles terres agricoles au détriment de ces écosystèmes seront de plus en plus motivées par l'incapacité croissante des régions affectées par des sécheresses de produire des céréales.

On comprend facilement que ce monde, dans lequel l'exceptionnel deviendra la norme en matière climatique, nous réserve des surprises. Mais y a-t-il autre chose qui puisse aller plus mal encore?

Les seuils à ne pas dépasser

Malheureusement, la prédiction est un art difficile, surtout quand il s'agit de l'avenir. Depuis le troisième rapport du GIEC, plusieurs personnes se sont interrogées sur la linéarité présumée de l'évolution du climat. N'y a-t-il pas des seuils à partir desquels les phénomènes entrent dans une boucle de rétroaction positive qui les fait évoluer de manière complètement non linéaire et imprévisible? Cette question a été traitée dans le quatrième rapport du GIEC. Ces seuils seraient-ils dépassés dans un monde à +4 °C?

Un seuil est une limite à partir de laquelle le système climatique cesse de réagir de façon linéaire, c'est-à-dire qu'une augmentation même mineure du forçage radiatif peut causer des effets hors de proportion. Cela peut être lié à une limite de résistance ou au déclenchement d'une boucle de rétroaction positive.

Comme nous l'avons déjà mentionné, les boucles de rétroaction positive sont des situations dans lesquelles l'effet renforce la cause. Par exemple, la fonte de la banquise favorise l'accumulation de chaleur dans l'océan Arctique et retarde la prise de la nouvelle glace. On peut voir sur la figure 4.19 une illustration de cet effet d'accélération. La courbe en noir représente ce que les modèles du GIEC prédisaient pour l'évolution de la surface de la banquise. La courbe en rouge montre ce qui s'est réellement produit et cette situation s'est encore aggravée, comme nous l'avons vu plus haut. La banquise couvre maintenant moins de 4 millions de kilomètres carrés en septembre. Il est clair que la courbe des observations s'écarte significativement de la zone d'incertitude calculée par les simulateurs du climat.

FIGURE 4.19

Évolution de la banquise, prévision des modèles et observations

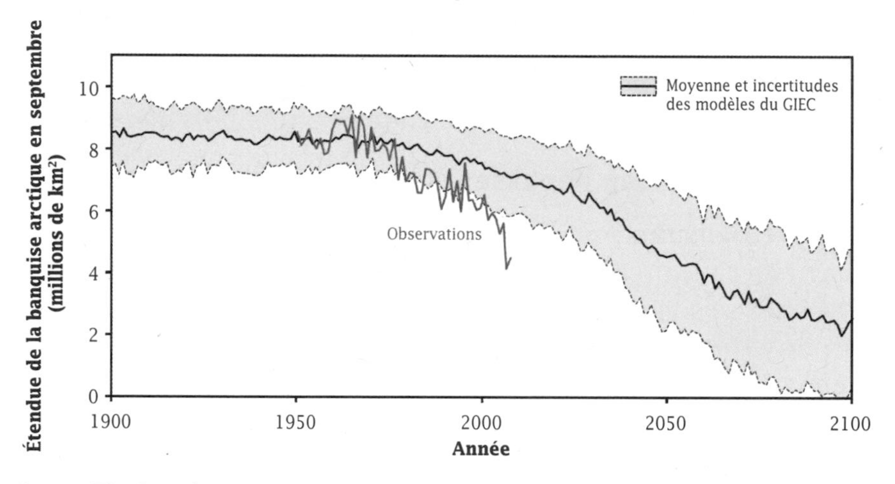

Source: The Copenhagen Diagnosis, 2009.

Dans la catégorie des boucles de rétroaction positive, on peut ranger des phénomènes comme le relâchement du méthane du pergélisol ou l'évaporation des hydrates de méthane des océans qui amplifieraient le forçage climatique à des niveaux difficiles à quantifier. Cela aurait des conséquences catastrophiques, semblables à celles qui ont causé des extinctions massives dans le passé. D'ailleurs, dans l'histoire de la planète, il existe des périodes qui témoignent de ce genre d'emballement du climat.

Le mieux étudié de ces phénomènes est le maximum thermique Paléocène Éocène. En un millénaire, la température a rapidement augmenté de 6 °C. On a proposé comme facteur déclencheur la libération d'hydrates de méthane de l'océan à la suite d'un réchauffement graduel qui a franchi un seuil au-delà duquel la rétroaction positive a fait passer le système planétaire dans un autre équilibre.

Les limites des systèmes naturels sont mal connues. Et pour cause! Il faudrait pouvoir les «casser» pour les connaître. Par ailleurs, les effets d'un réchauffement climatique de 4 °C en un siècle, à l'échelle du globe, sont quelque chose d'inédit au Quaternaire. On a bien sûr connu des réchauffements ou des refroidissements locaux très importants et très rapides, mais jamais rien de l'ampleur de ce qui nous est promis dans le scénario actuel.

Pour compliquer le tout, plusieurs phénomènes peuvent s'additionner pour causer des ruptures. Par exemple, l'augmentation de la température de l'eau des rivières, combinée à la pollution de l'eau peut causer des dommages beaucoup plus considérables sur la survie des poissons que chacune de ces causes prises séparément.

Parmi les conséquences irréversibles qui pourraient résulter d'un réchauffement de +4 °C, on craint une perte de la majeure partie de la forêt humide amazonienne, la destruction des récifs coralliens en raison de la combinaison de l'acidification et de la hausse de température de l'océan, la déstabilisation de l'inlandsis groenlandais et de la partie ouest de l'Antarctique. C'est un scénario paniquant.

En ce qui concerne les impacts sociaux, on pense surtout à l'approvisionnement en eau qui deviendrait insuffisant pour maintenir l'agriculture ou approvisionner les villes. Cela causerait la désertion de zones actuellement habitées, créant des migrations de «réfugiés climatiques». À cet égard, une partie importante de l'Afrique subsaharienne est particulièrement vulnérable. De telles transformations locales se sont déjà produites dans le passé, amenant la disparition de certaines populations humaines (Diamond, 2006), mais jamais d'une ampleur comparable à ce qui nous attend dans les prochaines décennies.

Une dernière dimension rend les prévisions d'impacts d'un monde à +4 °C très difficiles à cerner. En général, les modèles ne tiennent pas compte des effets en cascade, c'est-à-dire des impacts sur des composantes du système qui, même si elles sont moins sensibles que d'autres, seront affectées par l'effondrement des composantes plus réactives. Cela est valable pour les écosystèmes, mais aussi pour le système économique.

Conclusion

Dans ce chapitre, nous avons vu comment les changements climatiques, même s'ils se manifestent dans l'atmosphère, affectent différents paramètres de fonctionnement de la biosphère, de la cryosphère et de l'hydrosphère. Nous avons aussi recensé quelques-uns des impacts déjà attribuables au réchauffement de 1 °C qui s'est produit depuis le début du 20e siècle. Les scénarios d'émissions qui sont actuellement les plus probables nous amènent inéluctablement vers un réchauffement beaucoup plus prononcé au 21e siècle. Il pourrait représenter 3 °C ou plus avec une probabilité importante d'atteindre +4 °C à l'horizon 2100.

Cette hypothèse dépasse largement le niveau de +2 °C qui a été retenu comme limite à ne pas dépasser pour permettre d'éviter un dérèglement majeur du climat planétaire. Les projections effectuées à l'aide de simulateurs planétaires montrent que les conséquences seraient potentiellement majeures, tant du point de vue de la biodiversité que des conditions de la vie humaine sur d'immenses territoires, notamment en bordure de mer et dans les zones arides et semi-arides.

Cela ne va pas sans prendre en considération les seuils au-delà desquels les systèmes cessent d'évoluer de façon linéaire et les effets combinés de stress environnementaux et sociaux. Les décisions politiques nécessaires à infléchir cette progression n'ayant toujours pas été prises, il sera nécessaire d'agir dans l'espoir d'atténuer ces effets néfastes qui sont prédits par les modèles. Mais en avons-nous encore les moyens ? Et, puisque le climat va changer, pouvons-nous nous y adapter? Ne l'avons-nous pas toujours fait?

Le prochain chapitre traitera de la question de l'adaptation et de ses limites. Nous y verrons qu'elles sont bien réelles.

Références

Bamber, J., et R. Riva, 2010, «The Sea Level Fingerprint of Recent Ice Mass Fluxes», The Cryosphere, 4(4), 621–627. doi:10.5194/tc-4-621-2010.

Cazenave, A., et W. Llovel, 2010, «Contemporary Sea Level Rise», *Annual Review of Marine Science*, 2(1), 145–173. doi:10.1146/annurev-marine-120308–081105.

Church, J.A., et N.J. White, 2011, «Sea-Level Rise from the Late 19th to the Early 21st Century», *Surveys in Geophysics*, 32 (4–5),585–602. doi:10.1007/s10712-011-9119-1.

Cometti G., «2. Tuvalu face à la montée des eaux», dans Réchauffement climatique et migrations forcées : le cas de Tuvalu («eCahiers», n° 5), 2010, [En ligne], mis en ligne le 9 mai 2011, consulté le 14 février 2013. URL: http://iheid.revues.org/210; DOI: 10.4000/iheid.210.

Diamond, Jared, 2006, *Effondrement, comment les sociétés décident de leur disparition ou de leur survie*, Paris, Gallimard.

Francis, J.A., et S.J. Vavrus, 2012, «Evidence Linking Arctic Amplification to Extreme Weather in Mid-Latitudes», *Geophysical Research Letters*, 39(6), L06801. http://www.agu.org/pubs/crossref/2012/2012GL051000.shtml.

Hansen, J., M. Sato et R. Ruedy, 2012, «Perception of Climate Change», *Proc. Nat. Ac. Sc.*

Levitus, S., E.S. Yarosh, M.M. Zweng, J.I. Antonov, T.P. Boyer, O.K. Baranova, H.E. Garcia et collab., 2012, «World Ocean Heat Content and Thermosteric Sea Level Change (0–2000)», 1955-2010. *Geophysical Research Letters*, m. doi:10.1029/2012GL051106.

NASA, 2012, Greenland Melt. http://www.nasa.gov/topics/earth/features/greenland-melt.htm.

Rignot, E., I. Velicogna, M.R. van den Broeke, A. Monaghan, J. Lenaerts et I. Velicogna, 2011, « Acceleration of The Contribution of The Greenland and Antarctic Ice Sheets to Sea Level Rise », *Geophysical Research Letters*, 38(5), L05503. doi:10.1029/2011GL046583.

Solomon, S., D. Qin, M. Manning, Z. Chen, M. Marquis, K.B. Averyt, M. Tignor et H.L. Miller (eds.), 2007, *Contribution of Working Group I to the Fourth Assessment Report of the Intergovernmental Panel on Climate Change*, Cambridge University Press.

Stern, Nicolas, 2006, *Stern Review: The Economics of Climate Change*, Cambridge University Press.

Villeneuve, Claude et François Richard, 2007, *Vivre les changements climatiques. Réagir pour l'avenir*, Québec, Éditions MultiMondes, 484 pages.

Whiteman, G., C. Hope et P. Wadhams, 25 juillet 2013, « Climate Science : Vast costs of Arctic change », *Nature*, 499, p. 401-403.

World Bank, 2012, *Turn Down the Heat. Why a 4 °C Warmer World Should Be Avoided*, 84 pages.

Chapitre 5
L'adaptation à quoi? Et comment?

Les humains se sont adaptés à tous les climats de la planète, dès le Paléolithique. Pourquoi en irait-il autrement aujourd'hui? L'inertie du monde politique et économique, la croissance démographique et notre dépendance aux carburants fossiles nous amèneront vers des transformations profondes du climat planétaire dans les prochaines décennies. Que signifie le risque climatique et comment peut-on le diminuer? Jusqu'à quelle limite pourrons-nous éviter collectivement les coûts financiers et humains? Comment la Nature réagira-t-elle? Peut-on penser que la tendance démographique et économique actuelle pourra se poursuivre longtemps dans une biosphère en pleine transformation?

On trouve du monde partout sur la planète. Et cela ne date pas d'hier. Même si nos ancêtres viennent d'Afrique, *Homo sapiens* a essaimé très tôt dans les endroits les plus inhospitaliers du monde, à l'exception de l'Antarctique. Du pourtour de l'océan Arctique au Sahara, dans les forêts tropicales humides et les îles du Pacifique, nos ancêtres ont trouvé leur place. Plus encore, ils ont su tirer leur subsistance des ressources locales et s'adapter à leurs fluctuations, et cela, pendant des milliers d'années, la plupart du temps sans les détruire.

Notre espèce a aussi connu des changements climatiques importants. À l'échelle mondiale avec la fin de la dernière glaciation, mais encore plus à l'échelle régionale où des phénomènes comme l'aridification du Sahara ont profondément changé les conditions d'existence. Les humains ont toujours dû s'adapter. On peut légitimement se demander comment une espèce d'origine africaine a pu connaître une pareille résilience face aux variations du climat alors que d'autres espèces contemporaines, comme le mammouth, n'ont pas survécu ?

La clé pour répondre à cette question a un nom : l'adaptation. C'est une constante dans l'évolution de toutes les espèces. On s'adapte ou on disparaît. Et les humains sont parmi les champions toutes catégories de l'adaptation chez les mammifères. L'humain est adaptable biologiquement, mais il l'est encore plus par sa culture et ses technologies. L'adaptation biologique se fait à partir de notre flexibilité métabolique pour les individus, mais pour l'espèce, c'est un très long processus qui procède par la variabilité génétique et la sélection naturelle. Ces acquis se transmettent essentiellement à travers la reproduction. L'adaptation culturelle, en revanche, se fait à la vitesse de notre capacité d'apprentissage et elle se transmet même entre individus non apparentés.

Nous sommes biologiquement plus à l'aise dans des climats chauds ou tempérés. Alors comment avons-nous relevé le défi du climat ? L'adaptation biologique n'y est pas pour grand-chose. C'est vraiment l'adaptation culturelle qui explique notre ubiquité.

Depuis l'origine, nous avons appris à transformer notre environnement immédiat pour y maintenir des conditions confortables, autour de notre optimum physiologique. En domestiquant le feu, en inventant les vêtements, en construisant des abris de factures diverses, à partir des ressources disponibles localement, les humains en arrivent à s'adapter au climat. Près de notre peau, il fait toujours entre 25 et 30 °C, quelle que soit la température extérieure. Alors que d'autres animaux doivent changer de poils, hiberner ou migrer, nous transformons notre environnement pour nous moquer des saisons.

Que vient faire la culture là-dedans ? C'est simple : les techniques, les savoir-faire, les règles de conduite pour éviter les impacts biologiques de l'adaptation au climat local et à sa variabilité naturelle sont appris d'un individu à l'autre, d'une génération à l'autre. Ils marquent la langue et les traditions et peuvent être transmis même à des gens qui ne sont pas nés dans un environnement donné. Mais ils peuvent aussi être perdus.

La technique de construction des iglous chez les Inuits de l'Arctique est un bon exemple. Abri construit avec la neige damée par le vent, l'iglou permet de maintenir dans un volume habitable une température de 50 °C plus élevée qu'à l'extérieur sans autre système de chauffage qu'une lampe à l'huile ou simplement la chaleur dégagée par ses habitants. Les explorateurs de l'Arctique aux 18 et 19e siècles ont appris des Inuits comment construire un iglou. Mais, aujourd'hui, de nombreux jeunes inuits seraient démunis dans une tempête de neige arctique, habitués qu'ils sont à vivre dans des maisons et à utiliser des machines pour se déplacer. Cette technique millénaire étant aujourd'hui moins nécessaire à la survie qu'elle ne l'était hier, elle se perd culturellement.

L'adaptation au climat se décline chez tous les peuples, selon leur lieu habituel de vie. Cette adaptation peut être comportementale ou technique. Elle explique les façons de construire les maisons, le choix des plantes qu'on cultive, les habitudes de vie. Pour faire face à la variabilité du climat, on peut même parler de préadaptation. Par exemple, les Québécois se préparent traditionnellement à l'hiver dès la fin de l'été. Cela permet de faire face au froid sans dommages. Autrefois, on rentrait le bois et on changeait les fers des chevaux, aujourd'hui, on installe des pneus à neige.

L'adaptation de l'humain est une chose, celle de ses infrastructures en est une autre. S'il est relativement facile d'ajuster à des changements climatiques les besoins d'une société de chasseurs-cueilleurs ou d'agriculteurs et d'éleveurs autosuffisants, il en va autrement d'une société industrialisée, urbanisée, déconnectée de son environnement comme la nôtre. Cette culture moderne, débranchée des impératifs d'adaptation environnementale, est devenue l'apanage de l'humanité urbanisée partout dans le monde.

Pour nos ancêtres, l'adaptation au climat et à ses variations était une question de survie. Pour la majorité de nos contemporains, les aléas climatiques sont une perturbation des habitudes et les extrêmes constituent des hasards détestables dont les médias font leurs choux gras.

Sur les sept milliards d'habitants de la planète, il reste de moins en moins de gens capables de s'adapter à un changement radical. La plupart seraient incapables de prendre en main leur propre survie dans un contexte d'autarcie. Nos contemporains dépendent d'infrastructures et de services publics d'une grande efficacité. Sans ces infrastructures et services, il ne serait pas possible de maintenir en vie une proportion importante de la population actuelle. Si le pétrole venait à manquer brutalement, si l'électricité n'était plus distribuée pendant quelques mois, les conséquences en termes de vies perdues seraient catastrophiques. Dans ce chapitre, nous ferons un survol de ce que les changements climatiques nous réservent en matière d'adaptation.

Les défis

Pendant longtemps, on a présumé que le climat était une « constante variable » de l'environnement, c'est-à-dire un paramètre aux fluctuations prévisibles dans les grandes lignes. La sagesse populaire dit d'ailleurs la prévisibilité du climat à travers des expressions comme « après la pluie vient le beau temps », « une hirondelle ne fait pas le printemps », « Noël aux tisons, Pâques au balcon » et bien d'autres encore. En matière de climat, le passé serait donc garant de l'avenir et nous modelons nos attentes en fonction de ce qui a été la moyenne des dernières années pour dire ce qui est « normal » ou pas. Mais le climat va changer de façon globale, ce qui se traduira par des manifestations extrêmes au niveau local. Il faut donc s'apprêter à affronter l'inconnu. Le passé n'est plus garant de l'avenir.

Cette nouvelle donne va affecter toutes les activités humaines, qu'elles dépendent directement du climat, comme l'agriculture, ou qu'elles en soient largement indépendantes, comme les finances

Encadré 5.1

LE RISQUE

On définit le risque comme une combinaison de la probabilité d'occurrence d'un événement et sa gravité en termes de conséquences. Ainsi, un événement qui cause des décès, même s'il est peu fréquent, donnera un niveau de risque plus élevé qu'un événement aussi fréquent, mais qui ne cause que des pertes matérielles. On peut donc diminuer le risque de deux façons : en réduisant la gravité des conséquences, c'est-à-dire en diminuant la vulnérabilité, ou en réduisant l'occurrence. Dans le cas des changements climatiques, on ne peut jouer que sur le premier terme de l'équation.

publiques ou la santé. Les chaînes de conséquences entraîneront des cascades d'impacts, d'autant plus compliqués à prévoir que notre société et son économie sont mondialisées.

Comprendre, connaître, prévoir et prévenir

Le premier défi en matière d'adaptation est de nature scientifique et interpelle les universités, les autorités gouvernementales, municipales et les dirigeants d'entreprises. Il concerne l'octroi de fonds à la recherche fondamentale et appliquée, l'intégration de la composante changements climatiques dans les formations universitaires, la révision des normes d'aménagement et de construction, la capacité d'anticiper les événements climatiques inhabituels et les plans d'intervention dans le domaine de la sécurité publique et de la santé.

La connaissance fondamentale des systèmes planétaires et de leurs interactions est encore très incomplète. Des recherches en physique, chimie, océanographie, glaciologie, biologie et écologie sont nécessaires pour mieux comprendre les systèmes et leurs interactions, mieux connaître les paramètres de terrain pour alimenter les simulateurs planétaires et les modèles régionaux. Avec chaque nouvelle génération de simulateurs climatiques, les ordinateurs peuvent gérer plus de complexité et mieux reproduire la réalité. Ces calculs informatisés seront indispensables pour préparer l'adaptation, à mesure que nous serons plus à même d'anticiper les effets locaux et régionaux des changements climatiques. En connaissant mieux la nature des possibles, on peut préparer des réponses appropriées. Si on les ignore, on est condamné à réparer les pots cassés.

Certaines tuiles des modèles climatiques n'ont à peu près pas été étudiées sur le terrain. Il est donc difficile de présumer des changements d'état qui résulteront d'une modification des paramètres climatiques sur d'immenses territoires, un peu partout dans le monde. Cela est particulièrement vrai pour les territoires peu peuplés, comme le nord du Canada, les forêts tropicales humides et les savanes africaines. Il est difficile de connaître, par exemple, le potentiel de captation du carbone par le reboisement des territoires dénudés en zone forestière boréale, si l'on ne dispose pas d'inventaires sur ce type de terrains[1]. De même, on peut imaginer que les émissions de méthane en provenance du pergélisol peuvent constituer une menace importante, mais sans échantillonnage de terrain, la quantification de ce risque est hasardeuse.

Dans l'océan, la couverture de certains phénomènes est également déficiente. On observe des zones de relargage de CO_2 dans l'Arctique et l'Antarctique sans vraiment que ce phénomène puisse être qualifié. Est-ce un phénomène normal ? Est-il le signe avant-coureur d'une saturation du puits de carbone océanique ? Se produit-il sur une base annuelle ? Est-il en augmentation ? Cela n'est qu'un exemple des questions pour lesquelles un effort supplémentaire de recherche est requis. La présence d'hydrates de méthane dans les fonds marins et leur relargage éventuel sont un objet d'incertitude sur l'évolution du climat. Or, la recherche faite actuellement par le Conseil national de recherches du Canada sur ce sujet porte plutôt sur une façon de les capter pour alimenter des gazoducs !

Ces recherches ne peuvent être menées par un seul pays. C'est pourquoi des initiatives internationales d'envergure réunissent des

1. Le Québec possède un inventaire assez précis de ce type de terrains dans la portion « commerciale » de la forêt boréale, mais elle est la seule province canadienne à prendre en considération ce type de terrain qui n'offre aucun intérêt commercial.

agences spatiales, qui possèdent des satellites, des services météorologiques, des universités et autres centres de recherche publics regroupés dans des organisations internationales. Des initiatives comme Artic Net en sont un bon exemple. Les rapports du GIEC, en recensant périodiquement l'état des connaissances, sont particulièrement précieux pour déterminer les besoins de nouvelles connaissances et mesurer les zones d'incertitudes identifiées.

Sur le plan régional, ce sont souvent les gouvernements nationaux ou régionaux et les universités qui assument le leadership de la recherche. Souvent, les connaissances produites dans le cadre gouvernemental, comme des inventaires de faune et flore ou les données agricoles, servent à la recherche sur les changements climatiques. Par exemple, en étudiant sur quelques décennies l'évolution des productions et des rendements agricoles dans une région donnée, on peut valider des hypothèses sur les changements dans les températures moyennes. Les données recueillies par des sociétés d'État, comme Hydro-Québec, peuvent également être d'une grande utilité pour la recherche.

Cependant, les séries de données qui n'ont pas été prises dans le but de faire l'étude des changements climatiques peuvent s'avérer difficiles à utiliser. En effet, les éléments mesurés peuvent évoluer sous l'influence de plusieurs variables.

Les scientifiques peuvent aussi utiliser des données auprès des organisations, comme les sociétés de protection de la nature ou les clubs d'ornithologues amateurs, par exemple, à condition que celles-ci soient recueillies avec méthode et sur de longues périodes. On peut ainsi noter l'expansion d'aire de certaines espèces dans une région donnée au fil des années et les recouper avec l'évolution des températures. Bref, la recherche sur les changements climatiques offre de nombreuses occasions de coopération et chacun peut y apporter du sien.

La plupart des gouvernements des pays industrialisés dédient d'importants efforts de soutien à la recherche et plusieurs équipes internationales coopèrent pour mieux comprendre et connaître les divers éléments de la machine climatique. En revanche, les sommes consacrées à la connaissance des écosystèmes sont beaucoup moins élevées. Pourtant, il faut des stations de recherche établies à long terme et des équipes qui peuvent revenir sur le terrain à intervalles réguliers pour retracer clairement l'évolution des écosystèmes dans le temps. Il reste aussi des difficultés pour faire coopérer des organismes gouvernementaux de différents niveaux entre eux et avec des entreprises. La culture des silos est bien ancrée dans la plupart de ces organisations et les entreprises sont peu enclines à partager des informations qui peuvent être sensibles pour leur compétitivité.

Encadré 5.2

LE CANADA DU PIRE ET DU MEILLEUR

Le gouvernement du Canada exerce depuis quelques années une sorte de censure idéologique à l'encontre des travaux de recherche sur les changements climatiques. Le pays a muselé les scientifiques d'Environnement Canada qui ne peuvent plus s'exprimer en public ; il a sabré dans les budgets de recherche de la plupart des ministères et fermé des centres qui accumulaient de précieuses données depuis des années. Cette incurie politique est le meilleur moyen d'augmenter la vulnérabilité aux changements climatiques et de diminuer les chances d'adaptation. Peut-on y voir un lien avec l'intensification de l'exploitation des sables bitumineux? Les écologistes ne s'en privent pas.

À l'inverse, au Québec, le gouvernement participe au consortium OURANOS[2] avec la plupart de ses ministères (agriculture, santé, ressources naturelles, affaires municipales, transports, sécurité publique, environnement faune et parcs, etc.). Dans le monde, la majorité des gouvernements, à l'exception de la Communauté européenne, ne sont pas si avancés à cet égard.

---

2. Créé en 2002, le consortium OURANOS étudie les aspects liés aux impacts et à l'adaptation aux changements climatiques (www.ouranos.ca). Ce groupe de recherche réunit des partenaires gouvernementaux, des universités, des sociétés d'État et des entreprises privées pour mieux comprendre, prévoir et prévenir les impacts des changements climatiques et préparer la société québécoise à l'adaptation, en diminuant sa vulnérabilité et en tirant parti des opportunités qui résulteront de ces changements.

La recherche en sciences du climat est essentiellement du domaine des sciences naturelles et des mathématiques. La recherche sur les impacts et l'adaptation, pour sa part, fait appel à un éventail beaucoup plus large de disciplines, allant de l'agronomie aux sciences sociales. Tous les secteurs de l'activité humaine sont en effet susceptibles d'être perturbés par des changements climatiques et, au premier chef, l'économie. Malheureusement, en ce domaine, les gouvernements se sentent plus concernés par l'immédiat que par un futur plus ou moins lointain. Leurs politiques s'en ressentent, comme nous l'avons vu au chapitre 3, mais les attitudes peuvent différer entre les gouvernements, au sein d'un même pays, comme c'est le cas au Canada.

Dans les pays en développement, la situation est beaucoup moins reluisante. Pour les pays émergents, comme la Chine, l'Inde et le Brésil, la préoccupation environnementale est souvent secondaire par rapport à la volonté de développement économique. Pour une société industrielle mondialisée, cela se traduit par le déplacement d'une proportion importante de l'industrie manufacturière des pays industrialisés vers les pays en développement avec les impacts locaux et globaux que cela suppose. On a vu, au chapitre 3 (figure 3.6), l'effet que ce type de délocalisation a produit en termes de répartition des émissions de gaz à effet de serre dans la période 1990-2010. On peut craindre que cette tendance s'accentue dans un contexte asymétrique de règles et de contraintes pour lutter contre les changements climatiques.

Les disponibilités financières pour soutenir la recherche sont rarement au rendez-vous dans les pays en développement et particulièrement dans les pays moins avancés, tant dans les universités que dans les ministères. Les initiatives de coopération entre les chercheurs de pays développés et en développement sont dès lors indispensables. Plusieurs organismes, comme le CIRAD en France (http://www.cirad.fr/), font une contribution remarquable en ce sens, dans le domaine de l'agronomie et de l'agroforesterie. L'Observatoire des forêts d'Afrique centrale (http://www.observatoire-comifac.net/) est un autre exemple d'initiative internationale impliquant des scientifiques de plusieurs pays développés et en développement, dont le travail porte notamment sur la réduction de la déforestation et de la dégradation des forêts tropicales dans un objectif de lutte contre les changements climatiques.

Un autre enjeu lié à la connaissance consiste à prévoir correctement l'arrivée d'épisodes climatiques inhabituels, de manière à en prévenir les impacts. Les systèmes d'alerte météorologique se perfectionnent constamment, mais il importe de maintenir les réseaux de surveillance et d'améliorer la portée temporelle des prévisions. On pense, par exemple, à la prévision des sécheresses ou de canicule. Cela demande une puissance de calcul informatique toujours accrue et des équipes de météorologues aguerris. Dans la plupart des pays industrialisés, c'est un acquis, mais il en va tout autrement dans les pays en développement. Pourtant, c'est là que se trouvent les populations les plus vulnérables.

Si la tempête Sandy, survenue à l'automne 2012, s'était abattue dans la région de Bangkok au lieu de la côte est des États-Unis, elle aurait sans doute été beaucoup plus meurtrière. Avec un système fédéral de prévisions météorologiques sophistiqué, les autorités municipales et les États ont eu la possibilité de faire évacuer les zones les plus sensibles. Toutefois, le degré de perfectionnement des systèmes d'alerte météo n'est pas grand-chose si les mesures visant à prévenir les catastrophes ne sont pas mises en place. La démonstration en a été faite par le désastre causé par l'ouragan Katrina, à la Nouvelle-Orléans, en 2005.

Il faut en effet instaurer un ensemble de mesures dans les plans d'urgence, dans la gestion des îlots de chaleur, dans la prévention des épidémies, dans la surveillance et le contrôle des espèces envahissantes et à tous les endroits où il peut être nécessaire de réagir à temps pour éviter des dommages irréparables. C'est un vaste chantier auquel bien peu de pays ou de villes se sont encore attaqués avec détermination. Cette préparation au pire est nécessaire et elle passe par la formation des intervenants à tous les niveaux.

Il existe donc un besoin d'intégrer la formation sur les changements climatiques à l'université bien sûr, mais aussi dans les niveaux d'éducation générale et technique. Cet investissement est une préparation à l'adaptation. Cette éducation ne doit pas être dogmatique, culpabilisante ou catastrophiste, mais factuelle et scientifiquement irréprochable. En s'adressant à l'intelligence, on favorise l'adoption pérenne d'une vigilance adaptative dans toute la société.

C'est aussi à travers cette intégration des changements climatiques à la culture de nos sociétés qu'on risque de stimuler l'inventivité et la créativité pour l'innovation. Dans ce cadre, l'innovation devient une forme de préadaptation si elle permet à la fois de réduire les émissions et de trouver des solutions pour prévenir les impacts ou atténuer la gravité des dommages.

Maintenir la production alimentaire

Au-delà d'un immense besoin d'acquisition et de diffusion des connaissances pour l'adaptation, la question d'assurer la production alimentaire pour une humanité en croissance est fondamentale en matière d'adaptation aux changements climatiques. Selon le comité pour la sécurité alimentaire de la FAO : « La sécurité alimentaire existe lorsque tous les êtres humains ont, à tout moment, la possibilité physique, sociale et économique de se procurer une nourriture suffisante, saine et nutritive leur permettant de satisfaire leurs besoins et préférences alimentaires pour mener une vie saine et active » (FAO, 1996). Il s'agit, bien sûr, d'un idéal à atteindre, car beaucoup de monde sur Terre ne jouit pas, encore aujourd'hui, de la sécurité alimentaire. Néanmoins, la production alimentaire suffisante pour nourrir l'ensemble des humains est un défi majeur sur une planète où s'ajouteront, d'ici à 2100, encore trois milliards d'êtres humains.

À la fin de 2011, un collectif dirigé par l'Institut national de recherche agronomique de France (INRA) et le CIRAD a publié un rapport très intéressant (Eschouf et collab., 2011) sur l'adaptation des systèmes de production alimentaire aux nouveaux enjeux de la démographie et des changements climatiques.

Dans un contexte où la FAO estime que la production agricole en 2050 devrait avoir augmenté de 70%, la fragilité du système agroalimentaire mondial devient un enjeu incontournable dans un contexte de changements climatiques. D'autant plus que, jusqu'à nouvel ordre, les grandes cultures se font en plein air. Elles sont donc soumises aux aléas climatiques, en particulier aux sécheresses prolongées, mais aussi aux fortes précipitations, aux hivers sans neige, etc. D'autres phénomènes viennent compliquer les choses, par exemple la compétition pour les terres agricoles des cultures destinées aux agrocarburants.

La perte de terres agricoles au profit des villes, des routes et des zones industrielles est aussi très préoccupante. Les pertes de nourriture entre la récolte et la consommation, en raison des exigences des consommateurs et du système de conditionnement et de distribution mondialisé des aliments, ajoutent à la demande pour les terres agricoles. Enfin, la demande croissante pour des produits carnés impose une pression accrue à la fois sur les émissions de gaz à effet de serre et sur les superficies nécessaires à la culture des céréales.

Aujourd'hui, le système alimentaire mondial est à la fois très performant et très inefficace. En effet, les productions végétales et animales ont beau avoir un rendement de beaucoup supérieur à ce tout ce qui s'est vu depuis le début de l'agriculture, 57% des calories initialement produites ne sont pas consommées (Eschout et collab., 2011). Cela est dû à un ensemble de pertes dans la chaîne de transformation, allant de la ferme à la disposition des déchets des consommateurs. De plus, même si la production alimentaire n'a cessé de croître, le nombre de personnes sous-alimentées a lui aussi augmenté depuis le milieu des années 1990, en raison notamment de la hausse de la demande en produits carnés et en agroénergie. Cette situation a été dénoncée par de nombreux auteurs, mais les préférences alimentaires pour la viande, le déploiement des chaînes de restauration rapide spécialisées dans le bœuf et les politiques des pays industrialisés visant l'ajout d'agrocarburants dans l'essence ont amplifié ces pressions.

Dans ce contexte, l'adaptation aux changements climatiques se décline sur les plans de la production, des choix alimentaires et des politiques de réduction des émissions liées à l'énergie par les agrocarburants.

Dans le domaine de la production alimentaire, la forte dépendance de l'agriculture industrielle aux engrais minéraux limite les perspectives d'une augmentation significative des rendements de l'ordre de celle qui a résulté de la Révolution verte dans les années 1960 à 1990. Le potentiel des plantes génétiquement modifiées qui pourraient diminuer les pertes liées aux ravageurs des cultures est réel, mais il se heurte à des contestations sociales. Malgré les promesses des compagnies qui offrent ces produits, les plantes résistantes à l'aridité ou à la salinisation des sols dont on aurait besoin pour l'adaptation aux changements climatiques ne sont pas encore commercialement disponibles.

En effet, l'aridification et la salinisation des terres sont les deux phénomènes qui menacent le plus le potentiel de sécurité alimentaire de l'humanité. L'augmentation des sécheresses prévue dans un scénario de + 4 °C occasionnera des difficultés pour les productions sur des terres non irriguées et, en augmentant l'évaporation sur les terres irriguées, provoquera la remontée du sel en surface. Si l'on ne dispose pas de plantes résistantes, ces terres devront être abandonnées.

Encadré 5.3

RÉGIME ALIMENTAIRE ET CHANGEMENTS CLIMATIQUES

La production de viande n'a cessé d'augmenter pour faire face à la demande qui augmente plus vite que le taux d'accroissement démographique. Cela exige plus de terres et signifie aussi plus d'émissions de gaz à effet de serre.

Les animaux d'élevage sont une source importante d'émissions de GES, par leur métabolisme digestif et la gestion de leurs fumiers, leur transport vers les lieux d'abattage et les marchés et, enfin, par l'obligation de maintenir la chaîne de froid pour la viande jusqu'à sa consommation. Il devient alors évident qu'un régime végétarien réduit significativement la contribution d'une personne aux changements climatiques.

Il y a aussi une influence de l'alimentation carnée sur la demande des terres. Si les pays de l'OCDE réduisaient de 25% les calories disponibles dans leur alimentation et de 50% leur consommation de viande d'ici à 2050, on pourrait nourrir l'humanité avec la même superficie de terres que celle qui est en culture aujourd'hui sans augmentation notable des rendements. Sachant que la superficie des terres cultivables risque de diminuer dans un scénario de changements climatiques, cela correspondrait à une mesure efficace d'adaptation (Eschouf, 2011).

Voilà donc, en plus des avantages pour la santé, une raison supplémentaire pour réduire la quantité de viande et de protéines animales dans l'alimentation. Il n'est pas nécessaire de devenir végétarien ou végétalien, mais réduire sa consommation de viande à cinq ou six portions par semaine est certainement un geste très efficace et à la mesure de chacun, dans les pays industrialisés.

Le système agroalimentaire mondial est devenu totalement intégré à l'échelle planétaire et extrêmement dépendant de l'utilisation des carburants fossiles. Depuis 50 ans, le commerce international de produits agricoles est passé de quelques milliards de dollars en 1960, à 5 000 milliards de dollars en 1998, puis à 16 000 milliards de dollars en 2008.

Ces échanges mettent en compétition les agriculteurs du monde entier pour la production de commodités économiques cotées en bourse et soumises à la spéculation financière. Sur les tablettes de votre supermarché, vous trouverez des aliments qui proviennent du monde entier, de pays où ils sont les moins chers à produire. Paradoxalement, cette économie dite à « flux tendus » fragilise la sécurité alimentaire, même si elle prétend amener à votre table les aliments les moins chers.

La crise alimentaire de 2007-2008 a montré la fragilité de ce système avec une forte hausse des coûts de l'alimentation qui a provoqué des émeutes de la faim chez les plus démunis un peu partout dans le monde. Causée à la fois par de mauvaises récoltes, une augmentation de la production d'agroénergie et une spéculation boursière, cette crise est annonciatrice de ce qui nous attend d'ici à la fin du siècle, avec une humanité de plus en plus nombreuse et urbanisée, totalement dépendante de la fourniture industrielle d'aliments.

Pour compenser les terres perdues par l'aridification et la salinisation, le monde compte de plus en plus sur le continent africain et sur les zones tropicales humides partout dans le monde. Des millions d'hectares sont ainsi mis en culture chaque année, à partir du déboisement des forêts tropicales humides en Afrique, en Indonésie et en Amérique du Sud. Mais, comme les tableaux 5.1 et 5.2 l'indiquent, cette situation changera radicalement en 2050.

TABLEAU 5.1
Superficie cultivée en 2000 et superficie apte aux cultures

Zones	Monde	Asie	Amérique latine	Moyen-Orient Afrique du Nord	Afrique sub-saharienne	Russie	OCDE
Surface cultivée (2000) (a)	1 600	439	203	86	228	387	265
Surface cultivable (b)	4152	585	1 066	99	1 031	874	497
a/b	39%	75%	19%	87%	22 %	44 %	53%

Source : FAO, de Marcily, 2008.

TABLEAU 5.2
Scénario possible pour la production agricole en 2050, en milliards de tonnes

Région	Asie	Amérique du Sud	Moyen-Orient et Afrique du Nord	Afrique subsaharienne
Besoins alimentaires	4135	520	390	1350
Production alimentaire	3190 ±	1704 ± 100	166 ± 10	1350
Déficits/ Excédents	- 960 ± 100	+ 1184 ± 100	- 224 ± 10	0

Source: D'après Griffon, 2006, et de Marcily, 2008.

À la lecture de ces tableaux, on constate que la désertification et la salinisation des terres sous l'effet des changements climatiques combinées à l'évolution démographique vont essentiellement transférer la capacité de production agricole vers l'Amérique du Sud et que l'Afrique subsaharienne sera à peine capable de répondre à sa propre consommation alimentaire. En effet, la majeure partie de la croissance démographique se produira en Afrique au 21e siècle. Le tableau 5.3 montre bien que la demande alimentaire reflétera cet état de fait.

TABLEAU 5.3
Demande alimentaire en 2000 (en milliards de tonnes de céréales) et estimations pour 2050

Région	Asie	Amérique latine	Moyen-Orient et Afrique du Nord	Afrique subsaharienne	OCDE et Russie
Besoins alimentaires, 2000	1 800	272	154	262	-
Besoins alimentaires, 2050	4 150	520	390	1 350	~ 2000
Facteur multiplicatif 2050/2000	2,34	1,92	2.5	5,14	~ 1

Source: D'après Griffon, 2006, et de Marcily, 2008.

De Marcily, en 2008, évaluait la demande supplémentaire de terres agricoles en 2050 à 3,4 milliards d'hectares contre 1,6 milliard en 2000. La portion additionnelle serait prise sur les écosystèmes, surtout en zone tropicale, et serait utilisée aux deux tiers pour la production alimentaire et au tiers pour les agro-carburants. Cette prédiction est d'autant plus dramatique que cela signifierait une réduction de 60 % de la surface naturelle des écosystèmes forestiers sur ces continents.

Le même auteur affirme que tout prélèvement supplémentaire d'eau douce par les humains se ferait aux dépens des écosystèmes, ce qui laisse planer une menace énorme sur la biodiversité. Ajoutons que la déforestation et la dégradation des forêts relâchant déjà environ 14 % de l'ensemble des émissions de gaz à effet de serre d'origine anthropique, la situation ne pourrait qu'empirer à cet égard. Cette position est bien sûr intenable. L'adaptation aux changements climatiques imposera donc des économies de nourriture et des restrictions alimentaires.

Cela est-il réaliste ? En tout cas, c'est tout à fait l'inverse qui se dessine, tant dans l'évolution des modes alimentaires dans les pays industrialisés (plus de nourriture transformée) que dans les pays émergents (plus de viande). Il est donc plausible que l'alimentation soit un enjeu très important dans l'adaptation aux changements climatiques.

Gérer l'eau

L'agriculture correspond à 70 % des prélèvements d'eau douce de l'humanité, mais l'eau douce est nécessaire à de nombreux autres usages essentiels à la vie humaine. Que ce soit pour l'eau potable, l'eau domestique, l'eau industrielle ou l'eau agricole, les sociétés consomment une partie souvent importante de l'eau qui coule sur leur territoire.

Les cours d'eau servent aussi au transport fluvial de marchandises, à la production d'hydroélectricité et aux loisirs aquatiques, pour ne nommer que ces usages. Une partie de l'eau douce utilisée reste dans le débit fluvial et peut être employée à nouveau en aval. En revanche, l'eau qui est évaporée ou détournée d'un bassin versant vers un autre est perdue pour d'autres usages sur un territoire donné.

L'eau domestique, particulièrement l'eau potable, représente le plus faible prélèvement, mais elle doit être de la plus haute qualité, en particulier au point de vue bactériologique. Plus de un milliard d'humains ne disposent pas de sources d'eau potable de bonne qualité et près de deux milliards ne bénéficient pas de services d'épuration des eaux domestiques. C'est une situation qui risque de s'aggraver dans un contexte de réchauffement du climat en raison d'étiages plus importants en période sèche qui rendrait difficile l'adduction d'eau. Les crues exceptionnelles entraîneront en revanche la contamination des eaux de surface par des débordements de systèmes d'égouts. L'adaptation aux changements climatiques nécessitera la reconfiguration des systèmes d'évacuation des eaux, des usines d'épuration et des prises d'eau potable, partout dans le monde.

Le tableau 5.4 nous montre les prélèvements et la disponibilité de l'eau par continent en 2000. On peut y constater que la disponibilité de l'eau se situe généralement bien au-dessus des besoins, si on considère l'écoulement total des fleuves.

Cependant, l'écoulement de base (ou débit d'étiage) offre moins de marge de manœuvre, en particulier si on regarde la proportion de l'eau consommée par l'agriculture pluviale et irriguée qui s'approche déjà du débit d'étiage, en Asie, par exemple. Sans installer des retenues d'eau importantes, ce sont les débits d'étiage qui représentent les périodes les plus critiques. En effet, ces débits correspondent aux saisons sèches où la demande est la plus élevée. C'est donc à ces moments que la pénurie menace.

La figure 5.1 montre la répartition des régions qui présentent une pénurie en eau physique ou économique actuellement. Cette classification est basée sur la proportion du débit des rivières prélevé par les activités humaines. Lorsque plus de 75 % du volume

TABLEAU 5.4

Prélèvements et disponibilité de l'eau par usage et par continent en 2000

Tous chiffres en km³/a	Population en millions	Pluie	Écoulement total	Écoulement de base	Prélèvements domestiques	Consommation agriculture pluviale	Prélèvements agriculture irriguée	Consommation agriculture irriguée	Prélèvements industriels
Europe	712	7165	3110	1065	120	1120	550	390	380
Asie	3722	32690	13190	3410	310	1850	2000	1380	425
Afrique	853	20780	4225	1465	40	320	200	140	32
Amérique du Nord	489	13910	5960	1740	130	940	400	280	390
Amérique du Sud	367	29355	10380	3740	50	650	100	70	105
Australie, Îles du Pacifique	30	6405	1965	465	8	120	25	20	3
TOTAL	6200	110305	38830	11885	658	5000	3275	2280	1335
Consommation	-	-	-	-	90	5000	-	2280	170

Source : De Marcily, 2008.

d'eau est prélevé, on qualifie la région comme étant en état de pénurie physique, c'est-à-dire que l'extension de la production agricole est problématique. C'est le cas du nord de l'Afrique et du pourtour de la Méditerranée, mais aussi du bassin du fleuve Colorado aux États-Unis, du nord-ouest de la Chine et de la péninsule arabique. Dans certaines régions, on combat cette pénurie d'eau en pompant des nappes d'eau fossile, ou encore en dessalant de l'eau de mer.

FIGURE 5.1
Régions avec pénurie physique ou économique d'eau

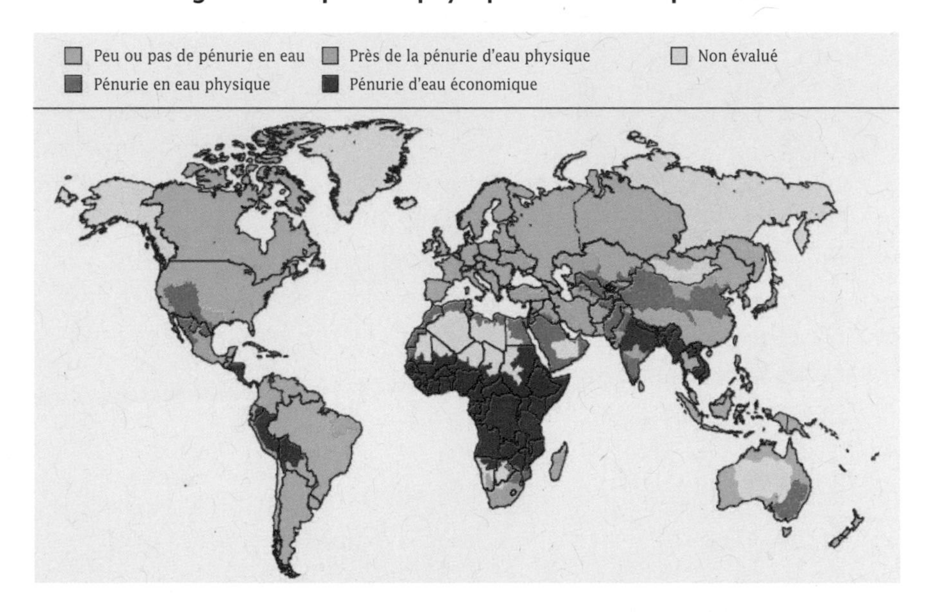

Peu ou pas de pénurie en eau: Ressources en eaux abondantes par rapport à l'usage avec moins de 25 % du débit des rivières prélevés pour des besoins de la population.

Pénurie en eau physique: Plus de 60 % des débits des rivières sont prélevés. Ces bassins souffriront de pénurie en eau physique dans un avenir proche.

Pénurie d'eau économique: Un manque de capitaux humains, institutionnels et financiers limite l'accès à l'eau, bien que, dans la nature, cette eau soit disponible localement pour répondre aux demandes de la population. Moins de 25 % de l'eau des rivières sont prélevés pour les besoins des habitants, mais la malnutrition sévit.

Source: De Marcily, 2008, d'après IWMI 2007.

Les régions où le prélèvement excède 60% du débit sont près de la pénurie physique. Des périodes de sécheresse plus intense ou encore une augmentation de la population pourraient faire passer ces régions dans la zone de pénurie physique. C'est particulièrement le cas au Sahel où l'eau est rare et la population en forte croissance. Cette situation peut être amplifiée par la production de cultures maraîchères exigeantes en eau comme les tomates, au Maroc, ou les melons d'eau, au Mali. Ces productions sont essentiellement destinées au marché européen et constituent dans les faits une exportation d'eau des zones les plus sèches vers les zones qui n'ont pas de problème d'approvisionnement hydrique.

Les régions où l'eau est abondante, mais qui manquent de moyens financiers et d'infrastructures pour produire leurs aliments, sont dites en pénurie économique, même si moins de 25% des débits est utilisé. Avec des investissements appropriés, ces régions pourraient être capables de produire suffisamment d'aliments pour leurs propres besoins et même en exporter. On observe cependant que c'est la seconde option qui est privilégiée lorsque les investissements sont de sources étrangères. C'est ainsi qu'on cultive du soya et du maïs dans des zones tropicales humides pour nourrir le bétail destiné à l'exportation.

Dans un contexte de réchauffement du climat qui nous amènerait vers + 4 °C à la fin du siècle, on s'attend à des précipitations plus violentes, donc à des crues exceptionnelles suivies d'un ruissellement intense et d'une évacuation rapide. Il y aura aussi des déplacements de la crue printanière, là où les précipitations tombent sous forme de neige l'hiver. En période de précipitations importantes, la capacité d'absorption des sols est vite saturée, ce qui amène l'eau vers les zones les plus basses et dans les cours d'eau de surface. Cela crée des inondations qui peuvent détruire des cultures et amplifier l'érosion des berges, surtout là où les bandes riveraines ne sont pas respectées.

Dans ce cadre, la création de barrages pour faire des retenues d'eau permettant d'étêter les crues de manière à soutenir les prélèvements en période d'étiage peut apparaître une mesure d'adaptation aux changements climatiques.

Si les débits sont suffisants, qu'on peut installer des barrages en haut de ruptures de pente et que les barrages peuvent avoir une capacité de stockage significative, ces stockages d'eau peuvent aussi actionner des centrales hydroélectriques. Toutefois, cela peut présenter quelques difficultés.

D'abord, le fait de créer des retenues d'eau augmente la part d'évaporation, ce qui constitue une perte nette qui peut avoir une certaine importance dans les climats chauds. Contrairement à l'évapotranspiration des forêts qui favorise les précipitations localement, l'eau qui s'évapore de petits ou moyens plans d'eau est souvent perdue dans le bassin versant dont elle provient.

Deuxièmement, le ralentissement du débit des rivières entraîne une sédimentation accrue, surtout quand il y a de l'agriculture dans le bassin versant en amont du barrage. Cela comble progressivement le réservoir et diminue la capacité de stockage initiale. Dans les milieux tropicaux, la végétation peut aussi recoloniser la zone de marnage pendant les étiages, ce qui se traduit par une charge organique supplémentaire lors de l'inondation, puisque la végétation est alors ennoyée. La faible quantité d'oxygène dissous dans les eaux chaudes favorise la décomposition anaérobique de cette matière organique, ce qui provoque l'émission de méthane et augmente la concentration de ce gaz à effet de serre dans l'atmosphère.

Enfin, les réservoirs d'eau stagnante, lorsque des populations vivent à proximité, peuvent être un vecteur de maladies hydriques. Les réservoirs peuvent aussi constituer une zone de prolifération d'insectes piqueurs capables de transmettre des maladies comme le paludisme ou des arbovirus.

Malgré tout, il n'en demeure pas moins que les retenues d'eau permettent de conserver une partie des précipitations qui, autrement, seraient rapidement évacuées vers la mer. Pour des populations en état de stress hydrique, il vaut mieux de l'eau, même de moindre qualité, que pas d'eau du tout.

Les prélèvements industriels d'eau peuvent être menacés en période de canicule ou de sécheresse. Par exemple, en France, pendant la canicule de l'été 2003, des centrales nucléaires ont été près de manquer d'eau de refroidissement, en raison des débits d'étiage trop faibles des rivières et de la demande combinée pour la ressource en eau. Comme on l'a vu à Fukushima, la situation peut dégénérer rapidement si les réacteurs surchauffent.

Par ailleurs, dans plusieurs procédés industriels, l'eau est nécessaire, mais peut être recyclée en majeure partie, comme c'est le cas pour les mines et les pâtes et papiers. Une adaptation aux changements climatiques serait d'introduire dans les processus de gestion des industries et des équipements qui nécessitent d'importantes quantités d'eau des procédures et des équipements permettant le recyclage et l'utilisation de l'eau en circuit fermé.

Enfin, l'eau douce sert aussi à la navigation fluviale. On transporte vers l'intérieur des continents d'énormes quantités de marchandises qui empruntent des fleuves ou des réseaux de canaux. La Voie maritime du Saint-Laurent–Grands Lacs qui permet de connecter le cœur du continent américain avec l'Atlantique en est un bon exemple.

De telles voies maritimes sont des chenaux calibrés en fonction de la dimension des navires qui les traversent. Souvent, la limite de flottaison des navires et la profondeur du chenal ne sont distantes que de quelques dizaines de centimètres. Il importe donc que le volume d'eau qui circule soit suffisant pour que les navires puissent passer à travers les chenaux et les écluses sans encombre. Ce débit est assuré par des flux d'eau contrôlés par des ouvrages de retenue.

En période d'étiage sévère, pour maintenir le niveau d'eau nécessaire à la navigation, la presque totalité du débit d'un fleuve peut être absorbée par le chenal de navigation, ce qui provoque une perte d'habitat pour les poissons et une transformation des écosystèmes ripariens. En amont, la nécessité de maintenir un volume d'eau suffisant pour la navigation peut amener une baisse d'eau dans les réservoirs. Les utilisateurs se verront alors privés de certains usages, comme la pêche ou la navigation de plaisance. Le maintien d'un niveau d'eau artificiellement bas dans les réservoirs peut aussi entraîner des pertes d'habitat pour la faune et des transformations des écosystèmes.

Niveau de la mer

Les deux tiers de la population mondiale vivent à proximité des côtes océaniques. Le relèvement du niveau de la mer est un problème immense auquel l'adaptation sera très difficile. Cela est dû au caractère implacable de la montée des eaux, à l'hétérogénéité géomorphologique des côtes et, surtout, aux infrastructures déjà construites près du niveau de la mer dans les grandes villes du monde. Le défi sera triple : empêcher l'invasion des terres par les eaux marines, évacuer les eaux de précipitations et de ruissellement provenant du continent et protéger les infrastructures ou les reconstruire hors d'atteinte des flots.

Les Pays-Bas sont en bonne partie (15 %) un territoire conquis sur la mer depuis le Moyen-Âge en utilisant la technique des polders. Les polders sont des terres protégées par un système de digues munies d'un système de pompage qui permet d'en évacuer l'eau, qu'elle provienne des crues ou des précipitations. Autrefois, le pompage était effectué à l'aide de moulins à vent ; aujourd'hui ce sont des pompes actionnées à l'électricité qui font le travail. Les polders peuvent être situés jusqu'à quatre ou cinq mètres sous le niveau de la mer.

Il est donc possible, en effectuant ce genre de travaux, de penser appliquer la technique des polders pour protéger des terres agricoles ou même certains quartiers urbains contre l'invasion marine. La technique des polders n'est cependant pas applicable partout. Elle nécessite des ouvrages de génie imposants et suppose une surveillance et un entretien méticuleux des installations, de manière à diminuer la vulnérabilité des gens qui vivent sur les terres gagnées sur la mer. Cela s'avère crucial, surtout lors d'épisodes de temps violents. À La Nouvelle-Orléans, une bonne partie des séquelles de l'ouragan Katrina en 2005 a été attribuée au manque d'entretien des systèmes de digues qui protégeaient la ville.

Construite dans une lagune, Venise tente de s'adapter à l'élévation du niveau de la mer ; des travaux gigantesques permettront de relever des barrières pour contrer l'inondation de la ville. Ces travaux d'ingénierie coûtent des milliards de dollars et leur efficacité est encore hypothétique advenant un relèvement de un mètre du niveau de l'océan. Naturellement, la réalisation de tels ouvrages dans les pays en voie de développement se heurte à un manque de capitaux. Il est clair que les populations qui vivent dans les zones basses de ces pays seront les plus vulnérables au relèvement de l'océan, l'issue la plus probable étant leur déplacement vers l'intérieur des terres.

Pour les îles, l'adaptation sera difficile et plusieurs populations n'auront d'autre choix que de quitter le territoire pour se relocaliser sur le continent. Ces relocalisations seront sans doute difficiles et obligeront les pays hôtes à mettre en place des mécanismes politiques et économiques pour accueillir harmonieusement les populations déplacées. Ces mouvements de population ne devraient pas être massifs, mais ils seront bien réels. On peut supposer qu'ils se produiront à la suite de tempêtes qui agiront à la fois comme événements déclencheurs, en raison des mortalités liées aux inondations ou à des épisodes d'érosion de grande amplitude.

La protection des berges contre l'érosion est en effet un énorme défi. Selon la géomorphologie des côtes (dépôts meubles, grès, socle rocheux), l'effet érosif des vagues et des courants marins pourra ou non être atténué ou contrôlé par des travaux de génie,

Encadré 5.4

UN EXEMPLE DE RELÈVEMENT DU NIVEAU OCÉANIQUE

Dans la région de Shédiac-Cap Pelé, au Nouveau-Brunswick, le niveau marin a monté depuis 6000 ans. Selon le marégraphe de Charlottetown, depuis environ 100 ans, le taux est d'environ 30 cm par siècle alors qu'il était plus bas, environ la moitié, selon les données couvrant les trois millénaires précédents.

La flèche était déjà en recul avant 1954, mais elle maintenait assez bien sa forme au cours des 2 ou 3 décennies précédant la photo de 1954. Après la Deuxième Guerre mondiale, en raison de la demande en agrégats à la hausse dans la région, on a extrait du sable des plages, dont à l'est de la flèche d'où vient la dérive littorale qui transfère du sable d'est en ouest, coupant ainsi la flèche d'une partie de son alimentation en sédiments. L'extraction de sable dans les plages a été interdite à partir de 1975 au Nouveau-Brunswick, mais on remarque qu'entre 1954 et 1982, la flèche a énormément rétréci, beaucoup plus vite qu'auparavant.

Entre-temps, les gens ont commencé à s'installer plus près de la côte. Sur la photo prise en 2001, on voit que la flèche a disparu ; cela s'est fait notamment à la suite de plusieurs tempêtes, en particulier celles de la fin des années 1980. En effet, la période 1986-1989 a connu, chaque année, au moins une tempête majeure ; il n'y en avait pas eu d'aussi intenses depuis 1976-1977. Celle de 1988 a créé une brèche dans la flèche, qui s'est graduellement agrandie, le sable remplissant la lagune derrière la flèche. On constate aussi que les bâtiments sont plus nombreux et souvent près de la côte.

Cette situation illustre bien la combinaison d'effets de phénomènes naturels et humains, et, dans le contexte des zones côtières, le phénomène de recul de la côte en même temps que « l'avancée » humaine vers le littoral.

Avec la collaboration d'André Robichaud, Université de Moncton, Campus Shippagan

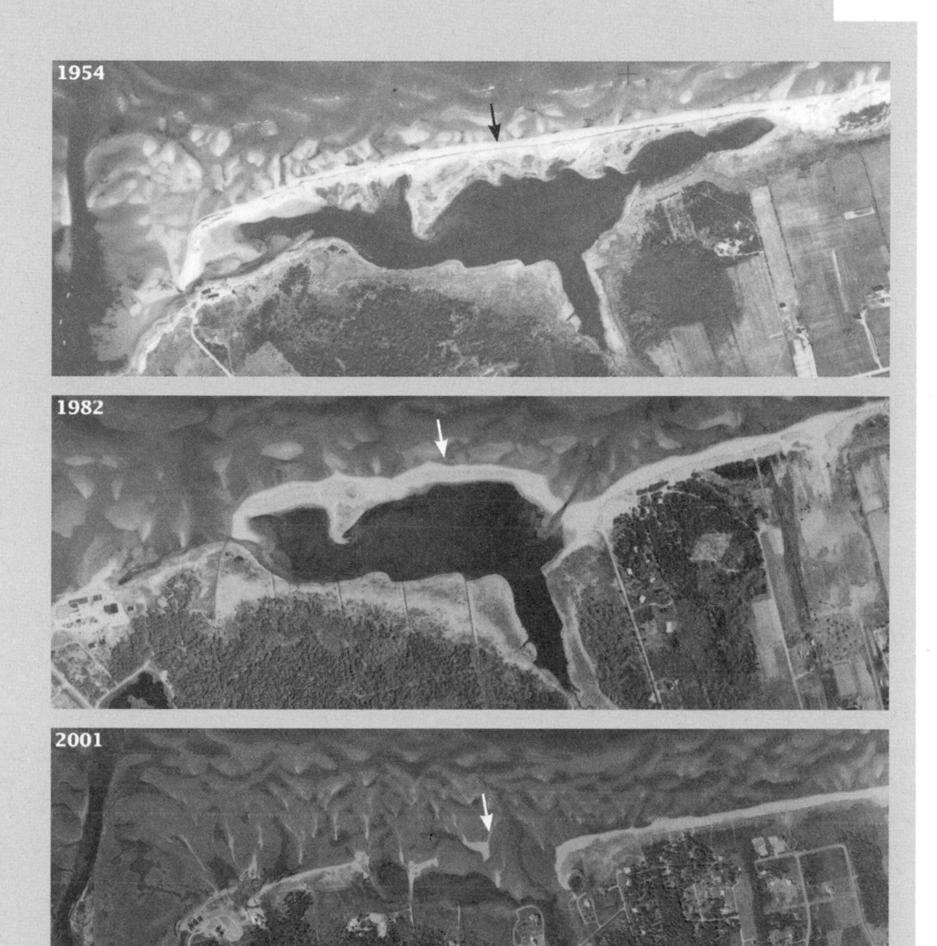

Photos aériennes de la flèche littorale de Robichaud, village situé entre Shédiac et Cap-Pelé, au sud-est du Nouveau-Brunswick. Prises en 1954, 1982 et en 2001, ces photos révèlent qu'au cours de cette période, la flèche littorale a rétréci puis disparu.

Photos : Photothèque du ministère des Ressources naturelles du Nouveau-Brunswick. 1954 : #645-4610 2889-150 ; 1982 : #82507-160 ; 2001 : #01501-58 comme des brise-lames, des épis ou de l'empierrement. Cependant, la dynamique côtière est un sujet complexe qui demande des études approfondies. En effet, les interventions humaines ont souvent des effets contre-intuitifs, par exemple en déplaçant les zones d'érosion d'un point à un autre de la côte. Elles peuvent aussi causer des dégradations de l'habitat aquatique, sans compter les aspects esthétiques discutables de certains ouvrages.

Dans les régions nordiques, l'érosion des côtes s'amplifie rapidement avec le réchauffement climatique, en raison de l'absence de glaces côtières au moment des grandes tempêtes hivernales. Par exemple, il y a encore peu de temps, sur la côte nord du Saint-Laurent, la glace se formait à la surface de l'eau près des côtes, vers la fin de décembre. Cette couche de glace agissait comme un protecteur naturel des zones meubles de la côte (plages, falaises sablonneuses, etc.). Lors des grandes tempêtes hivernales, les vagues se brisaient sur la glace et s'atténuaient avec la distance pour arriver à la côte sans énergie. En l'absence de cette protection, les vagues soulevées par les vents de tempête peuvent s'attaquer directement au bas des falaises, surtout à marée haute. Un relèvement, même mineur, du niveau de l'océan favorise chaque année un recul des zones meubles de la côte. Ce genre de situation est extrêmement difficile à contenir et l'adaptation dans ce cas se limite le plus souvent à déplacer les routes, les résidences ou autres infrastructures construites dans une zone condamnée.

En somme, l'adaptation à l'augmentation du niveau de la mer demandera d'énormes efforts de génie, des investissements majeurs pour les villes côtières et des déplacements de population. Comme elle sera progressive, mais soutenue, et que son rythme est actuellement difficile à anticiper, il est probable que les gouvernements tenteront d'économiser sur les travaux. Ils seront donc plus en mode réaction qu'en mode anticipation, du moins d'ici à 2050. Cette prédiction est basée à la fois sur la réticence des États à augmenter la dette et sur leur propension à réagir seulement après des catastrophes.

Depuis le rapport Stern, en 2006, divers rapports ont anticipé les coûts associés à un réchauffement climatique. Comme nous l'avons vu au chapitre 3, les dirigeants de la majorité des pays ont hésité à prendre des mesures efficaces pour limiter les émissions de gaz à effet de serre. On peut facilement imaginer que l'investissement pour l'adaptation sera traité de la même façon, jusqu'à ce qu'il soit trop tard pour faire autrement.

Les forêts

Les forêts du monde sont menacées par de multiples pressions résultant des forces directrices qui caractérisent l'époque actuelle (Villeneuve, 2012). Ces pressions sont en partie associées à l'expansion des besoins humains à l'échelle locale et internationale de manière directe, comme les activités de prélèvement, mais aussi à la déforestation liée à l'agriculture, à l'extraction des ressources minières, à la production d'énergie et à l'urbanisation. On trouve aussi des causes de déforestation et de dégradation indirectes, comme les changements climatiques, les précipitations acides et les changements du régime hydrique.

Les prévisions du réchauffement anticipé au 21e siècle demanderont paradoxalement à la fois une adaptation de l'activité humaine pour la conservation des massifs forestiers et un usage accru des bénéfices tangibles et intangibles des forêts. Il s'agit, encore une fois, d'un immense défi, car dans l'économie mondiale actuelle, la forêt est exploitée comme un stock et non comme un flux de ressources. En plus, seuls les services d'approvisionnement sont reconnus par l'économie alors que la forêt fournit des services de régulation et culturels irremplaçables[3].

Les forêts sont l'un des principaux stocks de carbone sur la surface continentale. Il importe donc d'éviter que ce stock ne

3. Un livre, *Forêts et humains, une communauté de destins*, a été produit pour l'Organisation internationale de la Francophonie par une équipe internationale dirigée par l'auteur à l'occasion du Sommet Rio+20 en 2012. Il peut être téléchargé gratuitement à http://synapse.uqac.ca/sommet-rio-20/forets-et-humains-2/.

s'amenuise et rejoigne le réservoir atmosphérique, soit par le changement d'usage des terres (déforestation) ou par des incendies. Parmi les outils utiles pour atteindre cet objectif se trouvent la conservation d'espaces forestiers par la création d'aires naturelles protégées, l'agroforesterie, la création de nouvelles forêts (afforestation), ainsi que des mécanismes, comme la REDD (réduction des émissions liées à la déforestation et à la dégradation des forêts) ou encore le Paiement pour services écosystémiques (PSE).

Il faut aussi mettre en place, dans les grands massifs forestiers, des systèmes de lutte intégrée contre les insectes et maladies des arbres et des systèmes efficaces de prévention et de lutte contre les incendies forestiers. En limitant les pertes associées à ces événements qu'on suppose plus fréquents dans un contexte de réchauffement climatique, ces stratégies constituent des mesures d'adaptation.

De l'autre côté de l'équation, il convient d'augmenter le stock de carbone immobilisé dans les produits du bois, en substituant du bois récolté de manière à respecter le taux de renouvellement des écosystèmes à d'autres matériaux dans le domaine de la construction résidentielle et commerciale. La substitution du béton ou de l'acier dans la construction contribue à éliminer d'importantes sources d'émissions tout en séquestrant le carbone atmosphérique capté par les arbres durant leur croissance pour une durée qui peut excéder le siècle. On verra dans le chapitre suivant que l'utilisation durable du matériau bois correspond à une forme d'émissions négatives qui peut contribuer à ralentir l'évolution de la concentration de CO_2 dans l'atmosphère.

Actuellement, comme l'indique la figure 5.2, la déforestation se produit surtout en milieu tropical. Au contraire, dans les pays industrialisés, les forêts reprennent un peu du terrain perdu. Cette tendance masque une certaine réalité d'artificialisation des massifs forestiers par les plantations à haut rendement ou la transformation des forêts tropicales humides par la plantation de palmiers à huile et d'hévéas. Il faut noter toutefois que le diagramme ne tient pas compte des systèmes agroforestiers qui peuvent stocker des quantités intéressantes de carbone.

Les pertes annuelles de superficies forestières en zone tropicale constituent à elles seules près de 15% des causes de l'augmentation des gaz à effet de serre dans l'atmosphère. Il convient donc d'intégrer la conservation des forêts dans une stratégie d'adaptation aux changements climatiques qui permettrait à la fois de limiter les sources d'émissions et de contribuer à l'adaptation des écosystèmes forestiers au nouveau climat. Pour cela, il faut changer notre vision traditionnelle de la forêt, de ses usages et de la conservation de la nature.

FIGURE 5.2

Évolution des superficies forestières entre 1990 et 2010

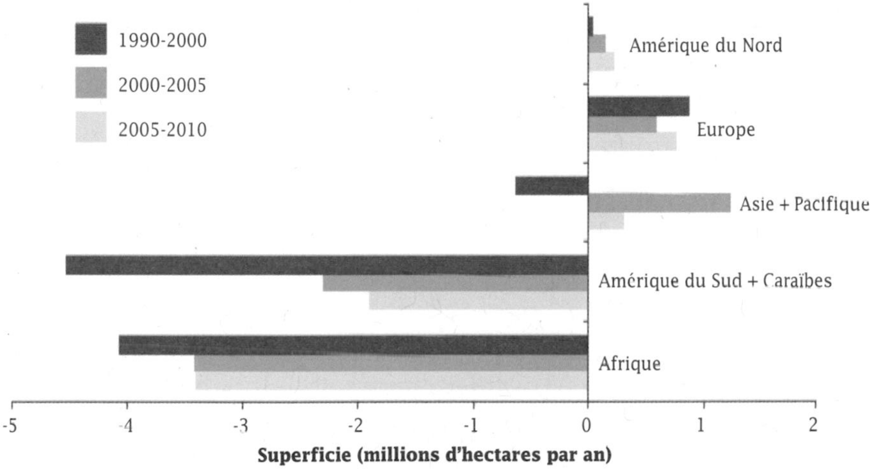

1990-2000
2000-2005
2005-2010
Amérique du Nord
Europe
Asie + Pacifique
Amérique du Sud + Caraïbes
Afrique
-5 -4 -3 -2 -1 0 1 2
Superficie (millions d'hectares par an)

Source: FAO, dans Villeneuve, 2012.

La vision traditionnelle de la conservation consiste à implanter des aires protégées là où il reste des écosystèmes forestiers d'intérêt. Malheureusement, si cette stratégie réussit assez bien dans les pays industrialisés où l'État dispose de moyens pour faire respecter ces espaces, il en va tout autrement dans les pays en voie de développement.

Par exemple, la surface officielle d'aires protégées en Côte d'Ivoire atteint 24 % du territoire, ce qui dépasse largement les objectifs de l'Union internationale pour la conservation de la nature (UICN) qui espère qu'on atteigne 17 % d'aires protégées en 2020. Malheureusement, l'incapacité du pays à contenir les activités humaines dans les territoires protégés a fait que ces territoires sont aujourd'hui à peu près totalement déboisés et dégradés, du fait que des populations agricoles et même des entreprises s'y sont établies pour couper les arbres et y cultiver le café et autres denrées d'exportation. La simple désignation d'aires protégées n'est donc pas une panacée, même si elle peut s'intégrer dans une stratégie plus large d'adaptation aux changements climatiques.

Pour que les aires protégées soient vraiment efficaces dans ce cadre, il faut qu'elles soient pensées en réseaux nord-sud et connectées entre elles par des corridors forestiers permettant la migration des espèces. En effet, comme nous l'avons vu au chapitre 4, un des impacts attendus du réchauffement est une migration latitudinale et altitudinale des espèces animales et végétales, en fonction de leur tolérance aux saisons froides.

Ce phénomène demandera un changement important dans les stratégies de conservation des pays, mais aussi une coordination internationale permettant, par exemple, des réserves forestières transfrontalières. Ce genre d'ajustement affectera non seulement les aires protégées, mais aussi les autres activités humaines en territoire forestier au cours du prochain siècle. Un bon exemple de ce type d'initiative se trouve dans le corridor des Appalaches, entre les États-Unis et le Québec. En Europe, des corridors de forêts ont aussi été établis entre des aires protégées des différents pays sur un axe sud-nord allant de la Méditerranée à la Scandinavie. Ce type d'initiative demande une coopération entre les pays, les régions, les entreprises et les propriétaires terriens pour se maintenir et jouer un rôle efficace dans la migration des espèces.

Les isothermes, c'est-à-dire les lignes moyennes de température vont se déplacer de centaines de kilomètres au cours des prochaines décennies. Comme il est très peu probable que les arbres réussiront à suivre la vitesse d'évolution de la température, il faudra probablement effectuer des migrations assistées à mesure que les conditions deviendront favorables pour certaines espèces, de manière qu'elles soient dans leur optimum climatique à terme. La migration assistée consiste à planter aujourd'hui des arbres qui ne sont pas présents, ou des arbres indigènes issus de vergers à graines[4] situés plus au sud, dans des localisations où ils seront, dans 30 ou 50 ans, mieux adaptés au climat que les souches locales.

Dans certains cas, cela permettra de maintenir des activités économiques. Dans d'autres, il s'agira de sauvegarder certaines composantes de la biodiversité. Par exemple, l'érable à sucre est un arbre qui est présent en Amérique du Nord, du milieu des États-Unis jusqu'au 49e parallèle. C'est l'arbre dont on extrait la sève pour produire le sirop d'érable, au printemps. Cette activité ne peut pas se pratiquer sur toute l'aire de répartition de l'espèce, car elle dépend de conditions climatiques particulières comportant la présence de neige au sol et une alternance de gel-dégel pendant les semaines de production. Des prévisions faites pour le territoire du Québec où se fait 80 % de la production mondiale de sirop d'érable montre que les érablières du sud du Québec n'auront plus ces conditions en 2050. Du moins, cela ne se produira pas chaque année. Pour maintenir la production de sirop d'érable à cette époque, il conviendrait donc d'implanter tout de suite des érablières plus au nord.

Dans des zones comme la taïga ou la toundra arctique, des interventions devront être faites pour favoriser le boisement, si l'on veut que des forêts s'y développent. Comme on le verra au

4. Les vergers à graines sont des portions de forêts naturelles conservées dans des zones climatiques représentatives pour la qualité des arbres qu'on y trouve. Ces arbres sont des semenciers qui servent à approvisionner les pépinières pour la production des plants qui serviront au reboisement dans les territoires à proximité. On s'assure ainsi de conserver la spécificité génétique des peuplements forestiers d'une provenance donnée.

prochain chapitre, il y a là une possibilité de conjuguer adaptation et mesures d'atténuation.

Pour les zones tropicales, la REDD est une mesure qui permet ce genre de combinaison. Il s'agit de faire, en forêt tropicale, des interventions qui maximisent l'absorption de carbone tout en adaptant l'écosystème pour une plus forte résilience en conditions de changements climatiques. Ce type d'intervention, tout comme le paiement pour les services écosystémiques, permet d'assurer une conservation active, tout en transférant dans les pays en développement des fonds suffisants pour le faire, à partir des bénéfices climatiques escomptés par les pays industrialisés. Même si une étude récente rassure sur la capacité des forêts tropicales humides de résister aux changements climatiques d'ici à 2100 (Huntingford et collab., 2013), notre relation avec les forêts tropicales et avec les gens qui y vivent devra changer, dans une perspective d'adaptation aux changements climatiques (Villeneuve, 2012).

L'agroforesterie consiste à produire des rendements agricoles sous couvert arboré. Ces productions peuvent soit venir de l'arbre lui-même sans avoir à le couper (graines, fruits, écorce, sève) ou encore de cultures qui poussent sous le couvert des arbres, comme le café ou différentes plantes médicinales. En intégrant la valeur du carbone séquestré ou maintenu dans l'écosystème dans des cultures sous couvert arboré, par exemple les jardins créoles, on peut à la fois favoriser cette pratique, soutenir l'adaptation des populations qui vivent de ces cultures et augmenter les revenus qu'elles tirent de leurs exploitations.

Dans les zones tropicales humides et sèches, le développement de ce type d'agriculture peut permettre de répondre aux besoins des populations locales, même si elles ne sont pas économiquement compétitives avec des transformations plus radicales de l'écosystème, par exemple les cultures de grande surface. Il faut donc trouver des moyens de donner de la valeur ajoutée au premier type de culture, même si son rendement immédiat est moins grand. En gros, le système économique devra être adapté pour reconnaître les multiples valeurs issues des forêts habitées.

Que ce soit pour les forêts « sauvages » ou anthropisées à divers degrés, la surveillance sera de mise dans une stratégie d'adaptation aux changements climatiques. En effet, les arbres seront soumis à divers stress qui vont largement effacer les effets bénéfiques d'une présumée fertilisation par le niveau plus élevé de CO_2. La surveillance et la lutte contre les incendies et les épidémies d'insectes défoliateurs, le contrôle des espèces envahissantes, les interventions permettant de maintenir ou d'optimiser la santé des peuplements avant leur exploitation sont des éléments qui devront être encouragés partout, dans tous les types de forêts. La récupération de la biomasse forestière résiduelle et son utilisation systématique comme source d'énergie renouvelable en substitution aux carburants fossiles sont aussi des pistes d'adaptation intéressantes qui offrent également un potentiel d'atténuation des changements climatiques.

Fourniture énergétique

Plus de 80% de l'énergie primaire consommée aujourd'hui sur la planète est d'origine fossile (charbon, pétrole, gaz naturel). C'est la principale source des gaz à effet de serre qui affectent l'atmosphère et le climat. Dans le domaine énergétique, l'adaptation prendra plusieurs formes, car il faudra augmenter de manière très significative la proportion de la consommation d'énergie finale qui provient, soit de sources d'énergie renouvelable, soit de sources fossiles « épurées ». Cela n'ira pas sans peine, car les sources renouvelables d'énergie ne sont pas toujours faciles à déployer et à gérer et reviennent souvent plus cher que le service équivalent produit avec de l'énergie fossile. Tant que l'économie mondiale ne reconnaîtra pas un prix pour les émissions de gaz à effet de serre, sous forme d'une taxe carbone et par des mécanismes de marché universels, il sera difficile pour les filières de production d'énergie renouvelable d'augmenter significativement leur part du marché.

En 2011, le GIEC a publié un rapport spécial sur les filières d'énergie renouvelable et leur potentiel au cours des prochaines décennies pour remplacer les carburants fossiles dans une perspective de lutte contre les changements climatiques (Edenhofer et collab., 2011). On y constate d'abord qu'il y a loin du rêve à la réalité. L'adaptation de la fourniture énergétique mondiale dans les domaines de l'électricité, des carburants et de la chaleur pour faire une place plus grande aux filières d'énergie renouvelable se heurte à de nombreux obstacles en termes de puissance, d'intégration aux réseaux et de densité énergétique.

Il existe différentes manières de contourner ces limitations, mais la complexité de la mise en œuvre, les limitations techniques et le manque d'infrastructures imposent un fardeau financier qui rend l'énergie renouvelable moins compétitive en termes économiques. Nous verrons cela plus en détail au prochain chapitre.

Toutefois, pour les installations de production d'électricité de source renouvelable comme l'hydraulique ou l'éolien, des mesures seront à prévoir pour s'adapter à une plus grande variabilité climatique. Par exemple, pour qu'une éolienne fonctionne, il faut des vents suffisamment puissants et réguliers. Lorsque la vélocité des vents excède un certain optimum, les turbines doivent être arrêtées pour éviter des bris. Or, il est prévu que l'incidence des temps violents augmentera dans un climat qui se réchauffe. Ce genre de variation peut rendre moins intéressants, dans 30 ans, certains sites qui nous apparaissent aujourd'hui idéalement adaptés à l'implantation d'un parc éolien.

Dans le domaine hydraulique, les changements climatiques influeront sur le régime des crues et l'évaporation. Pour les centrales au fil de l'eau, la production d'électricité sera donc limitée à la puissance de turbinage qui peut être utilisée en période d'étiage. En période de crue, l'eau excédentaire sera perdue. Pour les centrales qui ont de vastes réservoirs, la combinaison d'une évaporation accrue et de périodes de faible hydraulicité peut causer des pénuries selon la capacité de stockage plus ou moins importante des réservoirs.

Tant au niveau de la filière hydraulique que de la filière éolienne, un bon système de prévisions climatiques régionales permettra de raffiner la gestion des ouvrages et d'optimiser la production électrique. Le développement de ces modèles régionaux du climat, capables de travailler sur des tuiles de 200 à 400 kilomètres carrés est une mesure d'adaptation dans le secteur de l'énergie renouvelable.

Il faudra cependant augmenter de manière considérable la proportion de l'approvisionnement énergétique issue de sources renouvelables. Cela ne pourra se faire sans des efforts considérables commencés dès maintenant et maintenus à long terme pour mieux comprendre les caractéristiques des filières de production, autant en ce qui concerne leur disponibilité que l'efficacité de leur exploitation. Naturellement, il faudra aussi des investissements majeurs dans les infrastructures, la recherche et développement tout en tenant compte des aspects sociaux et environnementaux qui peuvent résulter de la mise en valeur de ces potentiels. Il faudra aussi intégrer les effets anticipés des changements climatiques à la conception des ouvrages. Ainsi, comment peut-on construire une usine marémotrice qui produira toute sa vie utile dans un contexte de montée du niveau des océans ?

L'un des aspects liés à l'adaptation des systèmes de production énergétique incluant une plus forte part d'énergie renouvelable est la production décentralisée. Actuellement, dans les pays industrialisés, le modèle dominant de la fourniture électrique est basé sur des monopoles, soit nationaux ou régionaux, qui livrent l'énergie au consommateur final. Cette façon de faire est sans doute efficace et permet de desservir les collectivités et les industries sur l'ensemble d'un territoire à un prix uniforme décidé généralement par l'État ou par une régie. Les réseaux peuvent être privés ou publics et les producteurs peuvent être mis en compétition pour alimenter un distributeur unique.

La production décentralisée permet à de petits producteurs indépendants, ou même à des citoyens, de produire leur propre électricité et de vendre leurs excédents sur le réseau. Ce genre d'accommodement favorise la production d'énergie renouvelable de petite puissance qui peut tirer avantage des conditions locales ou encore la production d'énergie sur une base communautaire. Nous en dirons un peu plus sur ce potentiel au prochain chapitre.

La récupération de la chaleur est un enjeu d'efficacité énergétique dont l'importance est souvent négligée. Cela peut se faire en améliorant l'efficacité des systèmes de production d'électricité utilisant la filière thermique. On peut même récupérer une certaine quantité de chaleur perdue par des procédés industriels pour alimenter des réseaux de vapeur pour le chauffage domestique ou institutionnel. De même, les besoins énergétiques pour la climatisation peuvent être réduits dans les pays qui connaissent des hivers froids en utilisant des techniques permettant de refroidir l'air comme le «puits canadien[5]» ou encore des batteries thermiques qu'on fait congeler en hiver pour rafraîchir l'air en été.

L'ensemble des pistes pour améliorer l'efficacité énergétique est immense et nous en parlerons plus en détail au prochain chapitre. En termes d'adaptation majeure de nos sociétés aux changements climatiques toutefois, l'amélioration de la performance des systèmes d'alimentation énergétique et la gestion des réseaux pour accommoder une plus grande part de sources d'énergie renouvelable sont des pistes majeures. Cela s'applique aussi bien dans les pays industrialisés que dans les pays émergents et d'autant plus dans les pays en voie de développement, dont l'infrastructure est encore à créer.

5. Le «puits canadien» est un échangeur thermique passif air-sol qui permet de rafraîchir l'air en le faisant circuler dans le sol avant de l'introduire dans le bâtiment.

Malheureusement, dans le cours normal des affaires, l'innovation a un coût. Comme l'énergie est l'ultime produit de commodité, chacun choisit le prix le plus bas pour un service énergétique équivalent. Dans ce modèle, les combustibles fossiles sont imbattables. Ils jouissent d'importantes subventions, d'infrastructures de distribution universelles et d'une avance technologique vieille quelquefois de plus d'un siècle. Pour rétablir les règles du jeu économique, les organisations internationales exhortent les pays à mettre fin au régime de subventions accordées aux filières fossiles et à mettre en œuvre un marché du carbone, qui représenterait l'ultime adaptation de l'économie mondiale aux changements climatiques comme nous le verrons à la prochaine section.

L'économie du carbone

Le problème des précipitations acides est connu depuis plus de 60 ans. Il est causé principalement par les émissions d'oxydes de soufre et d'oxydes d'azote résultant de la combustion du charbon dans des centrales thermiques ou dans d'autres procédés industriels, comme la sidérurgie ou le raffinage du cuivre et du nickel. Ce problème environnemental a été au cœur d'un contentieux important entre le Canada et les États-Unis, dans les années 1970 et 1980.

En effet, les émissions acides en provenance des États-Unis contribuaient fortement à l'acidification des plans d'eau au Canada, mais aussi dans l'Est américain. Ce phénomène de pollution transfrontalière ayant été bien étudié dans les années 1960 en Suède, il y avait peu d'échappatoires pour établir la responsabilité des pollueurs. Mais, comme le charbon à forte teneur en soufre était le moins cher, les producteurs d'électricité du Midwest américain ne souhaitaient pas augmenter leurs coûts, sous prétexte de protéger l'environnement.

C'est alors que l'Agence de protection de l'environnement des États-Unis a proposé de récompenser les industriels qui réduiraient le plus leurs émissions en créant un marché des réductions d'émissions acides. Ainsi, les installations désignées se voyaient imposer un quota d'émissions annuel constituant un plafond. Si l'entreprise souhaitait émettre plus que son plafond, elle devait acheter des droits d'émissions à d'autres installations réglementées. De cette façon, les meilleurs joueurs étaient récompensés et les moins performants devaient débourser. La gageure était simple. À mesure qu'on allait abaisser le quota global d'émissions, les entreprises devraient payer de plus en plus cher leur droit d'émettre, créant ainsi un incitatif au changement de combustible ou encore à l'installation d'épurateurs d'air efficaces. Comme d'autres commodités, les droits d'émission se transigeaient sur le parquet de la Bourse.

Ce système de plafonnement et d'échange de droits ayant fonctionné à la satisfaction du législateur et des utilisateurs, c'est la solution qui fut proposée (et presque imposée) par les États-Unis lors de la négociation du Protocole de Kyoto, en 1997. L'Union européenne préconisait plutôt l'imposition d'une taxe universelle sur les émissions de gaz à effet de serre. L'aversion des Américains pour les taxes était sans doute une bonne raison pour proposer cette alternative. Cependant, dans la réalité, le marché du carbone à l'échelle mondiale a toujours beaucoup de difficulté à se mettre en place de façon efficace.

Mais, pourquoi vouloir imposer un prix aux émissions de gaz à effet de serre ? Dans les faits, il s'agit ici d'appliquer l'un des principes du développement durable qui est l'internalisation des dommages environnementaux dans le prix des produits et services. C'est probablement le plus grand défi de l'adaptation aux changements climatiques. Le système économique mondial étant ce qu'il est, avec ses simplifications, ses échappatoires et ses mouvements spéculatifs, la reconnaissance d'une responsabilité climatique ne sera pas une mince affaire. C'est ce que montrent déjà les résultats très mitigés de 15 ans d'expérimentation des mécanismes de flexibilité du Protocole de Kyoto.

Pourtant, si on ne réussit pas à imputer une charge financière proportionnelle aux émissions de gaz à effet de serre dans le prix des biens et services, la partie est perdue. En effet, la demande croissante pour des biens de consommation, couplée à l'augmentation de la richesse et à la pression démographique, ne peut être vivable que si les meilleures options de production sont systématiquement privilégiées. Pour cela, il faut que les meilleures options soient aussi les moins chères. C'est le secret d'une transition vers une « économie verte » telle que souhaitée à la conférence Rio+20, en juin 2012.

Trois problèmes se posent pour en arriver à gérer cet objectif : il faut d'abord établir l'empreinte carbone des produits et services, la taxer proportionnellement à l'existence d'alternatives moins polluantes et créer les règles d'un marché mondial du carbone efficace et universel. Le premier est le plus facile à résoudre, malgré un obstacle majeur qui concerne la traçabilité des chaînes de production. Le second réfère à la volonté des États, ce qui n'est pas gagné, loin de là. Le troisième relève d'une utopie. Voyons pourquoi.

L'empreinte carbone est une forme d'analyse de cycle de vie simplifiée dans laquelle on établit, pour chaque étape du cycle de vie d'un produit ou service, le total des émissions de gaz à effet de serre en équivalent CO_2. Pour déterminer l'empreinte carbonique, des normes comme ISO 14067 peuvent être suivies de manière que l'information soit comparable d'une étude à l'autre. S'il est relativement facile de définir l'empreinte carbone d'un produit simple, comme une solive de bois ou un kilo de fraises locales, cela devient beaucoup plus complexe quand il s'agit d'un kilowattheure ou carrément hasardeux, s'il s'agit d'un produit dont les composantes proviennent de divers pays, comme un téléphone cellulaire. Dans tous les cas, il faut avoir des données pertinentes sur les composantes du produit. C'est souvent difficile, soit en raison de secrets industriels, soit parce que les données ne sont tout simplement pas connues et qu'on doit se rabattre sur des estimations.

L'empreinte carbone est un outil précieux, mais à condition que les acheteurs et les donneurs d'ordres y accordent une valeur. Ainsi, lorsque vient le moment de faire un appel d'offres ou un choix de produit, si l'acheteur accorde un certain pointage à une empreinte carbone faible, cela peut avantager des producteurs qui ont une fourniture électrique à forte proportion d'énergie renouvelable. Cette mesure n'est toutefois pas généralisée et comporte des limitations pour les petites entreprises, car ce type d'études demande des travaux qui peuvent se chiffrer en dizaines de milliers de dollars pour un seul produit.

En effet, il faut non seulement que l'étude soit faite en suivant la norme, mais elle doit aussi être vérifiée par une tierce partie compétente pour s'assurer de la véracité des prétentions du fabricant. Malgré cela, il s'agit d'un exercice intéressant qui permet, par exemple, à un manufacturier d'identifier les « points chauds », c'est-à-dire les processus dans la chaîne de production où se concentre la plus grande partie des émissions. C'est naturellement par ces points chauds qu'on peut commencer à modifier les pratiques et à innover pour réduire les émissions. Il s'agit donc d'un outil pertinent dont il faudrait généraliser l'usage dans une économie mondiale soucieuse du carbone.

Il reste toutefois que certaines émissions ne peuvent pas être réduites parce qu'elles résultent du procédé de fabrication lui-même. Ainsi, pour produire une tonne de béton, il faut fabriquer le clinker. Cela ne peut se faire qu'en chauffant du $CaCO_3$ pour le transformer en CaO. Il y a donc une émission d'une molécule de CO_2 pour chaque molécule de CaO obtenue et cela, en plus des émissions liées aux combustibles nécessaires pour produire la chaleur. Le même cas de figure se produit avec la fabrication de l'aluminium, où on réduit par électrolyse l'alumine (Al_2O_3) en aluminium métallique (Al) avec des anodes de carbone, ce qui produit pour chaque tonne d'aluminium 1,2 tonne de CO_2 par la seule réaction chimique. Ces émissions de procédé devraient être soumises à une taxe sur le carbone si l'on veut internaliser les dommages liés aux changements climatiques dans le coût de ces produits, car les mécanismes de marché du carbone sont inefficaces à ce niveau.

Les taxes sur le carbone pourraient paraître une manière très simple d'appliquer une valeur aux dommages climatiques d'une activité. Il suffit de comptabiliser l'usage d'un carburant ou la production d'une usine pour obtenir, par une simple multiplication, la valeur à payer. Malheureusement, la chose n'est pas si simple. Si elle peut s'appliquer sur le plan national assez aisément, lorsque vient le temps d'appliquer une taxe sur le carbone à des produits d'exportation, un gouvernement diminue la compétitivité internationale de ses entreprises. En effet, que la taxe soit absente d'un pays qui produit le même genre de bien ou qu'elle soit fixée à un niveau inférieur accordera un avantage de marché au bien le moins taxé.

Dans le contexte d'une économie mondialisée, une taxe sur le carbone devrait être universelle pour être vraiment efficace. Or, les pays émergents et les pays en voie de développement considèrent que la lutte contre les changements climatiques ne devrait pas nuire à leur progrès économique. On comprend dès lors la réticence des États-Unis à adopter une telle taxe ou même des objectifs contraignants, compte tenu du transfert massif des activités industrielles que cela pourrait provoquer. Les affaires n'ont pas de sentiments. Cependant, pour certains produits comme les carburants, il serait relativement facile de fixer une redevance universelle dédiée à la lutte contre les changements climatiques. Même si plusieurs juridictions comme la Colombie-Britannique ont commencé à appliquer modestement des taxes sur le carbone, il est peu vraisemblable qu'on aille jusque-là.

Il reste donc le marché du carbone basé sur des quotas d'émissions comme ultime outil pour intégrer les dommages climatiques à l'économie mondiale. Dans le Protocole de Kyoto, ce marché devait se déployer entre l'ensemble des signataires assujettis ou non à une cible de réduction de leurs émissions. Dans les faits, seul le marché européen s'est réellement mis en place comme prévu et quelques marchés régionaux se sont déployés timidement et tardivement en Australie et en Amérique du Nord.

En revanche, le Mécanisme pour un développement propre (MDP) destiné à permettre aux pays en développement de générer des crédits compensatoires pour pallier la carence des pays développés à atteindre leurs cibles a connu un certain succès. Au bout du compte, cependant, après la première période de référence du Protocole de Kyoto, rien ne semble plus aller pour les marchés du carbone. On verra au chapitre suivant que cela rend difficile, voire impossible, la mise en place de moyens efficaces pour contrôler et réduire le niveau de nos émissions.

Il faut d'abord comprendre ce qu'on transige sur un marché du carbone. L'unité de référence est la tonne de CO_2 équivalent. L'idée est de plafonner le nombre absolu de ces unités qui peuvent être émises dans une année par l'ensemble des sources d'émissions d'un pays (production d'électricité, industrie, transport, chauffage, climatisation, agriculture, gestion des déchets, déforestation). Cela oblige, dans un premier temps, à établir un inventaire normalisé (ISO 14064-1) des émissions par source. Ensuite, on fixe un plafond, soit globalement (par exemple 94 % des émissions de 1990, pour une année donnée ou par intensité (tonnes d'émissions par tonne de production). Les cibles peuvent aussi être modulées par secteur d'activités.

En théorie, l'augmentation de la population et la croissance économique tendent à pousser les émissions à la hausse. Il y a donc une pression pour les industriels à se procurer des permis qui vont leur permettre de couvrir leurs émissions réelles ou encore de faire des investissements pour transformer leur production de manière à émettre moins de gaz à effet de serre par unité de production et, idéalement, en absolu.

À la fin de l'année, ceux qui auront dépassé leur quota d'émissions devront acheter les unités manquantes à ceux qui ne l'ont pas utilisé. Fort bien, mais, puisque le gouvernement distribue des permis en fonction des niveaux d'émissions historiques, que se passe-t-il si on connaît une récession ? C'est simple. Tout le monde émettant moins que son allocation, les permis ne trouvent plus preneur et leur prix baisse. C'est la dure loi de l'offre et de la demande à laquelle obéissent tous les marchés du monde. C'est pourquoi il est utopique, voire idéologique, de laisser au seul marché la responsabilité de faire baisser les émissions. Il faut des règlements, des taxes et des incitatifs pour encadrer et complémenter le marché.

Encadré 5.5

UNE TONNE DE CO_2 ?

L'unité de référence sur les marchés du carbone est la tonne de CO_2 équivalent. Qu'est-ce que cela veut dire ? Dans les faits, il s'agit d'une unité d'échange normalisée qui peut être émise par une autorité accréditée et échangée contre de l'argent ou d'autres valeurs, à l'intérieur d'un marché boursier. Le prix est réglementé par un plancher (minimum de mise en vente) ou encore établi selon l'offre et la demande, sans plancher ni plafond.

Par exemple, sur le marché EU-ETS (European Union Emissions Trading Scheme), on trouve trois sortes de produits : les EUA, les URCE et les URE.

Les EUA (European Union Allowances) sont des permis d'émission distribués par les États à leurs industriels soumis à des cibles d'émissions. Une partie de ces allocations peuvent être distribuées gratuitement et le reste mis aux enchères. Le total de ces allocations diminue d'une année à l'autre pour permettre d'atteindre les objectifs que les États se sont fixés.

Les entreprises qui réalisent, dans les pays en développement, des projets qui permettent de supprimer des sources d'émissions selon une méthodologie reconnue et qui les enregistrent dans le cadre du MDP (Mécanisme de développement propre) peuvent faire vérifier ces suppressions par une tierce partie et réclamer des URCE (Unités de réduction d'émissions certifiées) ou des crédits de carbone qui peuvent être intégrés dans l'inventaire des entreprises qui réalisent ces projets pour les aider à atteindre leur cible ou encore vendus sur le marché.

Enfin, les URE (Unités de réduction d'émissions) viennent du mécanisme de Mise en œuvre conjointe ou du marché domestique et peuvent aussi être échangées sur le marché européen.

Naturellement, si le prix des réductions d'émissions n'est pas intéressant, les entreprises n'ont aucun incitatif à investir pour éviter d'en acheter. C'est exactement ce qui s'est produit avec le marché du carbone européen après 2008.

Au point de départ, les pays ont accordé de généreuses allocations aux industriels réglementés. La crise économique, qui a sévi pendant la période 2008-2012, a créé une surabondance de crédits sur le marché. Après un sommet historique de 30 euros par tonne en juillet 2008, ceux-ci se transigent pour dix fois moins, en 2013. Cela a eu une répercussion aussi sur le prix des URCE générées par les pays en voie de développement par le MDP, qui valaient seulement 0,08 euro, en mars 2013. C'est une misère, si on compte les frais nécessaires pour réaliser les projets, les faire vérifier par un auditeur externe, enregistrer les projets et les crédits et finalement payer les frais de courtage pour les vendre. Il est vraisemblable que les gouvernements devront intervenir pour limiter le nombre d'allocations d'émissions au cours des prochaines années si l'on souhaite que la situation se rétablisse.

Doit-on pour autant considérer que le marché du carbone est voué à disparaître? C'est peu probable, compte tenu des investissements qui y ont déjà été consentis et de la prolongation de la deuxième période de référence du Protocole de Kyoto jusqu'en 2020.

Les optimistes voient aussi dans les engagements de l'administration Obama pour son second mandat des augures favorables pour l'élargissement du marché du carbone, d'abord à l'interne, puis, après 2020, dans un système global de plafonnement et d'échanges. Cela reste toutefois très incertain, comme nous l'avons vu au chapitre 3. Néanmoins, la tendance à l'harmonisation des exigences de marchés régionaux pour permettre la mise en commun des réductions d'émissions est bien présente.

Encadré 5.6

LES INJUSTICES DU MARCHÉ

Sous des allures équitables, le marché du carbone crée d'importantes disparités entre les secteurs industriels, s'il n'est pas vraiment international. Bien sûr, une tonne de CO_2 émise ici ou ailleurs représente la même menace pour le climat. Cependant, les industriels ne sont pas tous égaux devant le marché. Par exemple, les générateurs d'électricité et les raffineurs ont des clientèles captives. Les coûts de leurs achats de permis ou de leurs investissements pour la réduction d'émission peuvent être refilés aux clients, acheteurs d'électricité ou de carburants à l'intérieur du pays concerné. L'achat de crédits devient simplement un intrant de leur comptabilité qui n'affecte pas les profits. Pour un producteur d'aluminium, qui vend sur un marché mondial, la situation est plus compliquée, car outre les émissions incompressibles liées à son procédé, il est en compétition pour livrer sur un marché où certains concurrents n'ont pas à se préoccuper ou à payer pour leurs émissions. Il ne peut donc pas refiler la facture à ses clients qui choisiront le fournisseur le moins cher.

Par ailleurs, les permis étant accordés sur la base des émissions antérieures, les entreprises les moins performantes se voient accorder un maximum de permis par unité produite, ce qui fait qu'elles peuvent être avantagées dans les faits, simplement en réduisant leur production si le marché n'a pas de contrainte d'intensité carbonique. Dans le marché des polluants acides aux États-Unis, où de tels dispositifs n'existent pas, on peut, en fermant une usine, vendre son quota d'émissions sur le marché comme un actif.

Dans le marché du carbone, les entreprises ne peuvent pas théoriquement profiter de leur quota d'émissions si elles cessent de produire, mais lorsqu'une usine ferme, le pays se voit créditer une diminution d'émissions par rapport à son engagement international. Cela favorise la délocalisation de la production des pays qui sont soumis à un accord contraignant par rapport à ceux qui n'ont pas de cibles. L'idée est belle, mais la réalité est têtue!

Le tableau 5.5 montre en un clin d'œil l'état des divers marchés du carbone actifs sur la planète en 2010 et 2011. On peut y constater que le volume des transactions est en augmentation, dépassant 10 milliards de tonnes de CO_2 équivalent en 2011, avec une valeur de 176 milliards de dollars. Le marché le plus important, et de loin, est le marché européen EU-ETS.

TABLEAU 5.5

Valeur et volumes transigés sur les marchés du carbone en 2010-20111*

	2010		2011	
	Volume ($MICO_2e$)	**Valeur (US$ million)**	**Volume ($MICO_2e$)**	**Valeur (USS$ million)**
Marché des permis d'émissions				
EUA	6,789	133,598	7,853	147,848
AAU	62	626	47	318
RMU	-	-	4	12
NZU	7	101	27	351
RGGI	210	458	120	249
CCA	-	-	4	63
Autres	94	151	26	40
Sous-total	**7,162**	**134,935**	**8,081**	**148,881**
Marché spot (sur le parquet) et de compensation				
sCER	1,260	20,453	1,734	22,333
sERU	6	94	76	780
Autres	10	90	12	137
Sous-total	**1,275**	**20,637**	**1,822**	**23,250**
Transactions d'options (primaires) basées sur les projets				
pCER pre-2013	124	1,458	91	990
pCER post-2012	100	1,217	173	1,990
pERU	41	530	28	339
Voluntary market	69	414	87	569
Sous-total	**334**	**3,620**	**378**	**3,889**
TOTAL	**8,772**	**159,191**	**10,281**	**176,020**

Source: Banque mondiale, 2012.

* Abréviations: EUA – European union allowance (Permis d'émissions de l'Union européenne); AAU – Assigned amount unit (Permis d'émissions non utilisé par une partie de l'Annexe B du Protocole de Kyoto); RMU – Removal unit (absorptions) (absorption d'une tonne équivalent CO_2 par un puits de carbone); NZU – New Zealand unit (Crédit de carbone de la Nouvelle Zélande); RGGI – Regional greenhouse gaz initiative (marché des producteurs d'électricité du Nord-Est des États-Unis); CCA – California carbon allowance (Permis d'émission de la Californie); CER – Certified emission reduction (Unité de réduction d'émissions certifiée (URCE) du MDP); ERU – Emission reduction unit (Unité de réduction d'émissions (URE) du mécanisme de Mise en œuvre conjointe); p – primary (primaire (provenant directement d'un projet de réduction); s – secondary ((provenant d'une transaction sur le marché spot ou de compensation).

Malgré l'importance des chiffres qu'on trouve au tableau 5.5, le marché du carbone est une activité financière de très petite taille, en comparaison avec d'autres marchés boursiers. À maturité, ce marché devrait être quatre à cinq fois plus gros en termes d'unités transigées et 20 ou 30 fois plus important en termes de valeur monétaire.

En 2012, de nouvelles initiatives régionales basées sur le marché ont vu le jour en Corée du Sud, au Mexique et en Chine, notamment. L'utilisation des outils de marché pour atteindre des cibles de réduction absolues ou relatives des émissions de gaz à effet de serre semble donc pertinente pour le monde économique. Toutefois, il reste encore beaucoup de travail à faire. S'ils ont l'avantage de s'implanter plus facilement entre parties consentantes, les marchés régionaux exigent en revanche de nombreux ajustements lorsqu'ils veulent échanger entre eux. C'est pourquoi, à terme, la solution réside dans un marché mondial.

La mise en place d'un marché mondial du carbone ne pourra jamais être un succès si les plus grands émetteurs n'en font pas partie. À eux deux, la Chine et les États-Unis représentent près de 50 % des émissions mondiales. Or, ni l'un ni l'autre n'ont de cibles contraignantes de réductions, leurs engagements se limitant à l'accord de Copenhague. L'importance de cibles contraignantes pour le succès d'un marché du carbone est évidente. Sans cela, l'action gouvernementale risque de se limiter à des incitatifs vertueux.

Malgré l'approche vertueuse et les principes de développement durable qui motivent les marchés de carbone, les marchés financiers ont une logique propre, basée sur l'avidité et l'appât du gain. Le marché du carbone n'échappera ni à la spéculation, ni aux opérations douteuses, ni à des fluctuations irrationnelles provoquées par des rumeurs. Il s'agit d'un outil permettant d'intégrer la nécessité écologique à la logique économique. Il lui reste à faire ses preuves. Et le marché du carbone n'y réussira pas sans d'autres mesures complémentaires.

Le monde des assurances et de l'investissement

Si la responsabilité liée à la cause des changements climatiques peut être abordée par le prix imposé aux émissions, la gestion du risque climatique interpelle pour sa part deux autres secteurs de l'économie : les assurances et l'investissement. L'adaptation de ces deux secteurs à la nouvelle réalité climatique est indispensable. Elle peut aussi constituer un signal majeur pour le monde économique de manière à faciliter l'adaptation des populations, des collectivités et des entreprises pour améliorer leur résilience face aux changements climatiques anticipés.

L'assurance est l'un des secteurs financiers les plus importants dans l'économie mondiale. Sa raison d'être est de répartir les risques de manière à éviter que les conséquences d'événements probables, mais incertains, affectent de façon irrémédiable des propriétaires d'actifs assurés.

Les compagnies d'assurances sont particulièrement affectées par les conséquences des événements climatiques inhabituels. Par exemple, en 2012 seulement, Leurig et Dlogolecki (2013) rapportent que 11 épisodes de temps violent ont causé chacun plus de un milliard de dollars de dommages aux États-Unis. Le plus coûteux a été la tempête Sandy qui, à elle seule, a entraîné des déboursés de plus de 50 milliards de dollars en réparations, des coûts assumés en partie par l'État et en partie par les assureurs.

Auparavant, avec l'ouragan Katrina, 2005 avait été la pire année en termes d'excédent des remboursements d'assurances sur les primes, comme l'indique la figure 5.3. Les exemples d'événements climatiques désastreux sont pléthores, en Australie, en Europe, en Asie du Sud-Est et ailleurs. Ces pertes très significatives excèdent bien sûr les primes récoltées par les assureurs qui se retournent à ce moment-là vers leurs réserves et vers les compagnies de réassurance pour couvrir leurs propres risques.

FIGURE 5.3

Rapport entre les primes récoltées par l'assurance de dommages aux États-Unis et les paiements pour sinistres liés aux inondations

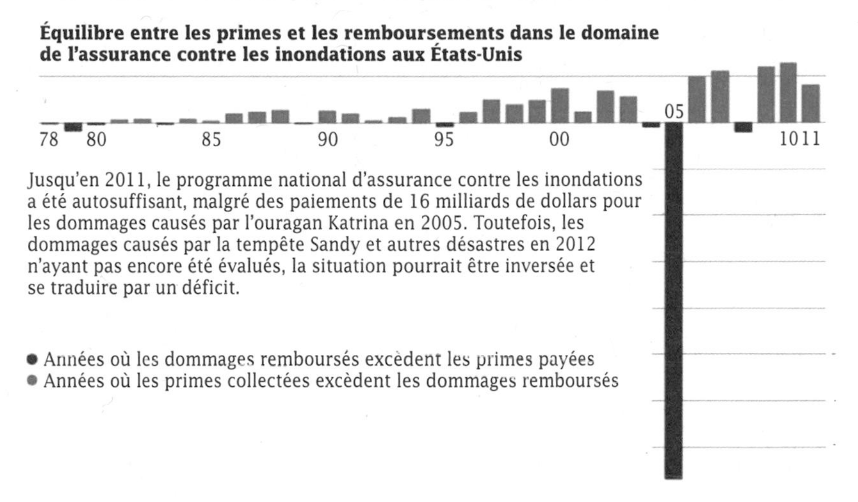

Source: Federal Emergency Management Agency, 2012.

Dans le domaine de l'assurance aux États-Unis, on identifie les tendances suivantes:

- Les pertes liées aux précipitations abondantes sont à leur maximum dans la période 2008-2011.
- Les pertes moyennes liées aux tempêtes hivernales ont doublé depuis les années 1980.
- Depuis 1980, les feux de forêt ont brûlé des superficies maximales en 2005, 2006, 2007 et 2010. En 2012, ils ont causé plus de un milliard de dollars de dommages.
- La sécheresse de 2012 a été la plus coûteuse depuis 1988.

Les modèles montrent que les pertes liées à des événements climatiques inhabituels devraient augmenter de 20 à 30% pour la plupart des régions des États-Unis au cours des deux prochaines décennies. Il va sans dire que l'industrie se doit de réagir.

Les assureurs et les réassureurs fixent leurs primes en fonction d'un calcul de risque complexe. Cela est nécessaire, s'ils veulent équilibrer leur bilan et rester en affaires. Le problème est que ces calculs sont basés sur la récurrence d'événements passés. Or, le climat va changer et la récurrence des événements exceptionnels augmentera dans l'avenir. Depuis les années 1980, surtout depuis le troisième rapport du GIEC, devant la démonstration scientifique de la réalité des changements climatiques et de la gravité du phénomène, les réassureurs d'abord, puis les grands assureurs ont commencé à s'interroger sur les risques supplémentaires liés à la vulnérabilité de leurs commettants aux événements inhabituels et à leur plus forte récurrence prévue par les modèles climatiques.

Les compagnies de réassurance ont intérêt à ce que les sociétés augmentent leur résilience face aux changements climatiques, car leur horizon financier varie entre 30 et 50 ans. Cela les a amenés à subventionner des recherches et de nombreuses publications que l'on peut entre autres consulter sur les sites de Munich Re (http://www.munichre.com/en/group/focus/climate_change/research/default.aspx) et de Swiss Re (http://www.swissre.com/rethinking/climate_and_natural_disaster_risk/) .

Reconnaissant que le secteur des assurances doit à la fois s'adapter et favoriser l'adaptation de la société aux changements climatiques, dans le sondage Ceres sur les assurances et les changements climatiques, Leurig et Dlogolecki (2013) recommandent plusieurs pistes.

- Pour les entreprises d'assurance et de réassurance, il faudrait :
  - Évaluer et ajuster le risque associé à de nouveaux extrêmes climatiques, non pas en fonction du passé, mais en fonction des prévisions d'évolution du climat.
  - Soutenir la recherche sur les prévisions climatiques régionales et nationales, en particulier pour les événements extrêmes.
  - Développer et utiliser des modèles de prévision des catastrophes permettant de prévoir les impacts des événements climatiques violents.

- Ajuster les primes et les réserves financières à la vulnérabilité résiduelle.
- Informer les clients, les entrepreneurs et les autorités des nouvelles conditions d'assurance et des moyens de limiter la vulnérabilité.
- Faire la promotion des réductions d'émissions de gaz à effet de serre.

- Pour les investisseurs et les agences de notation :
  - Encourager les compagnies d'assurances à divulguer leurs risques liés au climat.
  - Faire leurs propres analyses de ces risques.
  - Entretenir un dialogue avec les compagnies d'assurances sur les risques climatiques, les bonnes pratiques en cette matière et leurs répercussions sur la sécurité financière des entreprises.
- Pour les autorités réglementaires :
  - Obliger la divulgation des risques climatiques.
  - Intégrer l'analyse des risques climatiques dans l'analyse financière des entreprises.
  - Créer des outils partagés pour aider les compagnies d'assurances à intégrer les risques liés au climat.
  - Travailler avec les assureurs et leurs clients pour mieux comprendre les risques liés aux changements climatiques et les moyens de diminuer la vulnérabilité.

On peut en conclure que les compagnies d'assurances, en tentant de protéger leur rentabilité, peuvent jouer un rôle significatif pour favoriser l'adaptation des individus, des collectivités et des entreprises aux changements climatiques. Par exemple, si les assureurs exigeaient des primes plus élevées ou refusaient d'assurer les gens qui s'exposent en zone littorale à des inondations en période de temps violent, ils diminueraient la vulnérabilité. Ce type de constructions devrait alors, soit être localisé à des endroits moins vulnérables, soit doté d'équipements adéquats pour limiter les dommages. Cela peut avoir un effet sur les règles de zonage des municipalités, mais aussi sur les mesures de sécurité publique.

La solution la plus simple consiste à exclure de la couverture d'assurance les événements qui ont le plus de probabilités de se produire dans un climat changeant. Certaines compagnies ont commencé en 2013, au Canada, à ajouter de telles clauses dans leur contrat, en ce qui concerne les inondations.

L'investissement responsable, pour sa part, permet d'intégrer dans les décisions de placement des critères autres que purement financiers. Le risque lié à la vulnérabilité des entreprises par rapport aux aléas climatiques ou aux contraintes réglementaires peut ainsi être pris en considération dans les décisions des investisseurs. C'est l'objectif par exemple du Carbon disclosure project[6] (CDP), une ONG qui intervient auprès des entreprises à l'échelle mondiale pour les aider à mesurer, à estimer et à divulguer leur risque climatique. Le CDP travaille en partenariat avec plus de 700 investisseurs institutionnels représentant plus de 87000 milliards de dollars en 2012.

Le CDP procède en envoyant des questionnaires aux entreprises. Il divulgue l'information obtenue sur son site et effectue des analyses de l'évolution du risque climatique. Les rapports du CDP sont utilisés par des acheteurs institutionnels, par exemple, pour réduire l'empreinte carbonique de leur chaîne d'approvisionnement.

Les fonds d'investissement responsable utilisent aussi les données recueillies par le CDP pour analyser l'évolution des tendances pour les entreprises dans lesquelles ils souhaitent investir. Il s'agit donc d'une autre pression non réglementaire qui peut influencer la prise en considération des changements climatiques par les entreprises, les gouvernements et les collectivités à travers

6. https://www.cdproject.net/en-US/Pages/HomePage.aspx

des instruments économiques pour favoriser l'adaptation. En effet, la pression des acheteurs et des investisseurs sur les entreprises peut influencer leur stratégie de réduction des émissions, au même titre que les pressions du marché du carbone ou que les assurances[7].

On peut donc penser que l'adaptation aux changements climatiques sera possible, quoique coûteuse, dans les pays industrialisés et riches de la planète. Mais qu'en est-il dans les pays en voie de développement où le marché de l'assurance est sous-développé, où la plupart des entreprises sont de petite taille et où l'économie informelle domine ?

L'adaptation des plus vulnérables

Depuis l'adoption de la Convention-cadre sur les changements climatiques, les principes de solidarité et d'équité sont mis de l'avant pour répartir les responsabilités entre les pays. Cela s'est traduit, par exemple, dans le Protocole de Kyoto, par la répartition des obligations de réductions, mais aussi par le versement d'une contribution des pays industrialisés dans un fonds spécial du Fonds mondial pour l'environnement, pour favoriser l'adaptation des pays moins avancés. Cela a permis la création de Programmes nationaux d'action, mais le financement de ces programmes s'est avéré difficile.

La préoccupation de l'équité est bien présente dans les réunions internationales de négociation de la Convention-cadre des Nations Unies sur les changements climatiques, et elle est rappelée avec

---

7. Un rapport de la New Economic Foundation « Unburnable Carbon : Rational Investment for Sustainability », paru à la fin de juillet 2013, explore l'effet que pourraient avoir des contraintes de maintenir le niveau du réchauffement sous la barre de 2 degrés C au 21e siècle sur la valeur des compagnies détentrices de réserves prouvées de carburants fossiles comme les grandes pétrolières. Le rapport montre que nous ne devrions pas, pour atteindre cet objectif, produire plus de 886 milliards de tonnes entre 2000 et 2049. Or, plus de la moitié de cette quantité a déjà été émise entre 2000 et 2012. Dans les faits, cela signifie que la majeure partie des réserves prouvées de carburants fossiles n'aurait plus la même valeur puisqu'on ne pourrait pas les utiliser sans captage et stockage des émissions. Ce constat pourrait représenter une perte boursière majeure de la valeur des actions de ces compagnies dont les réserves représentent une partie des actifs. (http://www.neweconomics.org/publications/entry/unburnable-carbon)

insistance par les pays en voie de développement. Ce principe fut inscrit comme une condition *sine qua non* de la participation des pays en développement lors de la conférence de Bali, en 2007.

Lors de la conférence de Copenhague, en 2009, il a été convenu de la création d'un nouveau fonds pour l'adaptation, le Fonds vert pour le climat, qui devrait être financé à hauteur de 100 milliards de dollars par année à compter de 2020, et dans lequel les pays industrialisés devaient injecter 30 milliards de dollars avant 2012, à titre de financement précoce. Bien que la conférence de Cancun en 2010 ait entériné la création du Fonds vert, le versement des fonds a tardé et, surtout, on n'a décidé d'aucun mécanisme formel de financement de ces sommes.

En effet, même si les règles de gouvernance ont été décidées à la conférence de Durban en 2011, il n'en reste pas moins que la question cruciale des sources de financements – nouvelles et additionnelles – devant alimenter le Fonds n'a pas été résolue. Cela remet fortement en cause la possibilité d'une mise en route rapide et effective de cet instrument financier. Seuls le Danemark, la Corée du Sud et l'Allemagne avaient annoncé, fin 2012, les montants qu'ils alloueraient au Fonds vert.

Concernant les financements à long terme qui permettraient de concrétiser la promesse de 100 milliards par an d'ici à 2020, le flou demeure. Les pays ont seulement réussi à s'accorder sur la mise en place en 2012 d'un groupe de travail, en lien avec le G20, sur la finance climat. Le Fonds vert a été confié à la Banque mondiale, malgré les réticences de plusieurs pays en développement. Ce fonds devrait couvrir à la fois les besoins des pays en voie de développement pour l'adaptation, mais aussi pour l'atténuation. L'une des grandes difficultés de ce type d'aide se situe dans les exigences des donateurs pour le décaissement.

En effet, les pays donateurs aimeraient bien que l'argent soit utilisé efficacement pour de bons projets, alors que les pays qui reçoivent de l'aide n'aiment pas qu'on critique leur gestion et encore moins qu'on se mêle de leur politique intérieure. Ce genre de situation, couplé à une corruption souvent bien installée, complique beaucoup la conception de projets, les demandes d'aide et les exigences de reddition de comptes et peut, en fin de parcours, décourager les pays qui en ont le plus besoin d'accéder à l'aide. Cela justifie aussi une série de dépenses de consultants et une administration souvent pléthorique.

Au-delà de ces questions logistiques, ce qui sera déterminant, c'est la façon dont le Fonds, actuellement vide, réunira 100 milliards de dollars annuellement à partir de 2020. Les pays en développement tiennent à ce que les financements publics des pays développés restent la source la plus importante alors que ces derniers penchent pour une mobilisation substantielle du secteur privé.

Les États-Unis insistent pour que les grands pays émergents participent aussi à alimenter le Fonds vert, ce que ces derniers refusent au nom de la responsabilité historique des pays développés. Par-dessus tout, les pays industrialisés souhaitent que les contributions au Fonds vert ne viennent pas dédoubler d'autres actions d'aide internationale pour lesquelles ils cotisent déjà. Cela ne fait pas l'affaire des pays en développement qui exigent de l'argent neuf et supplémentaire.

Finalement, le Fonds vert sera probablement un instrument de convergence des différents financements qui existent déjà, mais qui sont souvent soit sous-utilisés, soit épars. Il s'agira avant tout d'un instrument de coordination financière. Il faut éviter qu'il ne débouche sur une centralisation des moyens financiers dans un fonds unique qui serait donc encore plus rigide que les canaux internationaux existants. Tout cela laisse présager plusieurs années de négociations et d'ajustements. Pendant ce temps, les émissions continuent d'augmenter, les catastrophes climatiques de s'aggraver et la situation des plus pauvres de se précariser. Bienvenue sur la planète Terre!

Conclusion

Nous allons devoir nous adapter à un ensemble de modifications dont nous saisissons encore mal l'ampleur. Cela affectera « le cours normal des affaires » tel qu'il s'est déroulé dans le dernier siècle. Peut-être même devrons-nous apprendre à changer le paradigme économique dominant, qui est devenu le principal facteur perturbant le climat planétaire.

Mais au fond, que suppose l'adaptation ? C'est encore une question sur laquelle les pays ont énormément de difficultés à s'entendre. Dans les discussions autour du cadre d'adaptation à Cancun en 2010, on s'est rendu compte que les différentes actions à mettre en place ne dépendent pas seulement de l'exposition des pays aux risques, mais également de leur niveau de développement, de leurs conditions géographiques, de leur type d'activité économique. Et cela vaut pour tout le monde.

En effet, l'adaptation est d'abord locale avant d'être nationale ou continentale. C'est localement que frappe la tempête ou la sécheresse, mais la réponse peut être individuelle, régionale, nationale ou internationale. L'adaptation au nord du Canada et au sud ne représente pas les mêmes contraintes. Il y a donc lieu, comme nous l'avons vu dans ce chapitre, de travailler sur plusieurs plans à la fois. Diaz et collab. (2012) ont par exemple dénombré les déclinaisons suivantes de l'adaptation aux changements climatiques :

- la planification et la mise en œuvre d'actions d'adaptation du court au long terme, aux niveaux régional et national ;
- les évaluations, la gestion et le partage de risques : prévention, secours, reconstruction et aménagement ;
- la recherche et l'observation systématique des phénomènes climatiques ;
- le renforcement des capacités de planification, de collecte d'informations et de mise en œuvre ;
- l'éducation, la formation, la sensibilisation ;

- le renforcement de la base institutionnelle : les mécanismes de coordination, les points focaux, les capacités institutionnelles nationales et locales ;
- le renforcement des systèmes écologiques et sociaux (diversification économique, actions législatives et administratives, protection des ressources naturelles...), par exemple, la transformation des pratiques agricoles, la gestion prudentielle des ressources en eau, les ouvrages de protection côtière, l'adaptation des bâtiments ;
- la recherche-développement, la diffusion et le transfert de technologies pour l'adaptation ;
- les évaluations d'impacts, de vulnérabilité et les coûts et bénéfices de l'adaptation ;
- la mise en œuvre des actions identifiées dans les plans nationaux d'adaptation, les communications nationales, les besoins d'adaptation technologique, les stratégies de réduction de la pauvreté ;
- l'importance des savoir-faire indigènes et ancestraux et une plus grande égalité des genres sont également à prendre en considération lors de l'élaboration des projets d'adaptation.

C'est ce dont nous avons traité dans ce chapitre. On peut comprendre qu'il est impératif de faire entrer la préoccupation des changements climatiques dans les modes de gouvernance, mais ce n'est pas acquis. Il demeure qu'il faut profondément infléchir le parcours du développement tel qu'il s'est réalisé depuis le début de la révolution industrielle, car ce n'est sûrement pas en faisant plus de la même chose qu'on pourra infléchir les tendances catastrophiques qui se dessinent. Surtout, il faut y arriver avant qu'il ne soit trop tard.

Dans ce cadre, dans quels secteurs peut-on innover pour limiter la vitesse à laquelle se détériore la situation ? C'est ce que nous verrons au prochain chapitre.

Références

De Marcily, G., 2008, « Eau, énergie, alimentation, climat, un écheveau complexe », *Liaison Énergie-Francophonie*, numéro spécial congrès UICN, p. 8-18.

Diaz, E, P. Radanne, Bedoy, G. et Chéron, M., 2012, *Note de décryptage des négociations climat à la veille de la Conférence de Doha*, Organisation internationale de la Francophonie, 95 pages.

Edenhofer, O., R. Pichs-Madruga, Y. Sokona, K. Seyboth, P. Matschoss, S. Kadner, T. Zwickel, P. Eickemeier, G. Hansen, S. SchloÅNmer, C. von Stechow (eds), 2011, *IPCC Special Report on Renewable Energy Sources and Climate Change Mitigation*, Cambridge University Press, Cambridge.

Eriyagama, N., V. Smakhtin, et N. Gamage, 2009, *Mapping Drought Patterns and Impacts: a Global Perspective*, Colombo, Sri Lanka: International Water Management Institute. 31 p. (IWMI Research Report 133).

Eschouf, C., M. Russel et N. Bricard (coord.), 2011, *DuALIne, durabilité de l'alimentation face à de nouveaux enjeux. Questions à la recherche*, Rapport Inra-CIRAD, France, 236 pages.

Huntingford, C. et collab., 2013, « Simulated Resilience of Tropical Rainforests to CO_2-Induced Climate Change », *Nature Geosciences*, doi:10.1038/ngeo1741.

Kossoy, A. et P. Guiguon, 2012, *State And Trends of The Carbon Market 2012*, World Bank Report, 138 pages.

Leurig S. et A. Dlogolecki, 2013, *Insurer Climete Risk Disclosure Survey 2012, Findings and recommandations*, Ceres, 72 pages.

Stern, N., 2006, Review of the economics of climate change, disponible en ligne http://webarchive.nationalarchives.gov.uk/+/http:/www.hm-treasury.gov.uk/independent_reviews/stern_review_economics_climate_change/stern_review_report.cfm

Villeneuve, C. (dir), 2012, *Forêts et humains, une communauté de destins, pièges et opportunités de l'économie verte pour le développement durable et l'éradication de la pauvreté*, IEPF, UQAC, 584 pages.

Chapitre 6
Prendre le taureau par les cornes?

Dans les chapitres précédents, nous avons brossé un tableau sans complaisance des facteurs qui affecteront le climat au cours des prochaines décennies et des difficultés auxquelles est confronté notre système politique et économique pour faire face au problème. Cela nous permet de prédire que le climat changera de manière remarquable au 21e siècle et que nous devrons adapter l'ensemble de notre société à cette nouvelle donne climatique. Malgré tout, il ne faut pas baisser les bras et adopter une posture de «climato-pessimiste», voire de «climato-fataliste».

Cela est d'autant plus important que le réchauffement du climat n'est qu'un des problèmes environnementaux émergents auxquels il faut s'attaquer d'urgence. Cependant, si nous réussissons à contrôler les sources du changement climatique, il est probable que les pressions sur les autres composantes de l'environnement menacées seront fortement atténuées. Nous serions donc globalement gagnants de relever ce défi.

Pour certains, les solutions à appliquer pour maîtriser la crise environnementale mondiale et les changements climatiques sont techniques. Expliquez à un ingénieur que vous avez un problème insoluble et il y a fort à parier qu'il vous réponde qu'avec un peu de temps, beaucoup d'énergie et suffisamment d'argent, aucun problème n'est insoluble pour une équipe d'ingénieurs compétents. Cette croyance est fondée sur les énormes progrès techniques qui ont été réalisés au cours de l'ère industrielle et qui nous ont menés de la machine à vapeur à la conquête de l'espace.

Malheureusement, les solutions techniques de problèmes mal définis, dans lesquels on ne prenait en compte ni le cycle de vie ni les limites de l'environnement, sont aussi à l'origine de beaucoup des problèmes que nous vivons maintenant. Alors, peut-on penser que la technologie peut nous aider à régler le problème?

Il y a sans doute d'immenses progrès à accomplir dans ce sens. En ce qui concerne les changements climatiques, les solutions techniques ont leurs limites dans le temps, dans l'espace et surtout dans l'applicabilité financière. Néanmoins, des équipes de chercheurs dans les facultés de génie de plusieurs grandes universités se sont creusé les méninges pour explorer de telles solutions. Pourra-t-on continuer de jouir des avantages de la société industrielle et des carburants fossiles, tout en limitant les impacts sur le réchauffement du climat et les dommages aux populations vulnérables?

Ces acquis font que nous vivons mieux et plus longtemps que toutes les générations qui nous ont précédés. Même les habitants des pays qui sont au dernier rang du palmarès des Nations Unies ont une espérance de vie qui égale celle des puissances impériales du 19e siècle. Les pays situés à l'autre extrémité dépassent une espérance de vie en santé de l'ordre de 80 ans. Allons-nous renoncer à cela?

Dans ce chapitre, nous décrirons quelques-unes des solutions proposées et leur potentiel pour réduire les émissions, de manière à contrôler, si cela est encore possible, l'augmentation des gaz à effet de serre au 21e siècle. Mais voyons d'abord à quoi devrait ressembler l'évolution des émissions. Pour espérer limiter l'augmentation de la température terrestre, il faut bien cerner le problème à la source.

Comme l'indique la figure 1.8 de la page 28 que nous avons déjà examinée à quelques reprises dans cet ouvrage, si nous arrêtions immédiatement toute forme d'émissions anthropiques, il serait possible de revenir à peu près à la température normale 1961-1990 vers la fin du présent siècle. En ce qui a trait à la concentration de gaz à effet de serre dans l'atmosphère, elle retrouverait sa valeur préindustrielle à la fin du prochain siècle. En effet, les systèmes naturels pourraient probablement absorber environ 2 parties par million de la quantité excédentaire de CO_2 atmosphérique par décennie. Malheureusement, cela n'est pas possible sans faire disparaître l'humanité à 90%, voire plus, et cela, très rapidement. Nous ne nous attarderons donc pas à cette option.

Le scénario RCP3 PD est le plus optimiste. Il permettrait de limiter l'augmentation à 2 °C ou un peu moins au 21e siècle. La poursuite de la tendance actuelle nous amène entre 3 °C et 4 °C d'augmentation alors que si les engagements pris dans l'accord de Copenhague sont intégralement appliqués, leur effet ne sera que de 0,3 à 0,4 °C de différence à la fin du siècle.

Le scénario RCP3 PD (Meinhaussen, 2011) suppose une action énergique et rapide, un pic des émissions avant 2020 et une réduction chaque année par la suite. Il implique la mise en œuvre massive de « technologies à émissions négatives », à telle enseigne que les émissions puissent être remplacées au net par des absorptions, après 2050. Mais qu'est-ce que cela signifie au juste ? Pouvons-nous entretenir un espoir raisonnable de voir ce scénario se réaliser ?

Le défi à relever est immense, mais il est théoriquement jouable. On peut réduire les émissions liées à des sources stationnaires, comme les centrales thermiques, les cimenteries et les usines chimiques, par de grandes catégories de mesures en amont de la production. Mais, comme il s'en ajoute toujours, le gain sera sans doute limité à une réduction de l'intensité carbonique. Dans le secteur de l'agriculture et de l'usage des terres, des gains importants peuvent être faits aussi. Le transport est plus compliqué, mais des réductions d'émissions sont encore relativement faciles. Une fois ce potentiel de réduction à la source réalisé, il continuera à y avoir un niveau d'émissions trop élevé pour que les mécanismes naturels de captation puissent rétablir l'équilibre. Ces efforts contribueront au mieux à limiter la vitesse de croissance des émissions.

Comme il faudra continuer de satisfaire les besoins d'une population toujours plus nombreuse et qu'il est peu probable qu'on puisse se passer des carburants fossiles, il faudra faire plus. On peut recycler le CO_2, par exemple en fabriquant des carburants avec des végétaux. On peut aussi l'éliminer en captant le CO_2 des flux gazeux à la cheminée pour ensuite le stocker dans la croûte terrestre. Enfin, les technologies à émissions négatives permettent de retirer le CO_2 « historique », c'est-à-dire celui qui a déjà été émis dans l'atmosphère, pour le stocker dans un autre compartiment de l'écosphère. Mais ces potentiels sont encore loin du déploiement comme nous le verrons.

Enfin, on nous dit qu'il est imaginable de jouer sur le forçage radiatif, par des techniques de géo-ingénierie, par exemple en modifiant l'albédo des surfaces, en augmentant la réflectivité des nuages ou en créant un écran stratosphérique d'aérosols de sulfates pour empêcher le rayonnement du soleil d'atteindre la surface de la planète. Ces technologies sont encore au stade d'idées et leur applicabilité tient plus de la science-fiction que d'un potentiel réel de déploiement au présent siècle.

En 2012, le Programme des Nations Unies pour l'environnement (PNUE) déclarait dans son rapport annuel 2012, *Bridging the Gap*, qu'il était encore possible de rejoindre une trajectoire d'émissions cohérente avec la stabilisation du climat en dessous de 2 °C, mais que cela demandait le déploiement immédiat d'un arsenal de moyens au coût marginal de 50 à 100 $ par tonne de CO_2. En mettant en œuvre tous ces moyens, le scénario RCP3 PD devient possible, comme l'indique la figure 6.1. Dans ce chapitre, nous verrons comment se déclinent ces divers moyens et quelles sont leurs limites.

Nous porterons une attention particulière au captage et stockage du CO_2 (CSC), puisque cette technique est présentée par plusieurs gouvernements et par le secteur de l'énergie fossile comme une solution qui nous permettra de continuer à utiliser les combustibles fossiles jusqu'à ce que nous ayons d'autres solutions. Par ailleurs, le CSC est nécessaire pour la majorité des «technologies à émissions négatives» sans lesquelles il est impossible de réaliser le scénario RCP3 PD. Il faut cependant ajouter sont coût à ceux des technologies à émissions négatives qui en ont besoin.

FIGURE 6.1

Le fossé entre les émissions actuelles et les cibles de 2020 pour réaliser le scénario RCP3 PD

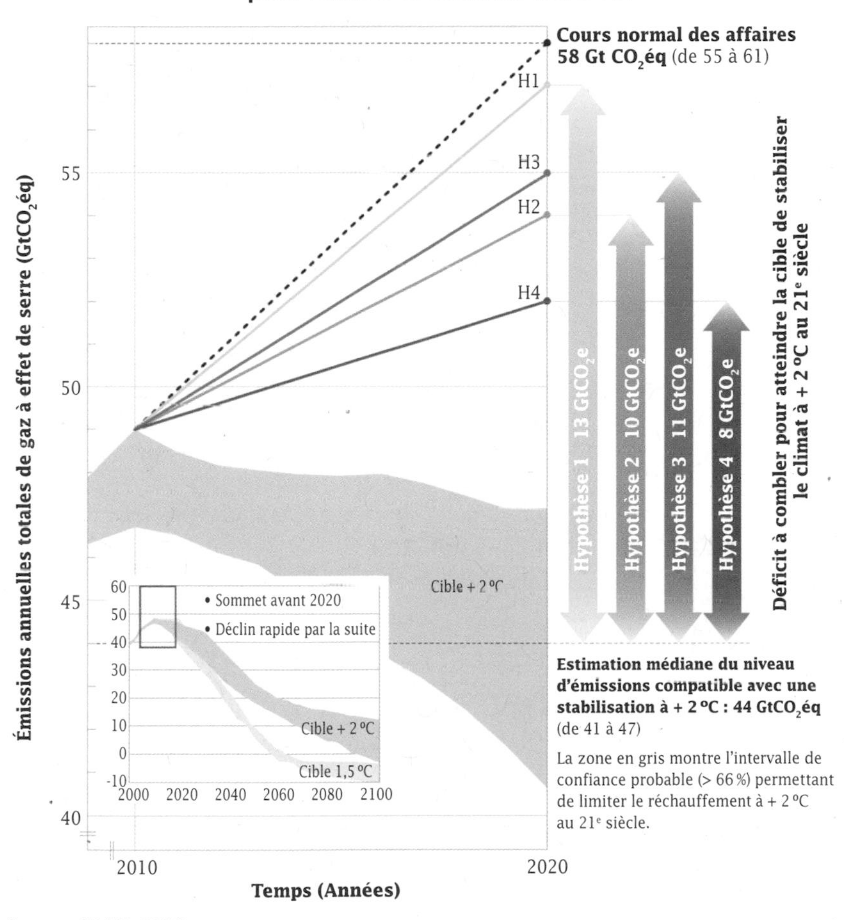

Source: UNEP, 2012.

Encadré 6.1

SORTIR DES CARBURANTS FOSSILES?

Cheik Yamani, ancien ministre saoudien du pétrole, a eu ce bon mot: «L'âge de pierre ne s'est pas terminé par manque de pierres: l'âge du pétrole ne se terminera pas par manque de pétrole!» C'est, bien sûr une fausse analogie, mais on l'entend répéter à l'envi.

Dans l'histoire de l'humanité, certaines techniques ont été remplacées par d'autres plus efficaces mais, dans le domaine de l'énergie, toutes les sources d'énergie, du bois de feu à la fission nucléaire se sont additionnées et coexistent encore aujourd'hui. Seule leur importance relative a changé.

La raréfaction des hydrocarbures conventionnels sera-t-elle une réalité suffisante pour que l'humanité apprenne à s'en passer? C'est difficile à croire. D'abord parce qu'il existe une quantité impressionnante de carburants non conventionnels, au premier chef le pétrole lourd, le bitume, les gaz de schiste et le pétrole de schiste, mais aussi le kérogène. On peut aussi extraire du gaz de houille à partir de gisements de charbon situés en profondeur et, avec la synthèse Fisher-Tropsch, on peut produire du carburant diésel à partir du charbon. Les réserves de ces différentes ressources sont immenses et peuvent satisfaire les besoins de l'humanité pendant quelques siècles encore.

Malheureusement, à mesure qu'on s'éloigne des ressources conventionnelles, l'empreinte carbonique des carburants augmente parce que ces ressources requièrent plus d'énergie pour les extraire et les transformer. Ainsi, lorsque le prix du pétrole conventionnel augmentera en raison de sa raréfaction, il n'y a aucune raison économique pour ne pas le remplacer par d'autres carburants, sauf si le prix imputé aux émissions de gaz à effet de serre rend ces options inabordables. Nous ne sortirons pas de l'ère du pétrole par manque de pétrole!

La réduction à la source

Le rapport du groupe de travail 3 du GIEC (Metz et collab., 2007) a examiné dans chacun des grands secteurs un ensemble de mesures qui permettraient de réduire de 15 milliards de tonnes de CO_2 équivalent les émissions de gaz à effet de serre, soit plus de 30% des émissions prévues à l'époque pour 2030. Il serait fastidieux d'en faire une nomenclature complète; le lecteur intéressé trouvera l'information utile au chapitre 13 de Villeneuve et Richard, 2007.

Les analyses faites dans le rapport du groupe de travail 3, publié en 2007, montrent que cela aurait pu se faire pour un prix du carbone inférieur à 20 $ par tonne de CO_2, et avec des technologies connues (principalement dans le domaine de l'efficacité énergétique, de la substitution de carburants et de matériaux de construction, des modifications de comportements ou des choix de consommation). Avec un prix de 100 $ la tonne, le même rapport calculait qu'on pouvait aller jusqu'au double de réductions comme l'indique la figure 6.2. Les principaux gains pouvaient être réalisés dans les pays en voie de développement et dans les économies en transition. Pour les pays industrialisés, les gains les plus importants se situaient dans le domaine du bâtiment et de la production d'électricité.

Depuis 2007 toutefois, ce portrait risque d'avoir changé, compte tenu du développement fulgurant des pays émergents qui s'est fait avec peu de préoccupations pour limiter les émissions de gaz à effet de serre. D'ailleurs, nous avons déjà dépassé en 2010 le niveau d'émissions que le GIEC prévoyait pour 2030 (UNEP, 2012). Le médaillon de la figure 6.1 est plus inquiétant, car il montre que nous devrons dorénavant avoir éliminé la totalité des émissions des gaz à effet de serre vers 2080 pour espérer une stabilisation sous les 2 °C et qu'il faudrait être dans un bilan d'absorptions nettes à partir de 2050 pour limiter la hausse à 1,5 °C.

FIGURE 6.2
Potentiel de réduction des émissions à l'horizon 2030

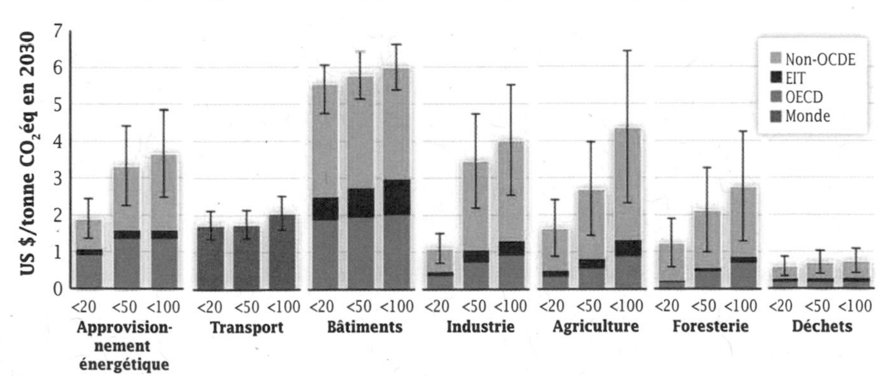

Source : Metz et collab., 2007.

Le potentiel des pays en développement de réduire leurs émissions est visé par le Mécanisme de développement propre (MDP) du Protocole de Kyoto. C'est ainsi que, dans la première période de référence du Protocole (2008-2012), le MDP a réussi à enregistrer des projets qui ont permis de générer 1,3 milliard d'URCE, ce qui représente une faible portion des réductions identifiées. Même si on réalisait complètement le potentiel attendu pour 2020 avec les projets actuels, on n'obtiendrait qu'un total de 7,6 milliards de tonnes de CO_2 équivalent. Malgré cette somme, on est toujours à moins de 10% du potentiel identifié par Metz et collab. Par ailleurs, les réductions certifiées par le MDP sont pour l'essentiel des réductions par rapport à un scénario de référence. Ce ne sont donc pas des suppressions.

Les problèmes associés à la réalisation du potentiel identifié par Metz et collab. sont essentiellement liés à notre incapacité de mettre en place un marché du carbone mondial et au faible prix offert pour les réductions de gaz à effet de serre. Les marchés du carbone qui existent aujourd'hui sont régionaux et de faible envergure et le prix de la tonne de CO_2 équivalent est si faible en 2013, qu'il n'est même pas intéressant d'inscrire des projets.

Il est encore envisageable en théorie de réaliser le potentiel de réduction identifié par Metz et ses collègues pour 2030. Cependant, avec une deuxième phase du Protocole de Kyoto n'engageant, d'ici à 2020, qu'une trentaine de pays représentant moins de 15% des émissions mondiales, il est très peu probable que le prix de la tonne de CO_2 connaisse une hausse suffisante avant 2020 pour espérer atteindre le seuil minimal identifié par le GIEC pour 2030. En effet, il faut du temps avant qu'un projet soit défini, quantifié, validé, mis en œuvre et vérifié pour générer des réductions qui puissent être transigées sur un marché.

En supposant que les pays puissent s'entendre sur un accord contraignant en 2020, il ne resterait que dix ans pour la mise en œuvre d'une activité 100 fois plus importante qu'aujourd'hui dans

Encadré 6.2

UN CRÉDIT DE CARBONE

Le crédit de carbone est un produit financier qui peut être échangé sur un marché. Il représente la suppression vérifiée d'une tonne de CO_2 équivalent, c'est-à-dire que le CO_2 représente l'unité de référence. Ainsi, un projet qui supprime une tonne de méthane mérite 25 crédits de carbone, le méthane ayant un potentiel de réchauffement 25 fois plus grand que le CO_2.

Pour émettre un crédit, une autorité compétente doit exiger d'un promoteur qu'il fasse la preuve que cette suppression a bien eu lieu et qu'elle est permanente. Ainsi, si je récupère du biogaz d'un site d'enfouissement industriel non réglementé, par exemple un site où l'on enfouit des boues de papetières, pour le brûler à la place de gaz naturel, on peut obtenir des crédits en faisant la démarche suivante :

- Établir un scénario de référence crédible qui décrit ce qui se serait produit dans le cours normal des affaires.
- Décrire le projet technique et quantifier la différence entre les émissions avec ou sans le projet.
- Faire valider par une tierce partie compétente le scénario de référence et le projet.
- Réaliser le projet.
- Faire vérifier par une tierce partie indépendante et crédible différente de la première les suppressions, selon une méthodologie de vérification normalisée et acceptée par les autorités de marché.
- Remettre l'ensemble du dossier aux autorités qui émettent alors le certificat de suppression que le détenteur peut ensuite appliquer pour démontrer l'atteinte de ses propres cibles ou le mettre sur le marché au plus offrant.

Ces étapes sont définies par la norme ISO 14064 1-2-3 et l'équipe de vérification doit être accréditée selon la norme ISO 14065. Les exigences des marchés peuvent être plus sévères. Par exemple, certains types de suppression peuvent ne pas être acceptés.

ce domaine. Il est clair, à présent, que le rythme de mise en œuvre des projets de réduction d'émissions à la source ne permettra pas, comme le souhaitaient Metz et ses collègues, d'empêcher le doublement de la concentration préindustrielle de CO_2 avant 2050. Il faut donc trouver autre chose.

La réutilisation et le recyclage

On peut assimiler la culture de plantes ou d'arbustes à des fins énergétiques à une réutilisation du CO_2. En effet, ce dernier est pris de l'atmosphère par la photosynthèse pour y être ensuite retourné lors de la combustion. Pour sa part, le recyclage du CO_2 consiste à le retirer d'un flux gazeux industriel, par exemple pour produire du carburant à partir de microalgues. Dans ce dernier cas, le CO_2 d'origine fossile sera recyclé une fois en carburant avant d'être émis dans l'atmosphère.

La plantation de cultures énergétiques de plantes, d'arbustes ou de palmiers à huile ne va pas sans causer certains problèmes éthiques. En effet, ces cultures sont en compétition avec l'agriculture pour la production alimentaire ou exigent un déboisement en zone tropicale et une réduction de la biodiversité. Néanmoins, c'est l'une des premières formes de mesures qui ont été déployées.

Les performances des cultures à vocation énergétique varient de manière très importante selon les stocks de carbone présents à l'origine sur les terres exploitées. Il faut aussi comptabiliser l'investissement en engrais minéraux et en carburants fossiles dans la production de biomasse, la quantité d'énergie utilisée dans la production du carburant final et les distances de transport entre les diverses phases de la production à la combustion pour avoir une idée claire du gain carbonique à escompter.

À cet effet, on peut distinguer des procédés comme l'extraction directe de l'huile végétale, la fermentation, la gazéification et la pyrolyse. Dans le premier procédé, l'huile est extraite par pression, puis traitée pour se substituer ou se mélanger au carburant diésel.

Pour la fermentation, il s'agit d'extraire les sucres présents dans l'amidon ou dans la cellulose des plantes pour le transformer en éthanol par une fermentation alcoolique. On peut aussi produire du biogaz par fermentation anaérobie.

Dans la gazéification, on passe par une transformation en gaz synthétique composé de monoxyde de carbone et d'hydrogène sous l'effet de la chaleur. Dans le cas de la pyrolyse, la décomposition de la matière organique se fait en l'absence d'oxygène et la chaleur est fournie par la combustion de la portion gazeuse. La pyrolyse rapide sous pression donne un liquide combustible, appelé huile pyrolytique, et un solide, le biochar. La pyrolyse lente, avec ou sans pression, donne du biochar. Ce dernier peut être utilisé comme combustible en remplacement du charbon ou comme amendement dans les sols. Il est toutefois généralement plus cher que le charbon minéral.

Les trois procédés peuvent être utilisés avec des plantes diverses, mais le rendement de transformation est fortement influencé par la densité énergétique de l'intrant et, dans le cas de la fermentation, par la facilité d'extraction des sucres. Pour la fermentation anaérobie qui donne du biogaz, c'est la facilité de décomposer les intrants et le maintien des populations de microorganismes dans des conditions favorables qui déterminent le rendement. Ces facteurs influencent à la fois la qualité du carburant et son prix, ainsi que l'impact carbonique de la filière, par conséquent.

La figure 6.3 détaille les sources utilisées pour la production d'éthanol. La majeure partie vient actuellement du maïs et d'autres céréales dites secondaires, de canne à sucre et de blé. D'ici à 2020, l'augmentation de production viendra essentiellement de la canne à sucre cultivée surtout au Brésil. D'autres sources, comme la betterave sucrière, des racines ou des tubercules, comme la pomme de terre, peuvent aussi être utilisées. Toutes ces sources sont potentiellement en compétition avec la production alimentaire.

On peut aussi utiliser des résidus de la production sucrière, comme la mélasse ou la bagasse, et on prévoit une lente progression de l'éthanol de seconde génération, issu de la cellulose qui devrait représenter selon l'OCDE environ 7 % de la production mondiale en 2020.

FIGURE 6.3

Production annuelle d'éthanol prévue à l'horizon 2020

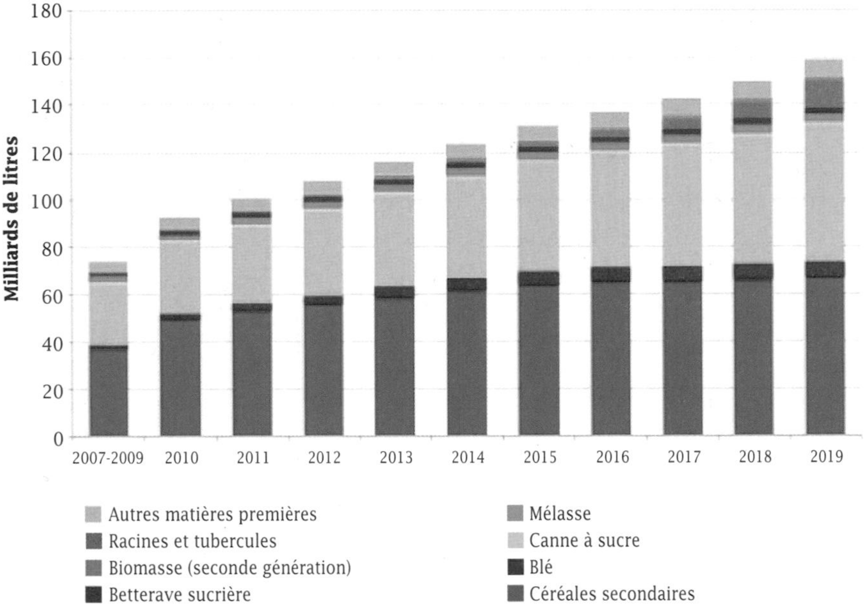

- Autres matières premières
- Racines et tubercules
- Biomasse (seconde génération)
- Betterave sucrière
- Mélasse
- Canne à sucre
- Blé
- Céréales secondaires

Source : OCDE-FAO, 2013.

Comme l'indique la figure 6.4, l'OCDE prévoit que la production de biodiésel sera en forte expansion d'ici à 2020, surtout pour l'huile végétale provenant du canola et du palmier à huile. On peut aussi noter la production d'huile de jatropha. Il s'agit d'un arbuste qui tolère les climats semi-arides et donne une noix dont on peut extraire un carburant. L'Inde a développé de grandes plantations de jatropha. Le biodiésel peut aussi être produit à partir de graisses animales, un résidu des abattoirs. Les États-Unis ont un important programme pour développer cette production. Enfin, le biodiésel de seconde génération, produit à partir de la biomasse, reste très peu développé.

L'OCDE prévoit que la proportion de la production agricole mondiale qui sera destinée aux biocarburants en 2019 sera de 13% pour les céréales, 16% pour l'huile végétale et 35% pour la canne à sucre.

Sachant que, dans les conditions actuelles de production, la réduction des émissions n'excède pas 50% et souvent beaucoup moins dans le cycle de vie des biocarburants, le mieux que l'on puisse espérer à l'horizon 2020 de cette filière représente à peine 75 à 80 millions de tonnes équivalent CO_2 de réduction des émissions par année, c'est-à-dire moins que les émissions totales du Québec pour le monde entier.

FIGURE 6.4

Production annuelle de biodiésel prévue à l'horizon 2020

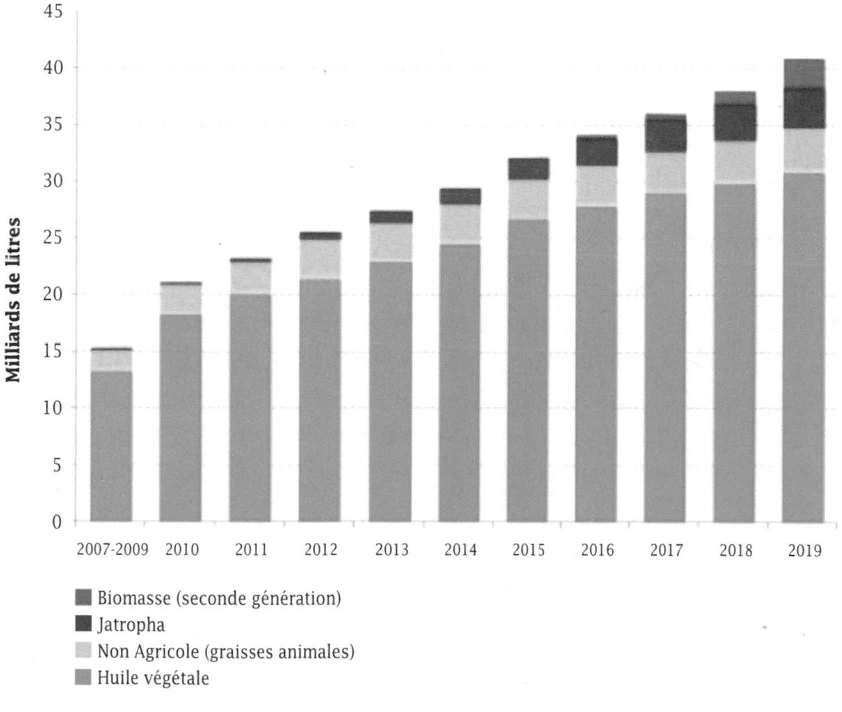

Source: OCDE-FAO, 2013.

Pour les autres carburants de biomasse, le potentiel est important pour le chauffage, en substitution des carburants fossiles. Par exemple, une analyse de cycle de vie (Dessureault et collab., 2013) réalisée par la Chaire en éco-conseil a démontré un gain de l'ordre de 97% de réduction des émissions dans la substitution de mazout lourd par de la biomasse forestière résiduelle.

Les granules et les plaquettes sont assez largement utilisées en Europe pour le chauffage domestique ou industriel, en substitution de carburants fossiles. Elles servent aussi d'additifs dans les centrales au charbon pour en réduire l'intensité carbonique. Des copeaux ou des plaquettes peuvent aussi être intégrés à des procédés sidérurgiques.

L'huile pyrolytique obtenue à partir de la pyrolyse rapide de déchets de biomasse peut aussi présenter de très bons rendements en substitution au mazout lourd dans certains procédés industriels. Cependant, ses caractéristiques corrosives, son contenu en eau et sa densité énergétique plus faible (environ la moitié du mazout) en réduisent l'attractivité pour l'industrie. Actuellement, les seules usines qui existent pour produire ce genre de carburant sont au stade pilote.

La pyrolyse lente, ou carbonisation, est beaucoup plus ancienne et se pratique à la pression atmosphérique. Elle sert principalement à produire du charbon végétal ou du biochar. Le charbon végétal, surtout le charbon de bois, a un rendement énergétique maximal de 55% lorsqu'il est produit à pression atmosphérique. En théorie, sous pression, ce rendement pourrait être augmenté à un maximum de 75%. Comme dans le cas de la pyrolyse rapide, les procédés de pyrolyse lente sous pression sont encore au stade expérimental.

Les limites de procédés utilisant l'énergie de la biomasse végétale sont surtout liées à un approvisionnement durable en matière première. Il faut en effet des volumes considérables de biomasse pour remplacer la valeur calorifique des carburants fossiles qui ont naturellement subi des processus semblables à la pyrolyse lente sous pression, dans leur évolution géologique. Tant que l'approvisionnement se fait par des déchets de biomasse agricole ou forestière, les enjeux sont moins importants. Si l'on doit cultiver les plantes ou les arbustes qui alimentent les procédés, la compétition pour l'usage des terres peut présenter des difficultés et il faut surveiller le bilan carbonique des opérations.

L'utilisation d'arbres entiers pose la question de l'exploitation durable des forêts. Mais comment pourrait-on faire autrement ? Certains ont imaginé produire du carburant à partir de microalgues alimentées de CO_2 d'origine industrielle. Cette option présente de nombreux avantages théoriques, mais qu'en est-il vraiment de son potentiel et de sa faisabilité ?

Plusieurs espèces d'algues planctoniques accumulent des huiles comme réserves alimentaires et pour améliorer leur flottabilité. Cela leur permet de se maintenir dans la couche supérieure de l'océan, là où la lumière est abondante. En faisant une sélection des espèces qui produisent le plus grand nombre de gouttelettes lipidiques par volume, plusieurs groupes tentent de mettre au point un biocarburant de troisième génération, le biodiésel de microalgues.

Des algues sont prélevées en mer, puis cultivées dans des bassins d'eau de mer ou dans des bioréacteurs exposés à la lumière du soleil. Lors de leur croissance, elles accumulent des lipides. On extrait la pâte d'algues à partir de laquelle on fabrique le carburant. Les bioréacteurs peuvent être alimentés avec une atmosphère enrichie en CO_2 provenant d'effluents gazeux industriels.

Comme on utilise de l'eau de mer, les algocarburants ne concurrencent pas l'agriculture pour l'utilisation de l'eau douce et des surfaces arables. Leur production pourrait théoriquement se faire en circuit fermé, ce qui ne produit pas de rejets polluants. Leur développement reste encore freiné par le coût élevé de production, qui est actuellement de l'ordre de 15 $ par litre.

L'un des défis à relever consiste à identifier les microalgues les plus riches en lipides parmi les milliers d'espèces existantes et de reproduire en milieu fermé leurs conditions optimales de croissance. L'optimisation de l'extraction des lipides doit également être améliorée, les techniques de pressage étant inefficaces en raison de la faible siccité (teneur en eau) de la pâte d'algues. L'extraction de l'huile à l'hexane n'est actuellement efficace ni au niveau économique ni au niveau environnemental. D'autre part, pour que la technologie soit rentable à l'échelle industrielle, les rendements de production des algues doivent au moins tripler.

Pourrait-on penser à remplacer les carburants fossiles actuellement consommés par des biocarburants ? C'est très improbable en raison du rendement énergétique des filières de production. En effet, pour extraire du pétrole, du charbon ou du gaz naturel, « il n'y a qu'à se baisser », dans le sens où pour une unité d'énergie investie, on en retire jusqu'à 100, avec les pétroles légers conventionnels du Moyen-Orient. Ce rendement baisse très rapidement à 25 pour le pétrole du golfe du Mexique, par exemple, et à moins de 4 pour les sables bitumineux de l'Athabasca. Il faut en effet chauffer le pétrole lourd et y ajouter des distillats pour en faire du pétrole synthétique ou syncrude qui sera livré aux raffineries.

Pour produire des biocarburants, le rendement énergétique des filières de biomasse est encore moins élevé. Pour l'éthanol de maïs par exemple, le rendement ne dépasse pas 1,2 pour une unité investie, ce qui explique le faible gain d'empreinte carbonique de cette filière. Par ailleurs, la densité énergétique des biocarburants est plus faible que celle des carburants fossiles, sauf dans le cas du biogaz épuré. Il faut donc en brûler une plus grande quantité pour obtenir le même service énergétique, par exemple propulser une voiture ou un camion. Au bout du compte, il y aura donc plus de CO_2 émis au total, même si ce CO_2 est d'origine biogénique et qu'il n'est pas comptabilisé par convention.

Ainsi, les gains qu'on peut penser obtenir en termes de lutte contre les changements climatiques par l'utilisation accrue de biocarburants sont-ils limités et, outre les difficultés techniques qui restent à surmonter, il est peu probable qu'au total, les biocarburants nous permettent de dépasser un gain net annuel de 100 millions de tonnes en 2020. Il faut donc trouver d'autres moyens pour s'attaquer au problème de l'augmentation soutenue du CO_2 dans l'atmosphère.

Encadré 6.3

ÉLECTRIFIER LES TRANSPORTS

Le problème des sources mobiles d'émissions de GES est complexe. Il est d'abord impossible de les rattacher à un réseau de captage et stockage du CO_2. Par ailleurs, leur autonomie exige qu'ils transportent avec eux du carburant ou qu'ils soient reliés périodiquement à un réseau d'approvisionnement énergétique adéquat.

L'électrification des transports collectifs et individuels est une des pistes les plus souvent évoquées pour réduire l'impact carbonique de la mobilité. Cela ne va pas sans raison: le moteur électrique est beaucoup plus efficace en termes énergétiques que le moteur à essence. De plus, il demande beaucoup moins de pièces et d'entretien.

Si l'électricité est de source renouvelable, l'empreinte carbonique du transport se limite à la construction de l'automobile et des infrastructures. Malheureusement, le problème réside dans le stockage de l'électricité. En effet, les batteries sont relativement lourdes, longues à charger et peu performantes en hiver. Par ailleurs, rares sont les réseaux électriques qui sont majoritairement alimentés par des sources d'énergie primaire renouvelable. Il s'agit donc, la plupart du temps d'un déplacement de l'impact carbonique (Villeneuve, 2011).

L'électrification des transports collectifs est beaucoup plus facile que celle des transports individuels, car les véhicules peuvent être reliés au réseau, soit par des trolleys, soit par des stations de biberonnage. Leurs trajets étant répétitifs et circonscrits, autobus, tramways et trains en tout genre peuvent être convertis à l'électricité. Dans tous les cas, l'électrification des transports pourrait être plus avantageuse en termes d'émissions au cours de leur cycle de vie si les centrales thermiques étaient reliées à un système de captage et de stockage du CO_2.

Le captage et le stockage du CO_2

Le CO_2 est une molécule parfaitement naturelle et stable. Ce qui nous chagrine, c'est que l'augmentation de sa concentration dans l'atmosphère provoque des interférences avec l'équilibre radiatif planétaire et perturbe le climat. Alors, comment s'en débarrasser sans le rejeter dans l'atmosphère où il tend naturellement à se retrouver puisqu'il s'agit d'un gaz ?

Comme l'indique la figure 6.5, le captage et le stockage du CO_2 consistent à séparer le CO_2 d'un flux gazeux à partir d'un procédé de conditionnement du gaz naturel ou encore d'un effluent industriel, par exemple une centrale au charbon une raffinerie ou une cimenterie. Il faut ensuite le comprimer et l'injecter dans une formation géologique étanche, dans un aquifère salin ou encore en profondeur, dans l'océan. Le CO_2 ainsi stocké est présumé rester à l'écart de toute interaction avec l'atmosphère, pendant des millénaires.

FIGURE 6.5

Les voies possibles pour le captage et le stockage du CO_2

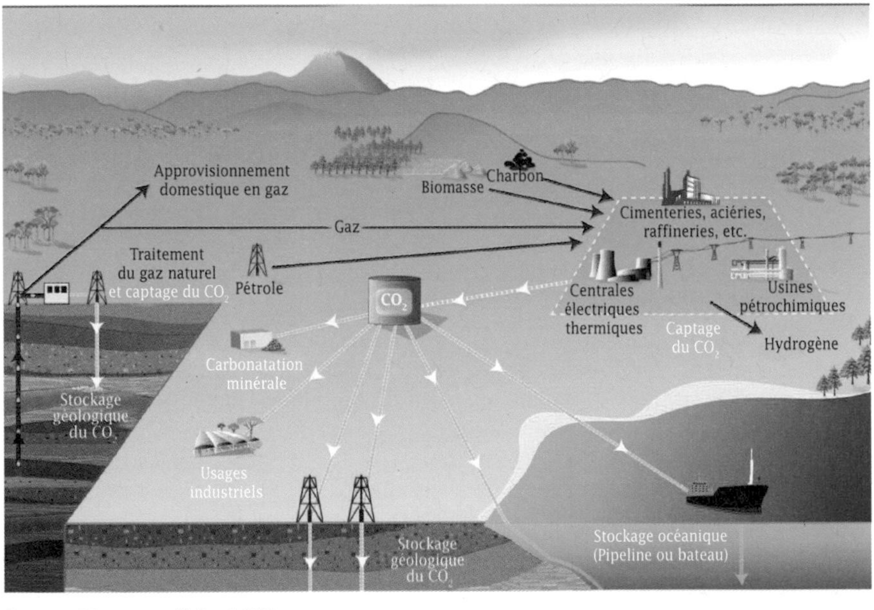

Source : Metz et collab., 2005.

La séparation du CO_2 dans le traitement du gaz naturel est nécessaire pour respecter les normes de qualité du gaz dans les pipelines et au point de livraison. Lorsque la concentration de CO_2 est faible, il est simplement évacué dans l'air. Lorsqu'elle est forte (autour de 10%), le CO_2 peut être considéré comme un sous-produit valorisable. Depuis plus de 40 ans, dans l'industrie pétrolière, on utilise du CO_2 issu du traitement du gaz naturel pour l'injecter dans des puits de pétrole dont la production commence à faiblir. Ce procédé s'appelle «récupération assistée de pétrole». C'est le cas du champ pétrolifère de Weyburn[1] en Saskatchewan où chaque tonne de CO_2 enfouie permet de recouvrer six barils de pétrole. Dans ce projet, l'injection de CO_2 a atteint 18 millions de tonnes depuis 2000. C'est un peu plus de un million de tonnes par année. Le gaz provient d'une usine de gazéification du charbon située à 330 kilomètres au Dakota du Nord. En janvier 2011, des émanations de CO_2 ont été notées dans la zone de stockage. Le rapport isotopique[2] semble incriminer le projet Weyburn, mais des études sont toujours en cours pour déterminer l'origine exacte et l'ampleur de ces fuites.

Le CO_2 peut aussi être isolé à partir de flux industriels postcombustion. Cela est plus coûteux et compliqué en raison des nombreuses impuretés qu'on trouve à la cheminée. En général, les systèmes postcombustion doivent utiliser des colonnes contenant des amines en solution qui adsorbent sélectivement le CO_2 et laissent passer les autres gaz. Il faut ensuite chauffer la solution d'amines pour désorber le CO_2 et le compresser. Le coût énergétique d'une telle opération représente une part significative (de 15 à 30%) de l'énergie produite par la centrale, ce qui diminue son efficacité et augmente le prix de l'électricité produite en proportion. Une entreprise de Québec, CO_2 Solutions, s'est attaquée au problème en ajoutant des enzymes à la solution d'amines, ce qui augmente de

1. http://sequestration.mit.edu/tools/projects/weyburn.html.
2. Dans le CO_2 issu des carburants fossiles, il n'y a pas de carbone 14, ce qui permet de le différencier du CO_2 d'origine récente qui en contient une certaine proportion.

façon importante son efficacité. D'ici à 2015, en Alberta, un réacteur expérimental sera équipé de ce système, à l'échelle pilote.

Pour enrichir la proportion de CO_2 dans l'effluent gazeux, on peut aussi remplacer l'air dans la chaudière par de l'oxygène (procédé oxyfuel ou oxycombustion). Cela permet d'oxyder plus complètement le carbone du carburant, produisant un effluent composé essentiellement de CO_2. Cette technique demande toutefois de séparer l'oxygène de l'air avant de l'injecter dans la chambre de combustion, ce qui augmente le coût du procédé. Le premier projet de captage et de stockage du CO_2 à utiliser ce procédé est situé en Illinois et devrait commencer à stocker du CO_2 à partir d'une centrale thermique au charbon rénovée. Plusieurs problèmes survenus au cours de la réalisation du projet FutureGen 2.0 en ont augmenté le coût, mais l'État de l'Illinois s'est engagé à payer la différence du coût de l'électricité générée pour les 20 prochaines années.

Une explication plus détaillée de ces processus peut être trouvée dans le rapport du GIEC sur le captage et le stockage du carbone (Metz et collab., 2005) ou dans Villeneuve et Richard (2007).

La figure 6.6 présente les types de procédés qui permettent, dans divers secteurs industriels, de séparer des flux importants de CO_2 pour le capter et le transporter à des fins de stockage. Outre les procédés expliqués plus haut, certains procédés chimiques, comme la fabrication d'engrais, la production d'hydrogène, la gazéification du charbon ou la pétrochimie peuvent générer des flux de CO_2 assez purs pour être intéressants à compresser et à stocker.

Depuis 1996, la compagnie norvégienne Statoil opère, sur la plate-forme Sleipner en mer du Nord, une unité de CSC qui enfouit annuellement un million de tonnes de CO_2. Dans ce cas, le CO_2 est injecté dans un aquifère salin situé à un kilomètre sous le plancher océanique. C'est le premier projet qui a été spécifiquement réalisé pour des raisons de lutte contre les changements climatiques. En effet, en 1991, la Norvège fut la première à imposer une taxe sur les émissions de CO_2.

FIGURE 6.6

Procédés industriels permettant la séparation de quantités importantes de CO_2

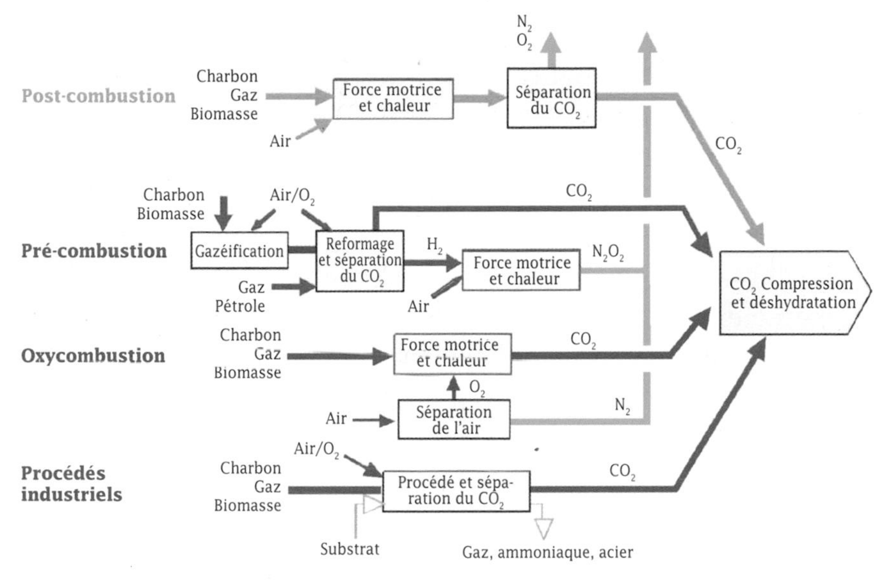

Source : Metz et collab., 2005.

L'entreprise bénéficie aujourd'hui de crédits sur le marché européen du carbone pour le million de tonnes qu'elle séquestre annuellement. Sans ce projet, l'entreprise devrait payer, en 2013, près de 90 millions de dollars de taxes sur ses émissions, uniquement à Sleipner. Ces éléments financiers montrent bien comment la combinaison des taxes et du marché du carbone peut favoriser le déploiement de projets industriels de captage et de stockage du carbone.

Selon les évaluations, la formation d'Utsira, dans laquelle le CO_2 est injecté, peut recevoir beaucoup plus que la production de la plate-forme Sleipner et un projet de pipeline a été proposé pour y enfouir, à partir de la plate-forme Sleipner, du CO_2 en provenance de centrales thermiques situées sur la côte. Ce projet n'a toutefois pas encore été réalisé.

Les projets de CSC se sont multipliés au cours des dernières années, mais est-ce une solution suffisante pour réduire nos émissions sérieusement à l'échelle planétaire ?

En janvier 2013, le rapport du Global Carbon Capture and Storage Institute (Global CCS Institute) identifiait 72 projets de grande envergure[3] dans le monde, à divers stades de développement. Seulement huit projets de CSC sont toutefois en activité et se répartissent, comme on peut le voir dans la figure 6.7, majoritairement en Amérique du Nord et en Europe.

Ces huit projets stockent essentiellement du CO_2 provenant du traitement du gaz naturel (6/8) et sont en majorité associés au recouvrement de pétrole dans des nappes en voie d'épuisement (5/8). Les trois autres injectent le CO_2 dans des aquifères profonds.

FIGURE 6.7

Nombre de projets de CSC dans le monde selon leur état d'avancement en 2012

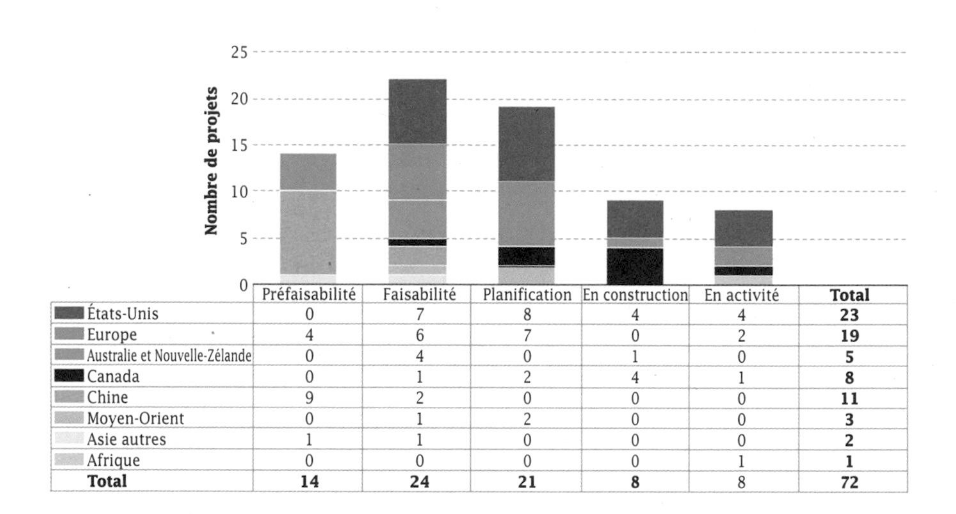

	Préfaisabilité	Faisabilité	Planification	En construction	En activité	**Total**
États-Unis	0	7	8	4	4	**23**
Europe	4	6	7	0	2	**19**
Australie et Nouvelle-Zélande	0	4	0	1	0	**5**
Canada	0	1	2	4	1	**8**
Chine	9	2	0	0	0	**11**
Moyen-Orient	0	1	2	0	0	**3**
Asie autres	1	1	0	0	0	**2**
Afrique	0	0	0	0	1	**1**
Total	**14**	**24**	**21**	**8**	8	**72**

Source : GCCSI, 2012.

3. Les projets représentent le captage de 800 000 tonnes ou plus de CO_2 par année pour une centrale thermique ou encore 400 000 tonnes ou plus pour un autre type d'installation industrielle.

Tous les projets captent du CO_2 dans des procédés précombustion comme illustré dans la figure 6.7. Les premiers projets associés à des procédés postcombustion sont prévus, pour l'un, dans le domaine de la production d'hydrogène aux États-Unis en 2013 et, pour un projet de démonstration couplé à une centrale au charbon, au Canada en 2015. Ces deux projets injecteront aussi leur CO_2 pour favoriser la récupération de pétrole, comme la majorité des projets attendus d'ici à 2015.

En termes géographiques, la majorité des projets en phase de construction (7/8) sont en Amérique du Nord (États-Unis et Canada) alors que le dernier se situe en Australie. Toutefois, la Chine a plusieurs projets en phase de démonstration à petite échelle et planifie sept grands projets d'ici à 2020. À ce moment-là, il devrait y avoir des projets sur tous les continents, à l'exception de l'Amérique du Sud.

Comme l'indique la figure 6.8, ces projets permettent actuellement de soustraire environ 27 millions de tonnes de CO_2 annuellement du total des émissions mondiales. Si l'ensemble des projets envisagés se réalise, ce total pourrait être multiplié par quatre d'ici à 2020. Cela correspond à moins de 1% des réductions nécessaires pour éviter l'augmentation prévue des émissions à ce moment si on prend une hypothèse médiane à la figure 2. Selon le Global CCS Institute, il faudrait que 130 projets soient pleinement opérationnels en 2020 pour s'inscrire dans le scénario de stabilisation des émissions au 21e siècle. Nous en sommes encore loin. D'ailleurs, on peut voir que le retrait de certains projets fait évoluer les prévisions de 2013 à la baisse par rapport à celles de 2012, un phénomène qui suit la même tendance depuis 2010, comme l'indique la figure 6.10.

Cette tendance illustre les difficultés inhérentes au CSC. En effet, entre l'idée de projet et la décision finale d'investissement, de nombreuses études techniques et économiques doivent être réalisées. Souvent, des subventions et des contrats à long terme doivent être assurés et plusieurs défis techniques peuvent changer la rentabilité des projets. Enfin, il peut y avoir des questions d'acceptabilité sociale qui retardent les projets ou qui en forcent l'abandon. On peut constater à la figure 6.8 que le total des projets en cours et en construction n'a pas évolué alors que dans les phases initiales, la variation est plus importante et explique l'essentiel de la baisse de prévisions entre 2010 et 2013.

FIGURE 6.8

Volume de CO_2 potentiellement stocké à l'horizon 2020 en fonction des projets, selon leur étape de réalisation

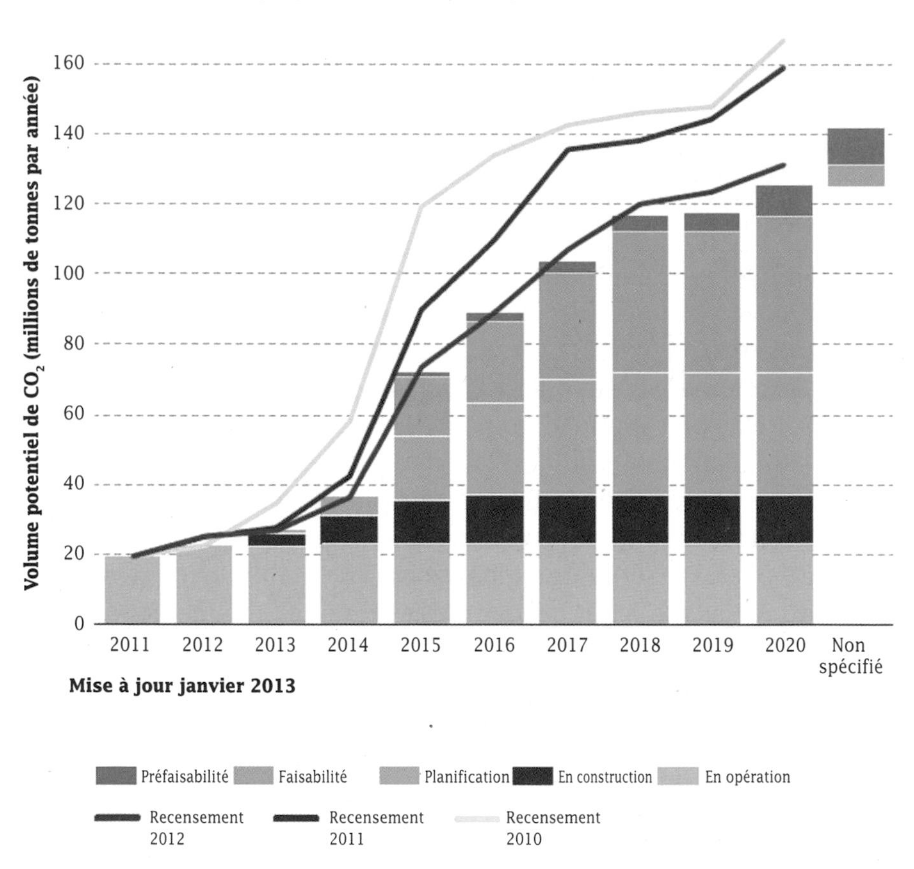

Source : GCSCI, 2013.

FIGURE 6.9
Tendance du volume potentiellement stocké en 2020 depuis 2010

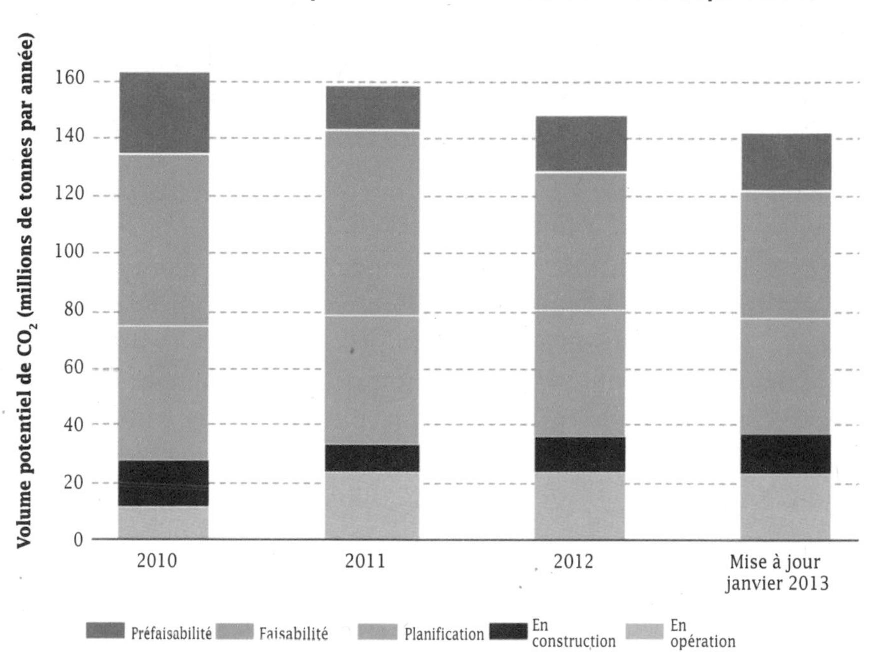

Source : GCCSI, 2013.

Les investissements dans le captage et le stockage du CO_2 sont majeurs et ce genre de projet ne comporte pas que des avantages. Ainsi, il est relativement facile de saisir la rentabilité économique associée à la récupération de pétrole. Mais, sans une robuste taxe sur le carbone et un marché permettant de tirer profit des suppressions d'émissions de CO_2, des projets comme Sleipner ne sont pas nécessairement intéressants économiquement.

Par ailleurs, Metz et collab., 2005, estiment que les coûts en énergie nécessaires à la séparation et à la compression du CO_2 peuvent représenter une perte d'énergie importante pour une centrale thermique, comme l'indique une étude australienne (Feron et Paterson, 2011) qui évalue à 30 % les pertes d'énergie pour débarrasser de 90 % du CO_2 les rejets des centrales thermiques au charbon existantes. Les auteurs estiment que cette perte pourrait éventuellement être réduite à 10% dans un processus d'optimisation. Il n'en demeure pas moins que les coûts liés à la perte d'efficacité à l'énergie investie pour transporter et enfouir le gaz sous pression et le coût des infrastructures totalisent entre 30 et 90 $ par tonne de CO_2 pour ce type d'opération, selon l'Agence internationale de l'énergie.

Pour des effluents gazeux plus concentrés, les coûts par tonne peuvent être moins élevés, mais ils deviennent beaucoup plus élevés si les effluents sont moins concentrés, par exemple dans une aluminerie, ou encore si les distances à parcourir sont plus grandes. À toutes fins utiles, sans un prix élevé de la tonne de CO_2 sur le marché, sans des plafonds d'émissions contraignants ou sans une taxe élevée sur le carbone, le surcoût imposé aux industriels affectera leur compétitivité, surtout s'ils doivent concurrencer des compétiteurs qui n'ont pas le même genre d'obligations.

L'Agence internationale de l'énergie estime que les coûts de CSC pourraient baisser autour de 25 $ par tonne à l'horizon 2030. On comprend dès lors que, sans le recouvrement significatif de pétrole, les promoteurs se montrent réticents à investir dans ce genre d'initiative s'ils ne disposent pas d'importantes subventions gouvernementales, ce que confirme d'ailleurs le rapport du Global CCS Institute.

Outre les coûts en capital et en fonctionnement, le CSC présente un risque de fuites, surtout dans les projets de récupération de pétrole et dans les projets de stockage dans les fosses océaniques. En effet, les formations géologiques ne sont pas toutes équivalentes, comme on peut le voir à la figure 6.10. Certaines présentent une étanchéité raisonnable et les puits de pétrole ou de gaz qui sont taris peuvent avoir été correctement bouchés, surtout dans des pays où de telles normes sont appliquées. Toutefois, dans des pays en développement ou encore dans des formations géologiques qui sont exploitées depuis longtemps, il est plus difficile de garantir l'étanchéité des structures et la permanence du stockage est moins que certaine. Il peut enfin y avoir des failles ou des zones de forte perméabilité, par exemple des grès, par lesquels le gaz sous pression finira par s'échapper. Lorsque de l'eau salée est présente dans la zone d'injection, il est possible que la surpression fasse migrer cette eau vers la surface et qu'elle contamine les puits d'eau potable. Enfin, des doutes ont été soulevés sur le potentiel sismique de l'injection de CO_2 à haute pression pendant des périodes prolongées.

FIGURE 6.10

Options de stockage du CO_2

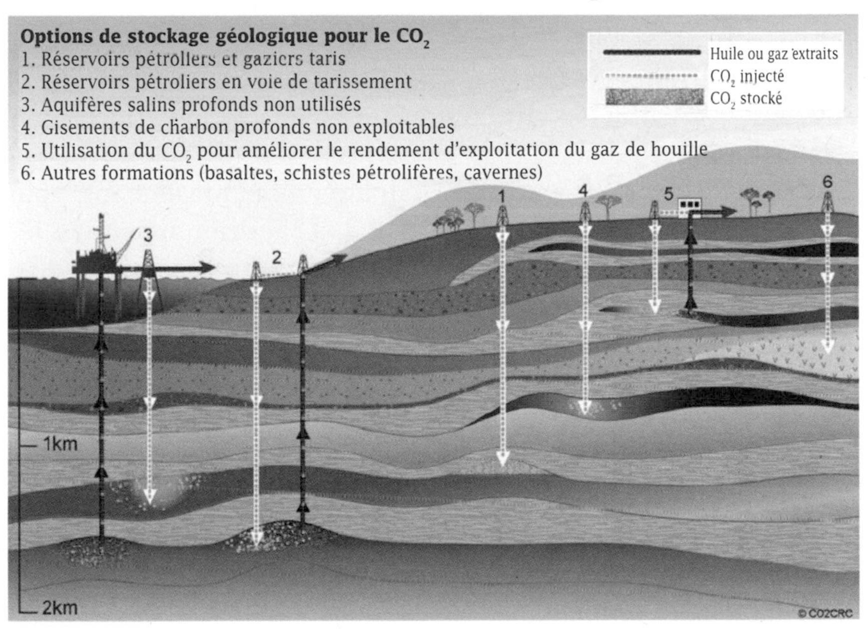

Source: GCCSI, 2012.

Pour ce qui est du stockage océanique du CO_2, même si la possibilité d'en disposer à de grandes profondeurs dans l'océan sous forme supercritique a été l'objet de recherches dans les années 2000 et qu'elle est recensée dans Metz et collab. en 2005, la démonstration de la stabilité et de l'innocuité environnementale de cette technique ne semble pas avoir été faite. En revanche, comme on le verra dans la section suivante, on pense à stocker le CO_2 sous forme de carbonates insolubles dans les sédiments océaniques.

Alors quels sont les espoirs qui peuvent être fondés sur le CSC ?

Le CSC fera sans doute partie de l'arsenal des moyens à mettre en œuvre pour limiter la croissance des émissions et de la concentration de CO_2 dans l'atmosphère. Il pourrait représenter 14 % des mesures d'atténuation dans le domaine de l'énergie en 2050, selon l'Agence internationale de l'énergie. Toutefois, la vitesse à laquelle le CSC sera déployé va dépendre essentiellement de la combinaison des taxes sur le carbone et de la valeur des crédits qui pourront être attribués à la suppression d'émissions.

À la conférence de Doha, à l'automne 2012, les parties signataires du Protocole de Kyoto ont examiné des propositions pour faire place au CSC dans le marché du MDP. Toutefois, les propositions ont été reportées à une prochaine réunion. Idéalement, pour que cette option devienne compétitive, il faudrait aussi que les systèmes d'absorption-désorption du CO_2, qui utilisent actuellement des solutions d'amines deviennent beaucoup plus efficaces en termes de consommation d'énergie, d'investissement de capital et d'espace. Le rôle de la recherche dans ce domaine est crucial et devrait être soutenu par les gouvernements et l'industrie.

La capacité de stockage, pour sa part, ne pose pas de problème particulier pour le prochain siècle. Les formations géologiques propices étant réparties, non seulement sur les continents, mais aussi sous le plancher océanique du plateau continental. L'industrie de pipeline est quant à elle capable de s'adapter à la demande pour le transport.

Le grand défi du CSC sera sans doute l'importance de l'effort de déploiement de cette technique au cours des prochaines décennies. En effet, il existe un parc de plusieurs milliers d'installations industrielles émettant plus de un million de tonnes de CO_2 par année et il s'en ajoute de nouvelles chaque semaine. Ces installations n'ont pas été conçues pour recevoir des systèmes de CSC. La mise en chantier d'un nombre croissant de ce type d'installations se fera sans doute d'abord dans des nouveaux projets industriels ou dans la rénovation d'installations existantes, alourdissant ainsi le coût en capital des investissements. De plus, il faudra créer des équipes techniques capables d'installer et d'opérer efficacement ces unités. Cela représente un défi de taille, à peu près impossible à relever si le prix des émissions de CO_2 n'est pas fixé à l'échelle mondiale et qu'il atteint un niveau suffisant pour rendre cette technologie attrayante économiquement.

L'ensemble des moyens examinés jusqu'à maintenant dans ce chapitre ne permettra en aucune façon de plafonner les émissions avant 2020. Il y a très peu de chances qu'on y arrive même avant 2030. Il faudra donc envisager le déploiement de moyens extraordinaires, les technologies à émissions négatives, pour lutter contre l'augmentation des gaz à effet de serre.

Les plantations d'arbres

Le Protocole de Kyoto a reconnu que des plantations d'arbres sur des territoires qui en sont naturellement dépourvus, ou afforestation, constituaient un outil licite pour capter et stocker des quantités significatives de CO_2 par la photosynthèse. Il s'agit d'un moyen simple, à faible investissement en capital, qui demande peu de technicité et qui est donc à la portée de tous. Malgré tout, rien n'est parfait. Le stockage dans un écosystème forestier, fut-il fait de main d'homme, souffre de certaines difficultés. Au point de départ, il faut assurer la gestion du risque de fuites ou d'inversion des absorptions.

L'arbre est un être vivant qui capte le CO_2 et le transforme en biomasse. Mais ce stockage n'est pas net d'émissions, car l'arbre respire et produit aussi du CO_2, tout comme les animaux qui s'en nourrissent, les champignons qui s'y associent et les bactéries et autres organismes qui décomposent la litière forestière. Les forêts peuvent aussi mourir à la suite d'incendies ou d'épidémies d'insectes, comme le dendrochtone du pin qui dévaste depuis 15 ans les forêts de l'ouest du Canada. La permanence du stockage et la gestion du risque de fuites sont donc des enjeux majeurs dans le domaine du carbone dans les écosystèmes. C'est une condition essentielle à son intégration à un marché mondial du carbone. Toutefois, ces éléments sont gérables, y compris par des assurances qui peuvent couvrir les risques de pertes.

Le plus gros enjeu du reboisement est la compétition avec la production alimentaire. Comme nous l'avons vu, le défi de nourrir l'humanité, surtout dans un contexte où l'on devrait consacrer des superficies à des cultures énergétiques, va créer une rareté de terres à l'échelle globale, particulièrement si la disponibilité de l'eau devient problématique. Il faudra donc, dans certains cas, se tourner vers l'agroforesterie[4] en zone tropicale ou encore vers des plantations dans des milieux qui n'ont pas de conflit d'usage, avec le stockage forestier. Ce type de milieu existe en zone boréale.

En effet, les formations végétales discontinues qu'on trouve dans les forêts boréales couvrent des millions d'hectares. Elles ont souvent été formées par un processus de déforestation naturelle par lequel le lichen s'installe comme couvert végétal dominant après des perturbations en série. Ces espaces ne reviennent pas à l'état de forêts fermées naturellement, mais il est possible d'y établir des plantations. La végétation post-intervention humaine stockant beaucoup plus de carbone que le scénario de référence, les gains peuvent être comptabilisés comme des absorptions supplémentaires[5]. Comme il n'y a pas d'usage compétitif pour ces superficies, il s'agit d'un potentiel qui mérite d'être exploré.

Une étude publiée par l'équipe de la Chaire en éco-conseil de l'UQAC a par exemple estimé que, dans le Moyen Nord québécois, le boisement de 400 000 hectares en 20 ans pourrait absorber jusqu'à 8 % de l'ensemble des émissions du secteur industriel québécois après 45 ans (Boucher et collab., 2012). Toutefois, cela ne va pas sans causer d'autres questionnements, puisque le fait de planter des arbres sur des surfaces claires, comme les parterres de

4. On peut trouver plusieurs articles intéressants sur ces aspects dans le livre *Forêts et humains une communauté de destins* (Villeneuve C., 2012). Ce livre peut être téléchargé gratuitement à synapse.uqac.ca, volet Rio+20.
5. Voir http://carboneboreal.uqac.ca.

lichens, change l'albédo et pourrait introduire une hausse du forçage radiatif, surtout en période hivernale. Ces questions demandent un effort de recherche supplémentaire et illustrent bien la complexité des interactions à considérer en matière d'absorption des émissions.

D'autres projets peuvent être imaginés en milieu tropical aride avec des arbres ou arbustes à longue durée de vie qui peuvent à la fois jouer un rôle dans la lutte à la désertification, produire des fruits ou des huiles à valeur ajoutée et fournir du fourrage pour les animaux et des nutriments pour les sols. Le potentiel de stockage du carbone est beaucoup moins important dans ces zones que dans les forêts tropicales, mais les espaces disponibles sont très grands et les bénéfices ancillaires ajoutent de la valeur à ces forêts pour les populations locales. Le projet de la Grande muraille verte, qui vise à créer un mur de verdure de 15 kilomètres de large du Sénégal, à Djibouti, est un bon exemple de potentiel d'absorption du CO_2 de l'atmosphère et de son stockage dans les écosystèmes. Il reste que la recherche puisse démontrer son potentiel avec suffisamment de précision pour que les bénéfices carboniques soient reconnus par les marchés.

Les technologies à émissions négatives

Le captage et le stockage du carbone empêchent d'augmenter la concentration du CO_2 dans l'atmosphère par rapport au scénario du cours normal des affaires. Cela ne réussira pas à abaisser la concentration atmosphérique si elle dépasse, comme on le prévoit, les seuils d'interférence dangereuse avec le climat.

Les technologies dites « à émissions négatives » permettent de retirer du CO_2 à faible concentration dans l'atmosphère pour le transférer de manière stable dans un autre compartiment, soit l'océan, la lithosphère ou la biosphère. Certaines technologies peuvent aussi retirer du méthane de l'atmosphère. La plupart de ces technologies impliquent un ou plusieurs réactifs chimiques.

Une panoplie de possibilités

Dans une évaluation d'une trentaine technologies à émissions négatives, McLaren (2012) en a retenu 14 qui sont listées au tableau 6.1. On peut y constater l'éventail des possibles pour faire passer le CO_2 de l'air vers les sols, les océans ou la biosphère.

Les technologies à émissions négatives peuvent être divisées selon qu'elles permettent le retrait direct ou indirect du CO_2. Les technologies à retrait direct prennent le CO_2 dans l'air alors que les technologies de retrait indirect stimulent le captage par un processus intermédiaire. Par la suite, le stockage doit se faire sous forme stable dans un autre compartiment de l'écosphère. À titre d'exemple, nous allons en décrire quelques-unes qui sont à des stades d'avancement divers. On remarquera, dans le tableau 6.1, l'importance de la biomasse qui se décline dans plusieurs volets. Comme outil de captage, par la photosynthèse et dans le stockage, sous diverses formes dans les écosystèmes forestiers, les milieux humides, les sols, mais aussi par le biochar et les produits durables du bois.

La biomasse

Nous avons vu dans la figure 6.5 qu'il était possible de capter et de stocker le CO_2 issu de la combustion de la biomasse. Contrairement au CSC pratiqué sur des émissions de CO_2 d'origine fossile, le résultat net d'une telle opération se traduit par le retrait de CO_2 de l'atmosphère. Cela peut s'appliquer à la combustion, à la fermentation ou à la gazéification. En effet, pour constituer la biomasse, l'unique source de carbone est le CO_2 atmosphérique capté par la photosynthèse. Ainsi, si une plantation à fins énergétiques capte 10 tonnes par hectare par année dont on se sert dans une centrale pour produire de l'électricité, et que l'on capte et injecte le CO_2 de la combustion dans la lithosphère, on obtient un retrait net de 10 tonnes de CO_2 par hectare de production chaque année. Il ne reste qu'à en soustraire les émissions liées au transport, à la production, à la récolte et au conditionnement de la biomasse.

TABLEAU 6.1
Technologies à émissions négatives

Catégorie	**Technique**
Fixation minérale	Minéralisation du sol
	Ciment de magnésium
	Biochar
Stockage géologique pressurisé	Captage direct du CO_2 de l'atmosphère (arbres artificiels)
	Captage direct du CO_2 de l'atmosphère (captage à la chaux sodée)
	Bioénergie combinée au captage et au stockage du CO_2 (combustion)
	Bioénergie combinée au captage et au stockage du CO_2 (fermentation/gazéification)
Stockage océanique	Chaulage
	Fertilisation
Séquestration biologique	Gestion forestière
	Restauration des zones humides
	Gestion des sols (Semis direct)
	Utilisation du matériau bois
	Enfouissement de la biomasse

Source : Adapté de McLaren, 2012.

Ce raisonnement simple se heurte dans la réalité aux obstacles déjà évoqués, à la fois pour la production de biomasse énergétique et pour le captage et le stockage du CO_2. Les prix, tout comme la disponibilité des terres et de l'eau, sont les plus évidents. Il reste néanmoins qu'une centrale thermique au charbon, qui utilise une portion de biomasse comme combustible et qui serait reliée à un réseau de captage et de stockage du CO_2 est un cas de figure vraisemblable à moyen terme. Une usine qui produirait de l'éthanol cellulosique à partir de résidus agricoles pourrait aussi obtenir le même genre de résultat si on la collectait à un pipeline pour compresser et stocker le CO_2.

Pour augmenter le rendement de la captation de carbone, on envisage aussi d'utiliser des plantes génétiquement modifiées. Il existe déjà des arbres hybrides à croissance très rapide, comme l'eucalyptus, le peuplier ou le mélèze, mais il est envisageable d'augmenter encore la performance des plantes, par exemple en leur permettant de fixer l'azote, ce qui diminue les besoins de fertilisation.

Ce genre de transformation du vivant est encore au stade de la recherche, mais on envisage de telles modifications génétiques, même pour les microalgues. Outre les difficultés techniques qui risquent de survenir pour développer ces plantes modifiées, il faudra, pour qu'elles puissent efficacement contribuer à réduire la concentration de CO_2 dans l'atmosphère, qu'elles soient intégrées dans la filière énergétique avec CSC ou encore que le bois soit destiné à des usages durables, comme la construction. En revanche, l'expérience des plantes transgéniques cultivées un peu partout dans le monde depuis le début des années 1990 laisse croire qu'une certaine résistance pourrait être opposée au déploiement de cultures transgéniques dans l'environnement naturel, en zone agricole ou forestière.

L'intégration de biochar dans les sols augmente leur contenu en carbone insoluble, donc stable, et favorise leur porosité, leur rétention d'eau et de nutriments et constitue dans les faits un important potentiel d'émissions négatives. En effet, les plantes ayant capté le CO_2 atmosphérique, en les transformant en biochar, le carbone est efficacement stocké et la majorité ne retournera pas à l'atmosphère. En allant un peu plus loin, on peut même penser à un enfouissement de biochar qui constituerait de ce fait un nouveau stock géologique de carbone tiré de l'atmosphère. L'initiative internationale pour le biochar[6] estime qu'on pourrait stocker

6. http://www.biochar-international.org/

250 millions de tonnes de CO_2 d'ici à 2030 avec cette filière relativement peu chère qui présente d'intéressants avantages environnementaux. Comme l'indique le tableau 6.1, du bois ou des produits végétaux comme la paille peuvent aussi être enfouis profondément, à l'abri de l'eau et de l'oxygène, ou dans les fonds océaniques et constituer ainsi un stock de carbone stable.

FIGURE 6.11

Utilisation du biochar pour le stockage du carbone

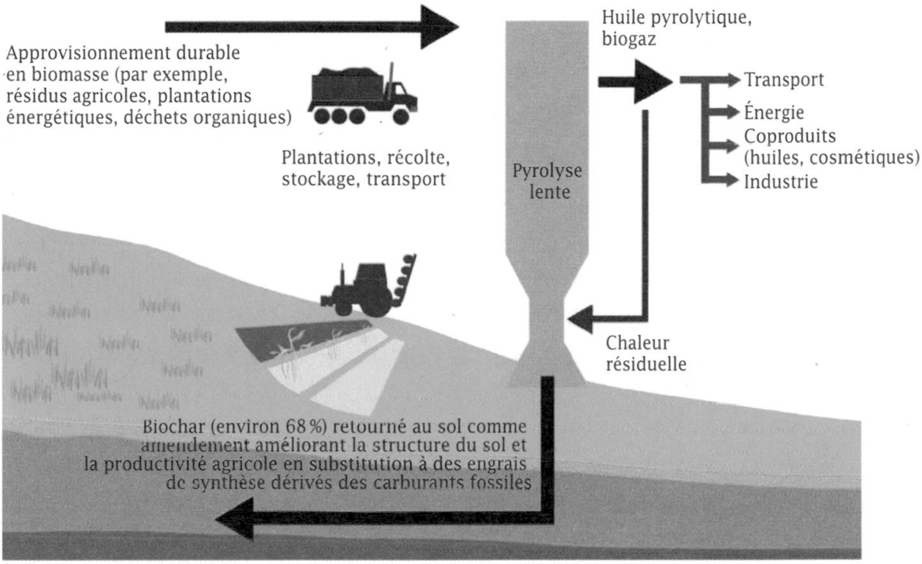

Source : McGlashan, 2012.

On peut aussi augmenter le stock de carbone dans les écosystèmes par des pratiques forestières maximisant le volume forestier, par l'afforestation, par la restauration des milieux humides et des tourbières pour leur permettre d'augmenter le stock de biomasse ligneuse dans des conditions qui ne favorisent pas la décomposition. Enfin, pour les sols agricoles, la technique du semis direct favorise l'accumulation de carbone dans les sols et réduit les émissions de protoxyde d'azote.

Tout cela n'est pas très *high-tech*, mais la démonstration de l'efficacité de ces mesures a été faite depuis longtemps. Le plus difficile et le plus cher reste de faire reconnaître les gains liés à ce type de projet pour le marché.

Les abres artificiels

Il existe des résines qui peuvent absorber du CO_2 à faible concentration et qui peuvent ensuite être régénérées en le libérant sous forme de gaz concentré. On a imaginé créer des « arbres artificiels » avec ces résines, de manière à fixer le CO_2 atmosphérique pour le libérer ensuite sous forme de gaz pur qu'on peut comprimer et enfouir par la suite. Un « arbre artificiel » est un dispositif passif proposé par le professeur Klaus S. Lackner[7] de l'Université Columbia, aux États-Unis. La figure 6.12 montre comment fonctionnerait ce procédé.

L'arbre artificiel doit avoir une grande surface, comme les feuilles d'un vrai arbre, et il faut qu'il soit saturé avec de l'eau douce. L'échange se fait à mesure que l'eau s'évapore et que la résine capte du CO_2 de l'air. Lorsque la résine est saturée avec du CO_2, l'arbre artificiel doit être placé dans une chambre à basse pression et trempé dans l'eau où la résine sera régénérée et le CO_2 pur pourra être acheminé vers le stockage géologique.

L'absorption atmosphérique par de tels « arbres artificiels » est encore loin du déploiement et il n'existe pas d'analyse des impacts de la fabrication d'un tel arsenal. Toutefois, le procédé ne demande pas beaucoup d'énergie, ce qui avantage son bilan carbone. À première vue, la consommation d'eau douce, la disponibilité de l'espace et les manipulations nécessaires au cycle complet peuvent en revanche poser des problèmes. Cependant, les évaluations préliminaires faites par Lackner indiquent un prix d'environ 100 $ la tonne, ce qui rendrait éventuellement cette technique compétitive vers 2050.

7. http://www.earth.columbia.edu/articles/view/2523

FIGURE 6.12
Fonctionnement d'un «arbre artificiel»

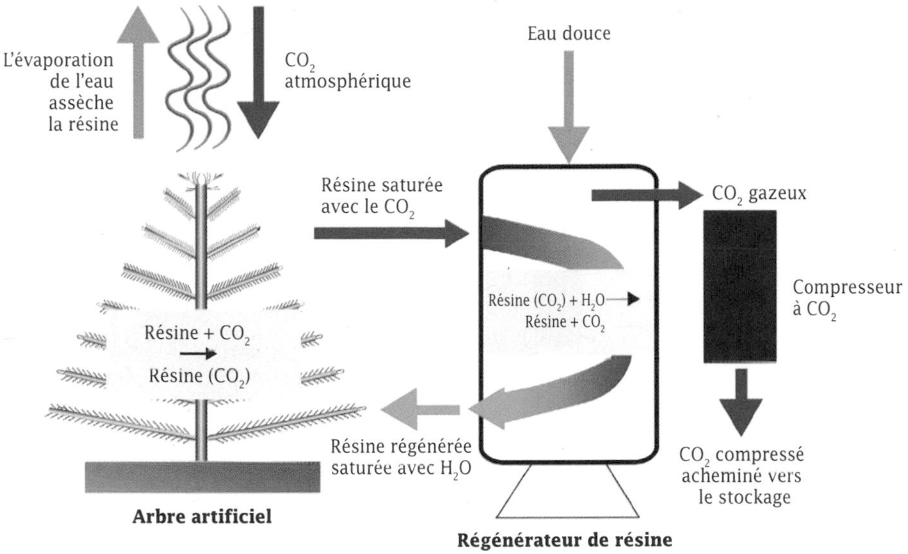

L'évaporation de l'eau assèche la résine
CO_2 atmosphérique
Eau douce
Résine saturée avec le CO_2
CO_2 gazeux
Compresseur à CO_2
Résine + CO_2 → Résine (CO_2)
Résine (CO_2) + H_2O → Résine + CO_2
Résine régénérée saturée avec H_2O
CO_2 compressé acheminé vers le stockage
Arbre artificiel
Régénérateur de résine

Source: McGlashan et collab., 2012.

Captation minérale

On sait que certains minéraux comme le calcium et le magnésium peuvent former des complexes stables contenant une molécule de CO_2. On peut former ces complexes par divers moyens[8]. Cette minéralisation peut se faire, par exemple, en fabriquant du ciment avec un clinker de magnésium qui absorbera le CO_2 de l'air au séchage. La méthode présentée à la figure 6.13 consiste à exposer de la soude caustique (NaOH) à l'air pour créer du carbonate de sodium.

Ce produit peut ensuite être combiné avec de l'oxyde de calcium (clinker) pour former un carbonate de calcium et régénérer le NaOH. L'absorption atmosphérique par la chaux sodée est un

8. À l'INRS Eau-Terre-Environnement, une chaire de recherche sur la séquestration géologique du CO_2 travaille sur le potentiel de certains résidus miniers pour favoriser la séquestration minérale. http://chaireco2.ete.inrs.ca/

procédé actif qui demande tout d'abord un four à chaux doté d'un équipement de captage et stockage du CO_2 comme l'indique la figure 6.13.

FIGURE 6.13

Fonctionnement d'un système de captage à la chaux sodée

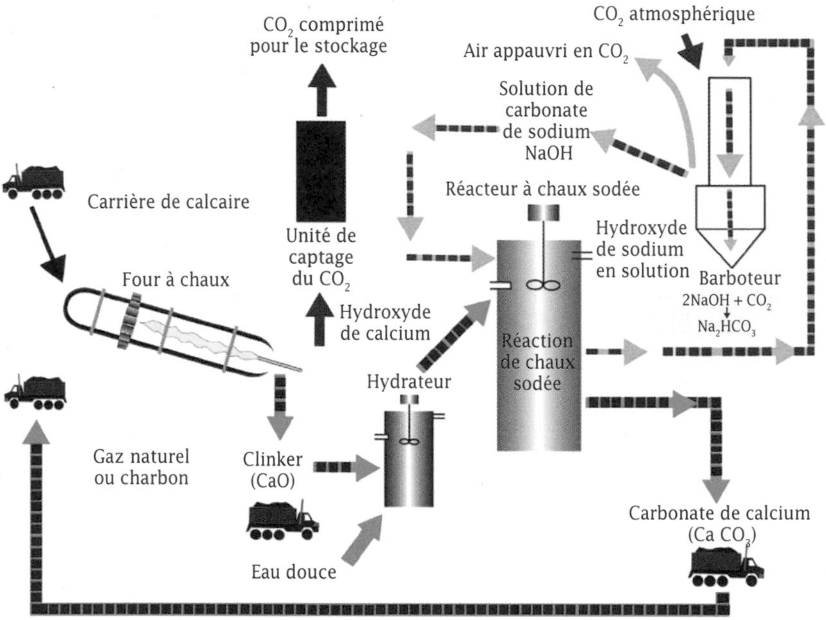

Source : McGlashan et collab. 2012.

Le carbonate de calcium résultant du procédé peut ensuite être grillé dans le four à chaux, ce qui permet de régénérer le clinker. Ainsi, à chaque cycle, la portion de CO_2 retirée de l'atmosphère peut être séquestrée. Ce processus exige une cimenterie ou un four à chaux qui soit couplé à un dispositif de captage et de stockage, et il faut que la quantité de CO_2 captée de l'atmosphère à chaque cycle soit plus grande que celle du CO_2 émis pour la fabrication des produits, l'opération des machines, la pressurisation du gaz et le transport des matériaux.

Même si le procédé peut paraître compliqué, c'est de la chimie industrielle bien connue, mais il n'existe, actuellement, ni cimenterie ni four à chaux qui soit branché à un réseau de stockage du CO_2. Sachant que le Global CCS Institute (2012) évalue le captage du CO_2 dans les cimenteries à un prix variant entre 50 $ et 80 $ par tonne (contre moins de 25 $ dans la plupart des autres secteurs), la mise en place d'une telle installation exigera probablement un prix du carbone de l'ordre de 100 $ la tonne pour être appliquée à large échelle. Selon McGlashan (2012) pour faire varier de 0,1 ppm la concentration de CO_2 dans l'atmosphère, il faudrait utiliser 200 unités de traitement de ce type. Rappelons que parmi les 72 projets recensés par le Global CCS Institute, aucun ne concerne une cimenterie.

Captation océanique

Les océans sont les plus grands capteurs naturels de CO_2. L'absorption s'y fait par des processus physiques, chimiques et biologiques. Les deux prochaines techniques favorisent l'absorption indirecte dans les océans, l'une par physico-chimie, la seconde par l'effet biologique.

Le chaulage océanique est une autre technologie à émissions négatives qui utilise des procédés industriels bien connus. Comme l'indique la figure 6.14, il s'agit de prendre encore une fois un four à chaux branché sur un système de captage et stockage de CO_2 pour produire du clinker à base de calcium et de magnésium.

Ce produit est par la suite chargé dans un navire-citerne qui se rend en haute mer où il charge de l'eau salée qui sera mélangée au clinker pour y fixer les ions bicarbonates qui s'y trouvent. Ces ions sont produits par la dissolution du CO_2 dans l'eau de mer. Lorsque la totalité du bicarbonate a réagi avec le clinker, on obtient du carbonate de calcium et du carbonate de magnésium, deux produits insolubles et non toxiques qui vont précipiter lorsque rejetés dans l'eau.

Une telle opération va avoir deux effets : elle va réduire l'acidité de l'eau de mer et la capter une partie du CO_2 dissous, ce qui va créer un appel pour dissoudre du nouveau CO_2 à partir de l'atmosphère. Ce chaulage de l'océan demande toutefois une flotte de navires adaptés à ces opérations.

FIGURE 6.14
Procédé de chaulage océanique

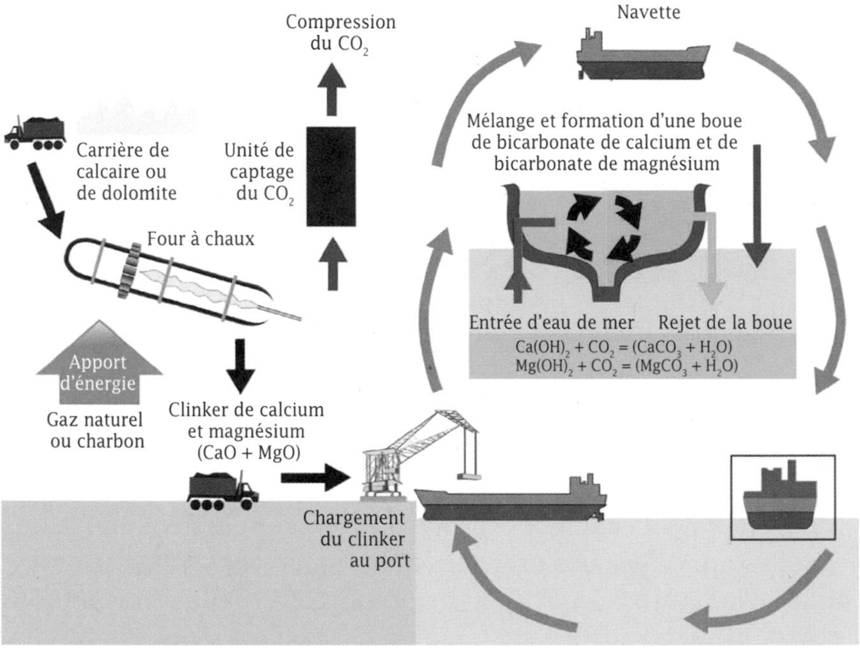

Source : McGlashan et collab., 2012.

Le procédé a donc un effet indirect sur la capacité de l'océan à absorber plus de CO_2. Encore une fois, c'est un procédé qui avoisinerait les 90 $ par tonne, mais nul ne connaît les impacts qu'il pourrait avoir au point de vue écologique sur les organismes vivant dans les surfaces traitées. De plus, il faudrait amender certaines conventions internationales, comme la Convention de Londres, pour le permettre.

Une autre forme de séquestration indirecte consiste à pratiquer la fertilisation océanique. Dans la plupart des océans, le fer est un élément qui limite la croissance du plancton. Certains croient qu'en déversant de la limaille de fer à la surface, on pourrait stimuler la prolifération des algues du phytoplancton. Comme ces algues captent le CO_2 par la photosynthèse pour constituer leurs tissus et qu'elles s'intègrent ensuite à la biomasse marine, le carbone ainsi capté se retrouvera dans la fine pluie de matière organique morte qui transite vers les profondeurs.

L'efficacité de cette méthode reste très discutable et peu d'études ont été faites pour connaître les coûts impliqués. Surtout, il n'y a pas eu d'analyse de cycle de vie concernant le bilan carbone de la filière. Enfin, un moratoire a été imposé sur cette technique en raison d'importantes incertitudes scientifiques sur son innocuité pour l'environnement. C'est d'ailleurs ce que confirme une étude publiée par Williamson et collab. (2012) qui estime que la fertilisation océanique à large échelle par du fer ou d'autres nutriments aurait un effet relativement faible sur l'absorption de CO_2 dans l'atmosphère tout en laissant beaucoup d'incertitudes sur les aspects environnementaux du procédé et sur la séquestration nette à long terme.

Quel avenir?

On peut donc conclure de cette section que les technologies à émissions négatives sont très dépendantes d'installations de captage et de stockage du CO_2 pour être efficaces et que leur déploiement demandera des efforts financiers majeurs. Il faudra encore beaucoup de recherche et développement pour la plupart d'entre elles. Il est donc peu probable que ce type de technologies se mette en place avant 2050 et qu'elles aient une contribution significative avant la fin du siècle.

Les technologies à émissions négatives sont donc encore loin de pouvoir livrer leurs promesses et ne pourront en rien contribuer à un plafonnement des émissions d'ici à 2020. Penser à un déploiement massif avant la deuxième moitié du siècle serait faire preuve d'un excès d'optimisme, à moins que les choses n'aillent vraiment très mal et encore!

Encadré 6.4

«L'AFFORESTATION OCÉANIQUE»

« L'afforestation océanique» par les macroalgues consiste littéralement à faire pousser des algues géantes, comme les laminaires, dans des zones océaniques peu profondes. Dans un article publié en décembre 2012, N'Yeurt et ses collègues présentent un système à émissions négatives qui pourrait régler tous les problèmes d'un seul coup.

Il s'agirait de faire pousser dans une superficie évaluée à 9% de la surface océanique mondiale des forêts de macroalgues pour les récolter et en faire la méthanisation. Cela correspond à l'ensemble du plateau continental ou à une superficie plus grande que les deux Amériques.

Si on en croit les auteurs, le potentiel d'absorption d'un tel dispositif serait de 53 milliards de tonnes de CO_2 par année et le méthane produit serait suffisant pour remplacer l'ensemble des combustibles fossiles utilisés aujourd'hui dans le monde. Si, en plus, on enfouissait le CO_2 produit par la méthanisation et celui qui résulte de la combustion du méthane, on pourrait rétablir la concentration préindustrielle de ce gaz dans l'atmosphère en moins d'un siècle.

Le modèle prévoit aussi le recyclage des éléments fertilisants résultant de la méthanisation. Ceux-ci seraient retournés à l'écosystème qui pourrait dès lors en plus produire 200 kilos de poisson par année par habitant pour une population de 10 milliards de personnes, ce qui réglerait la malnutrition à l'échelle du globe. On croit rêver!

Diminuer le forçage radiatif?

Des technologies visant à diminuer le forçage radiatif ont été proposées depuis une quinzaine d'années, mais la plupart relèvent de la science-fiction. Ces projets vont de la réduction de l'albédo par le blanchiment des surfaces, comme les toits des villes, jusqu'à l'injection d'eau de mer dans les nuages pour augmenter leur réflectivité ou encore l'introduction en haute altitude d'aérosols sulfatés agissant comme un réflecteur de l'énergie solaire. Le blanchiment des surfaces, un peu comme les toits verts, peut contribuer à limiter le réchauffement de manière très localisée, par exemple pour lutter contre les îlots de chaleur urbains. On peut les considérer comme une mesure d'adaptation. Les autres

Encadré 6.5

UN PORTRAIT GLOBAL

Dans un numéro spécial de la revue *Process Safety and Environmental Protection* publié en décembre 2012, Douglas McLaren, de l'Université de Lancaster au Royaume-Uni, a réalisé une recension d'une trentaine de technologies à émissions négatives et évalué 14 d'entre elles pour comparer leur degré de maturité, leur potentiel de déploiement, les absorptions auxquelles on pourrait s'attendre et leurs facteurs limitatifs.

L'étude conclut qu'aucune des techniques étudiées ne possède le potentiel pour constituer une solution unique au problème de l'accumulation des gaz à effet de serre d'origine anthropique et qu'on ne peut éviter de s'attaquer prioritairement à la réduction des émissions. De plus, plusieurs technologies à émissions négatives seraient très coûteuses à déployer et leurs résultats sont très incertains.

En revanche, avec des scénarios de déploiement d'une panoplie de projets, particulièrement dans le domaine de la productivité végétale accrue, de l'utilisation plus grande du matériau bois dans la construction, de la séquestration de carbone dans les sols et de filières d'énergie de biomasse avec captage et stockage du carbone, on pourrait envisager d'apporter un complément important à une stratégie de réduction des émissions pour un potentiel retrait de 10 à 20 gigatonnes de CO_2 par année, à l'horizon 2050.

méthodes, même si leur faisabilité technique n'est pas démontrée, ont été intégrées sous forme d'hypothèses dans les simulateurs planétaires. Les résultats obtenus montrent que d'importantes perturbations indésirables sur le climat seraient inévitables et que leurs impacts pourraient être pires que le réchauffement anticipé.

On a enfin imaginé de titanesques miroirs spatiaux permettant de réfléchir une partie de l'énergie solaire et de la renvoyer vers l'espace. Le rapport du GIEC, en 2007, concluait qu'aucune de ces technologies n'avait de fondement scientifique suffisant pour qu'on les inscrive au rang de solutions potentielles. Cependant, des équipes universitaires en ont exploré la faisabilité, surtout par des simulations informatiques.

Ce type de solution, s'il venait un jour à être étayé suffisamment pour passer à l'expérimentation, entretient chez certains décideurs l'illusion que l'on peut continuer le développement économique basé sur les carburants fossiles et que la technique nous permettra d'effacer les impacts du réchauffement, si cela était nécessaire un jour. Georges W. Bush était un bon client de ce type de solution. Malheureusement, c'est une illusion et un faux-fuyant.

Les scénarios de déploiement massif de technologies à émissions négatives comportent de nombreuses inconnues, tant au niveau de l'efficacité qu'à celui des impacts environnementaux, sans parler des coûts à anticiper. Au contraire, dans la prochaine section de ce chapitre, nous verrons comment on pourrait plutôt prendre le taureau par les cornes avec des mesures moins risquées et réduire, dans les prochaines décennies, les émissions de gaz à effet de serre par un facteur 4 dans les pays développés, tout en limitant fortement le potentiel de croissance des émissions des pays en développement sans trop entraver leur croissance économique. Cela représenterait un moindre mal pour la planète et pour l'économie mondiale. Peut-être alors pourra-t-on penser se rapprocher du scénario RCP 3 RD, à condition de commencer sans délai et avec détermination.

La transition énergétique

L'histoire de l'humanité est étroitement corrélée avec sa capacité de mobiliser, dans son environnement, des sources d'énergie extramétaboliques. Le feu, l'usage de la voile et de la force motrice de l'eau ont été les seules sources d'énergie extramétaboliques disponibles jusqu'à la révolution industrielle.

Jusque-là, l'agriculture était la clé de l'économie, car c'était la source de production de l'énergie pour alimenter la filière métabolique. C'est cette filière qui fournissait le travail des humains et des animaux domestiques. Avec la révolution industrielle, les stocks de combustibles fossiles sont devenus la principale source d'énergie extramétabolique, ce qui a permis le développement du monde tel que nous le connaissons, transformant profondément l'économie mondiale. La clé de cette économie est maintenant devenue l'approvisionnement en énergie fossile, reléguant l'agriculture loin derrière. Aujourd'hui, dans les sociétés industrialisées, l'agriculture n'occupe plus que de 2 à 4 % du produit intérieur brut. En plus, l'agriculture moderne est extrêmement dépendante des carburants fossiles pour le travail de la terre, la production des fertilisants et le transport des produits vers les marchés, notamment.

Nous sommes confrontés à deux limites fortes : la disponibilité de stocks de carburants fossiles faciles à exploiter diminue et l'accumulation continue de gaz à effet de serre risque de dépasser les niveaux d'interférences dangereuses avec le climat. Nos besoins en énergie ne cessent de croître avec l'augmentation du nombre de personnes et celle de leur niveau de vie et de consommation. Une transition énergétique s'impose si nous voulons éviter une crise profonde.

Cette transition se caractérisera par une proportion prépondérante de la production attribuée aux sources d'énergie renouvelable, une plus grande efficacité énergétique de la production jusqu'à l'utilisateur final et une diminution de la consommation de biens à durée de vie éphémère. Il ne s'agit pas ici d'une simple évolution à la marge de notre système économique actuel, mais d'une réelle transformation sociale et technique. Il faudra désormais satisfaire nos besoins différemment et trouver notre bonheur ailleurs que dans une consommation matérielle effrénée.

Dans un ouvrage publié en 2012, l'association européenne négaWatt propose un manifeste d'action pour faire face aux défis de la raréfaction des ressources d'énergie fossile et des changements climatiques : *Réussir la transition énergétique*. Le scénario Négawatt résulte du travail de réflexion mené depuis une dizaine d'années pour transformer en profondeur l'importance de l'énergie dans la société française. Toutefois, les orientations qu'on y trouve peuvent s'appliquer à de multiples égards dans d'autres sociétés industrialisées pour modifier la trajectoire de leur développement.

Pour les sociétés en voie d'industrialisation, ce scénario permettrait d'éviter les pièges d'un modèle de développement qui ne peut être généralisé au monde entier.

La transition énergétique peut se résumer comme suit : il s'agit de mieux satisfaire la demande de services énergétiques adéquats avec moins d'énergie et moins d'émissions de GES. Ce défi demande de travailler à la fois sur l'offre énergétique, en faisant une transition des sources d'énergie fossile vers de l'énergie renouvelable, et sur la demande, en se dotant d'appareils plus efficaces et en rationalisant la consommation.

Du côté de la production, deux révolutions sont nécessaires : il faut d'abord introduire une taxe sur les émissions de CO_2 qui va graduellement rendre non compétitifs les carburants fossiles. Cela ne peut pas se faire uniquement par les forces du marché. Le marché du carbone est trop imprévisible en raison de facteurs de volatilité, comme la spéculation, ou irrationnel, comme les récessions économiques. La combinaison taxe-marché est, au contraire régulatrice, à condition que les taxes soient universelles et que leur produit serve à stimuler l'innovation.

Une taxe sur la production de gaz à effet de serre devrait être soumise à un plancher mondial applicable dans tous les pays ou payée à l'importation pour ceux qui ne l'appliquent pas. Des outils comme l'empreinte carbone permettent d'établir le niveau d'une telle taxe à l'importation. Pour cela, il faut que tous les pays soient soumis à un inventaire des gaz à effet de serre vérifiable, ce qui est envisageable dans les négociations pour un accord post-2020.

La deuxième révolution est celle de l'efficacité technologique. Le parc actuel de production énergétique est vieillissant, voire obsolète, dans plusieurs pays industrialisés, en particulier les pays de l'ex-bloc soviétique. Les nouvelles installations, dans les pays émergents ou dans les pays en voie de développement, ne sont pas nécessairement aux normes les plus avancées. Par exemple, une centrale électrique au gaz naturel à cycle simple a une efficacité d'environ 30 % alors qu'une centrale moderne à cycle combiné peut atteindre 60 %. Même si elle coûte moins cher à construire, la première consommera beaucoup plus de gaz pour une production d'électricité moindre dans sa durée de vie utile, ce qui produira une empreinte carbone plus grande pour chaque kWh produit. Il est donc impératif d'installer aujourd'hui les technologies de production les plus efficaces, même et surtout dans les pays les moins avancés.

Le marché du carbone et, en particulier, le MDP peuvent aider à atteindre ce genre d'objectif, surtout s'il est combiné avec la taxe plancher définie plus haut. L'augmentation de l'efficacité au niveau de la production devrait aussi comporter une récupération de la chaleur de basse intensité qui n'est pas utilisée pour des procédés industriels. Cette chaleur pourrait servir à d'autres usages, comme le séchage du bois ou la déshydratation de certains aliments, le chauffage de serres en milieux froids ou les réseaux de chauffage urbain. Ce type d'objectif peut être atteint, par exemple, en installant des chaufferies à biomasse communautaires ou des équipements de production d'électricité décentralisés. Des exemples existent déjà à diverses échelles et s'avèrent rentables pour le développement communautaire[9]. La Suède présente de nombreuses initiatives à cet égard.

Les gouvernements doivent aussi abandonner les clauses « grand-père » qui avantagent le maintien de vieilles technologies souvent inefficaces et polluantes. Au contraire, il faut établir des exigences de performance associées aux meilleures technologies commercialement disponibles, lorsqu'il s'agit d'une nouvelle installation ou de la remise en état d'une installation existante.

La production décentralisée est plus difficile à envisager dans des zones qui sont déjà dotées de réseaux de transport et de distribution traditionnels, car elle implique des coûts d'équilibrage des réseaux et exige une planification plus serrée de l'énergie finale. Cependant, c'est techniquement faisable et l'introduction

9. Voir par exemple la commune de Montdidier en France http://www.regiecommunaledemontdidier.fr/tpl/std_rubrique.php?docid=5648.

de réseaux intelligents ou *smart grids* est tout à fait envisageable dans la plupart des pays industrialisés sur un horizon de 20 ans.

Pour les pays en voie de développement, il faut penser la production décentralisée comme un réseau de téléphonie cellulaire. Ce genre de réseau ne nécessite pas de poteaux ou de lignes pour amener le téléphone à chaque maison. Dans ce cadre, l'énergie photovoltaïque pour l'électricité ou des génératrices communautaires au biodiésel peuvent permettre de répondre efficacement aux besoins locaux et peuvent, malgré le coût plus élevé du kWh livré, s'avérer moins chers que la construction et l'entretien d'un réseau national desservant toutes les communautés, souvent isolées.

L'efficacité énergétique au niveau de la consommation passe par deux impératifs : l'efficacité des appareils et la maîtrise de la demande. Nos besoins énergétiques sont en fait des besoins de services. Par exemple, on n'a pas besoin de carburant, mais de chaleur et de mobilité. On n'a pas besoin d'électricité, mais de lumière et de force motrice. Lorsqu'on considère les choses sous cet angle, il devient plus facile de satisfaire en réalité les besoins, même avec une moindre consommation finale d'énergie.

L'efficacité des appareils fait l'objet d'une approche normative. Ainsi, un appareil électrique peut être certifié en fonction de la quantité d'énergie qu'il utilise pour rendre un service donné. Un appareil de chauffage sera qualifié par rapport à son rendement, une maison ou une fenêtre sera qualifiée par rapport à son isolation ou à sa performance énergétique globale. Il existe même des maisons à « énergie positive » c'est-à-dire qu'elles produisent plus d'énergie qu'elles n'en consomment dans une année. L'avantage de l'approche normative est qu'on peut établir des seuils de performance à rencontrer pour les nouvelles installations ou pour la rénovation d'installations existantes. Ces règles peuvent être appliquées par les municipalités, réglementées par les gouvernements ou encore faire l'objet d'incitatifs financiers ou de conditions de prêt. L'efficacité des véhicules peut aussi faire l'objet de programmes de type bonus-malus qui permettent d'influer sur le marché s'ils sont suffisamment rigoureux.

Encadré 6.6

L'AUTOMOBILE PERSONNELLE, UN EXEMPLE D'INEFFICACITÉ ÉNERGÉTIQUE ET D'INEFFICIENCE GLOBALE

Considérée dans les sociétés modernes comme un avoir indispensable, voire vital, l'automobile à essence est un exemple patent d'inefficacité énergétique et d'inefficience pour satisfaire le besoin auquel elle semble s'adresser en premier lieu, celui du transport. Pourtant, les ventes d'automobiles ne cessent d'augmenter à l'échelle planétaire et le nombre de véhicules a dépassé le milliard en 2012.

Une automobile personnelle fonctionne environ une heure et demie par jour sur une base annuelle. Le reste du temps, elle est stationnée. À la maison, au bureau ou au centre commercial, l'automobile est immobile.

Le nombre moyen de passagers à bord d'une auto est de 1,2 personne, alors que le fabricant y a mis cinq ceintures. Elle est donc au quart de sa capacité quand elle se déplace. Enfin, son moteur est de deux à trois fois plus puissant que nécessaire pour rouler à la vitesse légalement permise pour un transport sécuritaire. Il est facile de démontrer mathématiquement, à partir de ces données, que l'automobile est à 99% inefficiente pour le transport des personnes. C'est-à-dire que chaque dollar investi pour le transport en automobile ne sert réellement à se mouvoir qu'une fois sur 100 dans son cycle de vie.

En termes thermodynamiques, l'efficacité du moteur à essence pour transformer l'énergie de l'essence en travail ne dépasse pas 30% et la moitié de l'énergie fournie à la machine par le moteur est perdue sous forme de chaleur en raison du frottement des pièces, des pneus et de la résistance de l'air. Alors, à quel besoin répond donc une machine aussi peu performante ?

Là où l'automobile peut se targuer d'efficacité, c'est dans la capacité qu'elle donne à son propriétaire de décider de ses mouvements et de son horaire. En général, l'automobile part à l'heure où son conducteur le décide et elle se rend là où il veut aller. Mais cette même efficacité diminue radicalement lorsque plusieurs personnes veulent partir à la même heure et se rendre au même endroit. Dans la congestion, l'automobile qui tourne au ralenti voit son efficacité énergétique baisser à moins de 10%, l'essence consommée ne servant qu'à produire le mouvement des pièces du moteur lui-même et la climatisation, le reste étant dispersé sous forme de chaleur et de bruit. Comble de malheur, elle n'avance pas plus vite que celle qui la précède, malgré toute sa puissance…

Si on regarde les investissements et l'énergie nécessaires pour construire et entretenir les infrastructures routières, les coûts directs et indirects sur la sécurité des personnes et sur la santé, il est permis de se demander si l'automobile n'est pas l'ennemi public numéro un des déficits gouvernementaux! S'il faut en croire les prévisions de l'Agence mondiale de l'énergie, leur nombre serait pourtant multiplié par trois d'ici à 2050...

Bien sûr, nous ne reviendrons pas en arrière avec la traction animale et les systèmes de transport public ne seront jamais capables de répondre à tous les besoins de chacun, à chaque instant. Mais la courte analyse qui précède montre qu'il y a un énorme potentiel d'amélioration de l'efficacité et de l'efficience de ce bien de consommation que le système économique veut tant démocratiser.

Cela passera sans doute par des progrès techniques, peut-être par l'électrification, à condition que l'électricité soit produite par des ressources renouvelables. Mais il faudra aussi des changements de comportements. On peut toujours rêver, mais les marges de manœuvre sont bien là pour réduire l'impact du transport individuel sur le climat. C'est le premier endroit où on pourrait concevoir l'atteinte du facteur 4, mais ce ne sera pas le plus facile.

La maîtrise de la demande présente un niveau de complexité plus élevé, mais c'est là que se trouve le plus grand potentiel si on en croit la figure 6.15. Deux composantes doivent être prises en considération : l'aménagement du territoire, dans un premier temps, et les comportements des citoyens, dans un second.

Depuis la Deuxième Guerre mondiale, avec la démocratisation de l'automobile, l'étalement urbain a augmenté dans une boucle de rétroaction positive la demande énergétique de chaque foyer. La trilogie auto-bungalow-banlieue est bien connue et son impact sur la demande d'énergie est catastrophique.

En effet, en diminuant la densité d'occupation du milieu bâti, il devient particulièrement difficile de desservir la population par des services de transport en commun. La spécialisation des espaces rend aussi les déplacements plus nombreux et plus longs pour satisfaire les besoins des familles. Le commerce des centres-villes et dans tous les villages se dévitalise au profit de grandes zones commerciales accessibles uniquement en automobile. La multiplication des habitations individuelles augmente aussi le nombre de mètres carrés à chauffer et les pertes associées à l'enveloppe thermique des bâtiments.

FIGURE 6.15
Potentiel de réductions d'émissions dans le domaine de l'énergie à l'horizon 2050

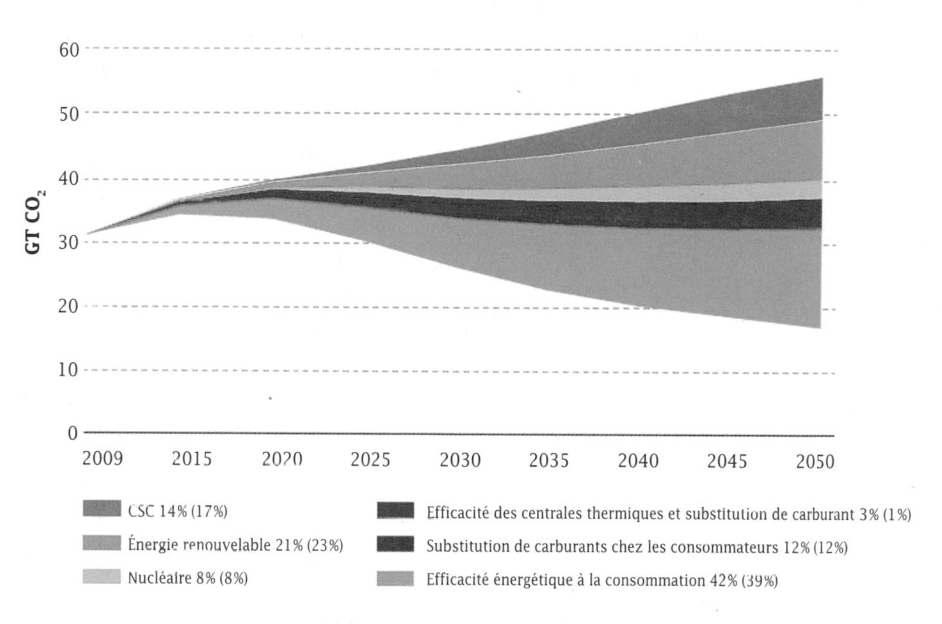

Les pourcentages représentent la contribution d'ici à 2050; les chiffres entre parenthèses représentent la contribution relative en 2050

Source: IEA, 2012.

Densifier les villes et favoriser la mixité d'usage du territoire sont donc deux impératifs de la transition énergétique. La densification favorise une plus grande efficacité, en particulier dans le domaine du transport collectif. Quant à la mixité des usages, elle permet de réduire les distances nécessaires pour satisfaire les besoins des familles et encourage le transport actif, si les infrastructures sont adaptées en conséquence.

Reste le plus difficile, c'est-à-dire le comportement des consommateurs. Nos comportements sont motivés par un ensemble complexe de facteurs sociaux, culturels, biologiques et économiques. Parmi les éléments sociaux, on peut noter le désir de se conformer à des modes ou à un certain mode de vie, le niveau d'éducation, les réglementations et bien d'autres facteurs qui expliquent notre niveau de consommation et certains choix énergétiques. Les facteurs culturels influencent le mode de vie. Les Nord-Américains sont beaucoup moins tolérants à la promiscuité dans les transports que les Japonais, par exemple. Les facteurs biologiques incluent l'âge et l'état de santé et, enfin, les facteurs économiques sont essentiellement liés au prix relatif de l'approvisionnement en services énergétiques qui, à son tour, influence la disponibilité d'options alternatives.

Changer les comportements est un défi. Dans le domaine de l'énergie, il passe par la sensibilisation et l'éducation, l'émulation et l'encouragement, la dissuasion ou même l'interdiction. Mais la clé pour avoir un effet durable sur les comportements consiste à développer une éthique de l'énergie. Cela ne sera jamais résolu par la simple application des lois du marché.

Les marges de manœuvre dans le domaine de l'efficacité énergétique sont énormes et les impacts de l'application des mesures évoquées seraient déterminants pour diminuer les émissions de gaz à effet de serre de l'humanité de manière durable. Pour les pays industrialisés, on évalue cette diminution à 75% du niveau actuel. Il nous faudra consommer quatre fois moins d'énergie.

Comme le montre la figure 6.15, dans le secteur de l'énergie, les diverses formes de mesures exposées dans ce chapitre peuvent avoir une contribution significative dans les prochaines décennies. Il convient donc de prendre le taureau par les cornes et de s'y attaquer sans attendre.

Conclusion

Dans ce chapitre, nous avons vu que plusieurs types de solutions existent, du moins en théorie, pour contrôler et réduire, voire absorber l'excédent de CO_2 dans l'atmosphère. Il s'agit toutefois d'un défi à l'échelle planétaire qui remet en question notre façon de voir le monde et le devenir de nos sociétés. Il faut sortir du paradigme de la croissance infinie basée sur la consommation d'énergie et de ressources. Pour reprendre le titre de Tim Jackson (2009), il faut dissocier la notion de prospérité de celle de croissance.

Deux facteurs clés doivent être considérés pour faire face à ce défi : le prix du carbone et la volonté politique. Tant que le système économique n'aura pas intégré le prix des émissions de gaz à effet de serre dans le prix des biens et services par une combinaison des taxes et du marché des droits d'émission, personne ne sera incité à implanter des alternatives ou des moyens techniques nécessaires pour maîtriser ou absorber les émissions. Le lent déploiement des installations de captage et stockage du CO_2 en fait une démonstration éloquente.

La volonté politique est nécessaire pour forcer le mouvement, créer de nouvelles conditions de marché, favoriser la recherche et le développement et préparer l'avenir. Même si ces solutions étaient appliquées, il est très peu probable que l'on réussisse à éviter un réchauffement de moins de 2 °C d'ici à la fin du siècle. Alors, il est pertinent de se demander s'il est trop tard.

Références

Association négaWatt, 2012, *Manifeste négaWatt. Réussir la transition énergétique*, Actes Sud, 369 pages.

Boucher, J.F., P. Tremblay, S. Gaboury et C. Villeneuve, « Can Boreal Afforestation Help Offset Incompressible GHG Emissions from Canadian Industries ? », *Process Safety and Environmental Protection*, 90 : 449-456.

Dessureault, P.L., A. Laurent et C. Villeneuve, 2013, *Étude comparative entre l'utilisation de la biomasse forestière et celle du mazout pour la production de chaleur dans la Vallée de la Matapédia*, Chaire en éco-conseil, Réseau biomasse, Matapédia.

Feron, P. et L. Paterson, 2011, « Reducing the Cost of CO_2 Capture and Storage », *CSIRO Research*, 22 pages.

Global CCS Institute, 2012, *The global status of CCS 2012*, 228 pages.

Global CCS Institute, 2013, *The global status of CCS update*, 12 pages.

Jackson, T., 2009, *Prosperity without Growth. The Transition To a Sustainable Economy*, UK Sutainable Development Commission, 136 pages.

McGlashan, N.R., M.H.W. Workman, B. Caldecott et N. Shaw, 2012, *Negative Emission Technologies*, Grantham Institute for Climate Change, briefing paper #8, Imperial College, London, 27 pages.

McLaren, D., 2012, « A Comprehensive Global Assessment of Negative Emissions Technologies », *Process Safety and Environmental Protection*, 90 : 489-500.

Meinshausen M., S.J. Smith, K. Calvin, J.S. Daniel, M.L.T. Kainuma, J.-F. Lamarque, K. Matsumoto, S.A. Montzka, S.C.B. Raper, K. Riahi, A. Thomson, G.J.M. Velders et D.P. P. van Vuuren, 2011, « The RCP Greenhouse Gaz Concentrations and Their Extensions From 1765 To 2300 », *Climatic Change*, 109 : 213-241.

Metz B., O.R. Davidson, H. de Coninck, M. Loos et L. Meyer (Eds.), 2005, *Carbon Dioxyde Capture Ans Storage*, Cambridge University Press, UK.

Metz B., O.R. Davidson, P.R. Bosch, R. Dave et L.A. Meyer (eds), 2007, *Contribution of Working Group III to the Fourth Assessment Report of the Intergovernmental Panel on Climate Change*, Cambridge University Press, UK.

N'Yeurt E.R., D.P. Chynoweth, M.E. Capron, J.R. Stewart et M.A. Hasan, 2012, « Negative Carbon Via Ocean Afforestation », ***Process Safety and Environmental Protection***, **90 :467-474.**

OCDE-FAO,http://www.oecd.org/site/oecd-faoagriculturaloutlook/productiondebiocarburants.htm consulté le 7 avril 2013.

UNEP, 2012, *The Emissions Gap Report 2012*, United Nations Environment Programme, 62 pages.

Villeneuve C. et F. Richard, 2007, *Vivre les changements climatiques. Réagir pour l'avenir*, Éditions MultiMondes, 484 pages.

Villeneuve, C., 2011, « L'électrification des transports au Québec, l'idée est belle, mais la réalité est têtue », p. 69-86, dans, P. Delorme, *L'électrification des transports au Québec, du mythe à la réalité à quelle vitesse ?*, Presses de l'Université du Québec.

Villeneuve, C. (dir.), 2012, *Forêts et humains, une communauté de destins, pièges et opportunités de l'économie verte pour le développement durable*, OIF et UQAC.

Williamson P., D.W.R. Wallace, C.S. Law, P.W. Boyd, Y. Collos, P. Croot, K. Denman, U. Riebesell, T. Shigenobu et C. Vivian, 2012, « Ocean Fertilisation for Geoengineering: A Review of Effectiveness, Environmental Impacts and Emerging Governance », ***Process Safety and Environmental Protection***, **90 : 475-488.**

Conclusion

Est-il trop tard?

En 1889, Panhard et Levassor installaient pour la première fois un moteur à combustion interne de Daimler sur le châssis de leur automobile. En 1913, Henry Ford introduisait le travail à la chaîne pour la production de sa Ford T. En novembre 1954, General Motors construisait sa 50 millionième automobile. Aujourd'hui, il se vend 80 millions de voitures chaque année, c'est-à-dire 7 millions de plus que l'accroissement de la population humaine pendant la même période. Chaque voiture produit de 4 à 10 tonnes de CO_2 par année. Bienvenue dans l'Anthropocène!

Au début de cet ouvrage, nous avons comparé la situation de l'humanité à celle d'un homme qui se jette dans le vide du haut d'un édifice. Même si tout va encore bien au sixième palier, l'atterrissage sera catastrophique s'il n'a pas prévu d'appeler les pompiers pour amortir le choc.

Dans cette analogie, les pompiers représentent à la fois les chercheurs, les ingénieurs et les entreprises qui vont devoir respectivement prédire précisément le lieu, la force et le moment de l'impact, décrire correctement la capacité de résistance de la toile tendue pour recevoir notre optimiste en chute libre, concevoir et construire cet appareil et le faire fonctionner correctement le moment venu. Tout cela ne peut réussir que si on s'y prend assez tôt. Si notre homme attend que son collègue du sixième appelle les pompiers, il y a fort à parier que son aventure finira mal.

Est-il trop tard? Cette question, qui constitue le fil conducteur du présent ouvrage, est légitime. D'ailleurs, plusieurs se la posent, quelques-uns y répondent: « Oui, il est trop tard. » Devant les négociations sur le climat qui piétinent – le rapport GEO 5 qui montre que, sur une centaine des indicateurs suivis, seulement quatre ont montré une amélioration au cours des 20 dernières années –, devant les résultats mitigés du Sommet Rio+20 en 2012, on peut les comprendre. Pour sa part, le Secrétaire général des Nations Unies, Ban Ki Moon[1], fixait à 2015 le moment où il serait trop tard pour « sauver la planète », dans un discours tenu à Monaco, le 2 avril 2013. Soulignant l'augmentation des gaz à effet de serre, la surpêche, la dégradation de la biodiversité et l'incapacité des pays à en venir à un accord contraignant de portée mondiale sur la réduction des émissions, le Secrétaire général pressait les gouvernements à agir. Ce discours alarmiste surprend de la part d'un diplomate international. Plus encore, donner une échéance aussi courte avant qu'il soit trop tard semble téméraire. Dans un autre registre, Maurice Strong, un des concepteurs du terme « développement durable » en 1971 et principal organisateur du Sommet de Rio en 1992, croit pour sa part qu'il n'est pas trop tard, mais presque. Si rien n'est fait, l'humanité ne survivra pas au 21e siècle[2].

D'autres ont déjà jeté la serviette. Pour Harvey Mead, dont les convictions environnementalistes ne sont pas contestables, il n'y a plus rien à faire, sinon attendre le désastre[3]. Même chez les scientifiques, James Hansen, qui a consacré aux changements climatiques sa carrière de chercheur au Jet Propulsion Laboratory de la NASA, estime que la concentration de CO_2 a déjà dépassé le seuil d'interactions dangereuses avec le climat qu'il situe à 385 ppm. Si on brûle tous les carburants fossiles, la planète pourrait même entrer dans un « syndrome vénusien » qui signifierait la fin de la vie sur Terre.

1. Rapporté par Alexandre Shields dans *Le Devoir* du 3 avril 2012.
2. Propos recueillis par Mélanie Loisel, *Le Devoir*, 15 avril 2013.
3. Propos recueillis par Éric Desrosiers, *Le Devoir*, 30-31 mars 2013, page A-6. Harvey Mead a milité dans le monde environnemental au Québec pendant plus de 30 ans. Il a été le fondateur de l'Union québécoise pour la conservation de la nature, sous-ministre adjoint et premier commissaire au développement durable du Québec.

D'autres, enfin, sont optimistes et mettent dans la technologie, l'adaptation et l'action locale tous leurs espoirs. L'humanité a relevé de grands défis. Elle en relèvera encore et nous saurons tirer notre épingle du jeu dans un climat en changement. Mieux, l'économie s'adaptera aux nouvelles conditions de la société et intégrera les actions requises, lorsqu'elles seront nécessaires. Après tout, disent-ils, les prétendues limites et les points de bascule ne sont que des hypothèses. Les conséquences irréversibles sont un épouvantail brandi par les écologistes et elles sont amplifiées par les médias par sensationnalisme.

En conclusion à ce livre, nous allons tenter de répondre à la question: «Est-il trop tard?», à la lumière de l'information rassemblée dans les chapitres précédents. Comme notre démarche est scientifique, il faut poser l'une et l'autre des hypothèses de réponse: «Il est trop tard» et «Il n'est pas trop tard». Choisissons d'abord celle de l'optimiste pour postuler qu'il n'est pas trop tard. Puis, nous critiquerons les faits avec les arguments du pessimiste qui essaiera de démontrer qu'il est malheureusement déjà trop tard. Cela pourrait constituer le scénario d'un film ou le programme d'un colloque contradictoire.

Optimisme *vs* pessimisme

Nous avons vu au premier chapitre que les systèmes complexes, lorsqu'ils sont perturbés au-delà de leur capacité de résilience, peuvent entrer dans un état où ils cessent d'évoluer de manière linéaire. Jusqu'à maintenant, la température moyenne de la planète a évolué de manière assez linéaire avec l'augmentation des gaz à effet de serre dans l'atmosphère. On peut se poser la question du seuil auquel cela ne sera plus vrai. Surtout, on ne peut prédire ce que sera la trajectoire du système lorsque ce seuil sera franchi ni dans quel état il se stabilisera. L'influence de l'humanité sur les conditions d'équilibre planétaire est si grande depuis la révolution industrielle que l'on propose, chez les scientifiques, de nommer une nouvelle époque géologique, l'Anthropocène.

L'optimiste nous fait observer que la température moyenne de surface n'a pas augmenté significativement depuis 1998, malgré une croissance des émissions de 20% pendant la même période et une augmentation de la concentration de CO_2 dans l'atmosphère de plus de 25 parties par million. Il n'y a donc pas de lien direct et automatique entre les températures observées et la composition de l'atmosphère.

« Nous disposons donc encore de temps et de marges de manœuvre pour nous adapter si la tendance devait recommencer à évoluer vers un réchauffement significatif. » En conséquence, les gains associés à la croissance de l'économie mondiale, en particulier pour les pays émergents, sont au bout du compte une bonne chose qui peut se poursuivre de la même manière, jusqu'à nouvel ordre.

Le pessimiste citera le nouvel article de James Hansen et son équipe (2013) qui explore la notion de la sensibilité climatique de la planète. Les auteurs démontrent, à partir de données paléoclimatiques, que cette sensibilité est plus forte que ce qui avait été estimé auparavant. Cela s'explique surtout en raison des mécanismes de rétroaction positive, en particulier l'effet de réchauffement occasionné par le changement d'albédo lié à la fonte des glaces. Le risque est grand que les possibles relâchements massifs de méthane déclenchés par une augmentation de la température globale deviennent incontrôlables.

Invoquant que Vénus a vu son atmosphère se transformer par une série d'événements de rétroaction positive et qu'elle est devenue aujourd'hui composée majoritairement de CO_2, le pessimiste conclura que cela causerait une disparition de la vie sur Terre. Il citera aussi le travail de Levitus et ses collègues qui montre que, malgré le ralentissement de la vitesse de réchauffement observée au cours des 15 dernières années, la chaleur a continué à s'accumuler dans les océans. Il montrera que la surface de la banquise et des glaces pluriannuelles s'est réduite beaucoup plus vite dans les 15 dernières années que ce que les modèles ont prédit.

«Cela s'accélère, en dépit de la relative stabilité de la température moyenne planétaire!» Il invoquera aussi les points de rupture et les effets de seuil qui font que le climat cesse d'évoluer de manière linéaire avec le forçage. Il comparera sans doute la période de relative stabilité actuelle avec celle des années 1940-1970, où les températures moyennes se sont maintenues autour d'une moyenne relativement stable, malgré une forte variabilité, en dépit de l'augmentation des gaz à effet de serre atmosphériques. «Bref, la température de surface n'est pas le seul indicateur qu'il faut regarder si on veut comprendre la gravité de la situation. Le jour où la température de surface va recommencer à monter, elle s'élèvera en flèche et il sera trop tard!»

Dans le deuxième chapitre, il a été démontré que la capacité des simulateurs planétaires à intégrer les différents paramètres qui influencent le climat avait grandement évolué au cours des 20 dernières années. Leur fiabilité s'est aussi considérablement améliorée pour prédire son évolution future. Or, les modèles nous indiquent qu'à moins de prendre de manière immédiate des mesures majeures pour stabiliser et faire décroître nos émissions dans les 30 prochaines années, un réchauffement de plus de 3 °C est à peu près inévitable. Chaque retard nous amène de plus en plus vers un monde à + 4 °C à la fin du siècle.

L'optimiste soulèvera l'argument des inconnues de la science, soulignant que de très nombreuses tuiles des modèles climatiques ont peu ou pas été étudiées sur le terrain. «Notre connaissance des composantes du climat et de leurs interactions est encore perfectible! Il faut plus de science avant de croire aux prévisions des simulateurs. Après tout, plus on avance dans le temps, plus les erreurs potentielles dans les prédictions se multiplient. Les ordinateurs, aussi puissants soient-ils, ne peuvent calculer qu'une partie de la complexité des systèmes naturels. Il faut donc continuer à subventionner l'acquisition de connaissances sur le terrain de manière à être bien certains des conclusions qui nous sont apportées par les calculs informatisés...»

Le pessimiste, après avoir examiné l'évolution des calculateurs et des modèles climatiques, soulignera sans doute que, depuis Arrhénius, tous les calculs d'un doublement de la concentration préindustrielle de CO_2 sont cohérents dans leur prédiction de la magnitude du réchauffement. Il acquiescera sans doute aux lacunes de la connaissance scientifique, mais arguera qu'on ne pourra jamais tout savoir et tout modéliser, que la science du climat a fait des pas de géant depuis les 30 dernières années et que le consensus scientifique n'a fait que se solidifier à mesure que s'accumulaient de nouvelles connaissances. «Les choses pourraient bien être pires, puisque les prévisions des modèles éliminent les résultats extrêmes. Dans les faits, les observations de terrain, particulièrement pour la fonte des glaces et la migration des espèces, montrent que les choses vont plus vite dans la réalité que dans les modèles. Il faut donc sans attendre agir sur la cause du dérèglement climatique, car il est peut-être déjà trop tard. Chaque jour qui passe, chaque tonne d'émissions qui s'ajoute aggrave le problème et l'imminence de la catastrophe!»

Au chapitre 3, nous avons vu que les États remettent chaque année à plus tard la conclusion d'un accord contraignant permettant de contrôler la hausse des émissions, à telle enseigne qu'en 2013 les plus grands pays émetteurs n'ont toujours pas de cibles contraignantes à atteindre. Quant au secteur des entreprises, la plupart demandent simplement qu'on leur fixe des règles du jeu claires, équitables et prévisibles à long terme pour planifier leurs opérations et leurs investissements. Nul ne peut se plaindre en attendant qu'elles cherchent à délocaliser leurs opérations là où les contraintes sont les moins fortes, de manière à satisfaire à la fois des consommateurs qui veulent tout au plus bas prix, et des actionnaires avides de dividendes.

En attendant que les négociations entre les États aboutissent, la lutte contre les changements climatiques est une affaire de bonne volonté. La croissance économique reste le seul indicateur qui compte vraiment et l'adaptation aux fluctuations du marché est la première règle de gestion. Avec un marché du carbone à moins de 3 euros et un MDP à moins de 10 centimes d'euros en avril 2013, on ne peut pas croire que l'incitatif financier à changer les choses soit très motivant.

L'optimiste rappellera la baisse d'intensité carbonique de la production. «Chaque dollar du PIB aujourd'hui occasionne moins d'émissions qu'il y a 20 ans!» Il soulignera aussi que la gestion des problèmes environnementaux à travers la politique internationale n'est pas chose aisée et que les grands émetteurs se sont engagés à atteindre des cibles volontaires dans l'accord de Copenhague. Il insistera sur le fait que l'administration d'accords contraignants, comme le Protocole de Kyoto, implique un énorme effort de la part des pays et amène des coûts importants qui nuisent à la performance économique. «Cela se fait peut-être même au détriment d'autres problèmes plus importants, comme l'approvisionnement en eau potable, l'instruction des enfants et la sécurité alimentaire!» Il affirmera que, tant que le dialogue entre les pays se poursuit, tout progrès, même lent, est un pas dans la bonne direction.

«Les transports en avion pour les conférences internationales émettent plus de gaz à effet de serre que les résultats de ces dernières ne permettent d'en éliminer!», dira *le pessimiste*. Il signalera l'entêtement des parties à camper sur des positions irréconciliables. Il rappellera les sabotages délibérés de compromis politiques depuis 2001 par les États-Unis et leurs alliés. Parmi ses arguments, la croissance accélérée des émissions depuis le début des négociations sur le climat fera office de preuve que la réduction de l'intensité carbonique n'est pas en mesure de régler le problème. Les difficultés du marché du carbone lui serviront à montrer les limites de l'approche économique et la mauvaise foi des acteurs. «Rien de tout cela ne marche. Le type en chute libre agite les bras pour ralentir sa chute. Ça va foirer!»

Dans les premiers chapitres de cet ouvrage, nous avons pu voir comment les rejets de gaz à effet de serre avaient rapidement transformé la composition de l'atmosphère planétaire et entraîné un forçage radiatif supplémentaire. Cela s'est traduit par une augmentation de la température globale de 1 °C depuis un siècle. Les modèles nous prédisent un réchauffement beaucoup plus important d'ici à 2100. Il est peu probable que nous puissions éviter de franchir la limite d'interférences dangereuses avec le climat, posée par hypothèse à 2 °C. On peut blâmer l'inertie du système politique et économique qui tarde à adopter les mesures d'envergure suffisante pour maîtriser la tendance. Le climat planétaire va donc changer et nul ne peut dire jusqu'à quel point, en raison du caractère soudain et inusité de ce phénomène propre à l'Anthropocène. Les conséquences que l'on peut anticiper grâce aux calculs des simulateurs planétaires sont importantes, mais rien ne garantit que le système continuera d'évoluer de façon linéaire. Des signes inquiétants d'accélération sont déjà notables, comme nous l'avons vu au chapitre 4.

Malgré cela, *l'optimiste* indiquera que la capacité des humains à s'adapter leur a permis de traverser de très nombreuses crises. L'histoire de leur évolution biologique et culturelle en témoigne. «Le réchauffement climatique n'en est qu'une autre. Quant aux systèmes naturels, ils subiront des changements, et alors? La ville est devenue l'habitat prépondérant de l'espèce humaine, la nature aura plus de marge de manœuvre pour évoluer à son gré. Au bout du compte, le réchauffement est une bonne chose. Des espaces jadis improductifs dans le Nord seront maintenant suffisamment chauds pour produire de la nourriture et du bois. L'ouverture de voies navigables dans l'Arctique permettra de faciliter le commerce international et l'exploitation de ressources minérales autrefois inaccessibles. Comme l'industrie a intégré des pratiques beaucoup plus sécuritaires pour l'environnement que dans le passé, tout cela se fera sans causer de dommages irréversibles et on pourra développer le tourisme et l'entreprise dans des lieux où cela était autrefois très difficile. Dans un monde plus prospère, doté de ressources énergétiques abondantes, on pourra dessaler l'eau de mer pour favoriser les cultures dans les milieux arides. En plus, les habitants des zones froides verront leur facture de chauffage diminuer!»

Naturellement, *le pessimiste* ne l'entend pas de la même oreille. «L'imminence d'un monde à + 4 °C pose d'immenses risques. La Banque mondiale s'en inquiète et exhorte les pays à ne pas considérer cette alternative. Le rapport Stern nous a mis en garde contre les coûts d'un réchauffement supérieur à 2 °C et de ses impacts sur l'économie mondiale. Il faut voir aussi à quelle vitesse augmentera le niveau de l'océan et quelles seront les conséquences des sécheresses anticipées sur la production alimentaire mondiale. Les forêts brûleront plus vite qu'elles ne repoussent, libérant leur stock de carbone dans l'atmosphère et aggravant le forçage radiatif. Que feront les habitants des zones en déficit hydrique, les habitants des îles? Assisterons-nous à des migrations massives de populations dans un monde de 10 milliards de personnes qui aspirent aux bienfaits de la société industrielle? L'avenir se décline en famines meurtrières, en événements catastrophiques lors des tempêtes. Les pertes en vies humaines seront importantes mais, dans l'histoire humaine, aucune famine n'a réussi à ralentir significativement la croissance des populations. La vie de nos petits-enfants sera misérable!»

«Et que dire de la nature? Les milieux humides asséchés n'abriteront plus la biodiversité qui les caractérisait. Les fleuves connaîtront des étiages records qui rendront l'habitat de reproduction et d'alimentation des poissons inaccessible. Les aires protégées et les réserves naturelles seront désertées des espèces qu'elles abritent puisque les conditions climatiques ne seront plus propices à leur survie. Les poissons d'eau froide vont disparaître de la majeure partie de leur aire de répartition. Dans les océans, l'acidification des eaux de surface va tuer les coraux et les larves de poissons. Les extinctions d'espèces vont s'accélérer comme jamais. La crise sera terrible. L'Anthropocène se terminera avec la sixième extinction de masse de l'histoire planétaire!»

Comme on l'a vu au chapitre 5, il est d'ores et déjà acquis qu'il faudra transformer notre société pour nous adapter à un climat différent à l'avenir, et cela, dès maintenant. Les actions à mettre en œuvre se déclinent dans tous les secteurs. Il faut faire place à cette nouvelle réalité dans nos modes de gestion. Des secteurs aussi fondamentaux que l'agriculture, l'approvisionnement en eau, la gestion forestière, la fourniture énergétique, la planification des villes et la sécurité publique devront être reconfigurés. Surtout, il faudra adapter le système économique mondial pour que le prix du carbone soit pris en considération dans toute l'activité économique. Il faudra que le risque climatique soit pleinement assuré. Un effort de recherche, d'éducation, de formation est absolument nécessaire. L'aide internationale devra aussi trouver de nouveaux moyens pour favoriser l'adaptation des populations les plus vulnérables. Il nous faudra donc nous adapter tant aux conditions du nouveau climat, qu'à l'augmentation générale et implacable du niveau de la mer.

« Je vous l'avais bien dit!, s'exclamera *l'optimiste* en vantant la créativité des humains et la dématérialisation de l'économie qui nous permettent de rêver d'une croissance infinie. Le défi est grand, mais nous en avons relevé d'autres. La productivité de l'agriculture est aujourd'hui beaucoup plus grande qu'il y a 50 ans, il n'y a pas de raison pour que cela ne soit pas encore vrai dans 50 ans. Nous produisons largement assez de nourriture pour satisfaire les besoins de 10 milliards d'habitants. Un peu plus d'efficacité dans la chaîne du producteur au consommateur, quelques modifications de style de vie, un peu plus de végétarisme et le tour est joué! L'eau douce est très mal répartie sur la planète? Qu'à cela ne tienne, nous en ferons le commerce! Des systèmes de prévision et d'avertissement climatique et de bons ouvrages de protection des berges permettront de protéger les populations contre les effets des tempêtes. Nos ingénieurs y veilleront!

Il suffit d'augmenter la superficie d'aires protégées et de les interconnecter. Ainsi, les espèces vont pouvoir migrer à leur guise.

Un marché du carbone mondial sera bientôt mis sur pied, les entreprises du monde entier pourront échanger les réductions d'émissions et les nouvelles technologies propres vont se répandre partout sur la planète! Les compagnies d'assurances vont apprendre à calculer les primes en fonction du risque climatique, ce qui va inciter les gens à prendre de meilleures décisions. Le dialogue entre les investisseurs responsables et les entreprises va amener ces dernières à diminuer à la fois leurs émissions et leur risque climatique. L'adaptation est la solution! L'économie fait flèche de tout bois. S'il devient payant de faire autrement, on fera autrement. S'il y a de la demande, l'offre suivra...»

«Pas si vite! Pour nous adapter, il faudra détruire ce qui reste de forêts tropicales afin de produire des aliments et des carburants, soutiendra *le pessimiste*. Les pertes de biodiversité et de stocks de carbone forestier seront énormes. Les forêts du Nord vont dépérir, les plantations vont être décimées par des insectes envahissants et ne pourront plus jouer leur rôle de puits de carbone!

Il ne sera pas possible de s'adapter à la montée du niveau des océans qui sera trop rapide. Malgré des investissements énormes dans les mesures de protection des milieux humides de grande valeur, des terres agricoles situées au niveau de la mer seront détruites par la salinisation et l'érosion.

Le marché du carbone ne pourra pas se déployer à l'échelle mondiale et permettre de réduire de manière efficace les émissions. La souveraineté des États fait qu'il y aura des pays refuges, sans taxes ni marché, comme il y a des paradis fiscaux! Les assureurs vont se contenter d'augmenter les primes de tout le monde si le risque climatique augmente. Les municipalités n'auront pas les moyens, surtout dans les pays en développement, de modifier leurs infrastructures pour mieux gérer les eaux pluviales! L'investissement responsable représente un trop faible pourcentage du monde financier pour avoir une influence réelle. Ce ne sont pas tous les fonds responsables qui s'occupent d'environnement et leur pouvoir de dialogue avec les multinationales est très limité. De nombreuses entreprises refusent de répondre au Carbon Disclosure Project, et personne ne peut les obliger à le faire.

L'argent n'a pas de morale. Si la communauté internationale n'est même pas capable d'imposer une taxe sur les transactions financières, comment croire qu'elle le pourra sur les émissions de gaz à effet de serre?»

Le chapitre 6 examine les possibilités techniques et les initiatives à mettre en œuvre pour juguler la hausse des concentrations de gaz à effet de serre dans l'atmosphère, de peur d'aggraver encore la situation. Ces techniques se déclinent dans toutes sortes de domaines identifiés par le rapport du groupe 3 du GIEC en 2007, mais les choses ont changé. Depuis ce temps, les émissions et la concentration de gaz à effet de serre dans l'atmosphère ont augmenté trop vite. Si l'on veut limiter l'augmentation de la température à moins de 2°C au 21e siècle, il faudrait déployer des technologies permettant la suppression de toute nouvelle source d'émissions. Il est même devenu nécessaire de mettre en place des technologies dites à émissions négatives, capables d'absorber le CO_2 à faible concentration dans l'atmosphère et de le transférer dans un autre compartiment de l'écosphère où il ne fera pas d'interférence avec le climat.

L'enjeu est fondamental, car les modèles nous montrent que la stabilisation du climat demandera que les émissions globales de l'humanité soient négatives avant 2100. Pour cela, il faudra des investissements massifs et une amélioration générale de l'efficacité des moyens de production existants. Il faudra aussi une mise à l'échelle industrielle de procédés qui sont encore au stade pilote ou même simplement au stade d'idées. L'enjeu de maîtriser le cycle de vie sera important pour ne pas déplacer les émissions d'une étape à l'autre ou d'un pays à l'autre. La transition énergétique devra à la fois faire place à un parc de production qui remplace l'énergie fossile par l'énergie renouvelable et à la maîtrise de la demande permettant de diviser les émissions par quatre dans les pays industrialisés.

«Voilà bien notre meilleur outil d'adaptation, pourrait statuer *l'optimiste*. Depuis le début de la révolution industrielle, les ingénieurs ont résolu toutes sortes de problèmes qui nous apparaissaient insolubles. Avec suffisamment d'argent et avec l'aiguillon du marché du carbone, les industriels vont développer de nouvelles technologies et les diffuser partout dans le monde. Il suffit que les pays industrialisés aident les pays en voie de développement à adopter ces technologies propres et nous pourrons amorcer la baisse des émissions dès 2030.

Le captage et le stockage du carbone sont des techniques utilisées dans l'industrie pétrolière depuis 40 ans. Il suffit de les appliquer à toutes les nouvelles installations, ce qui permettra d'éliminer la contribution des sources fixes d'émissions autour de 2070.

Pour le transport, les biocarburants faits avec des microalgues et de l'éthanol provenant de la cellulose des résidus végétaux vont permettre de réduire les émissions considérablement. Pour le reste, le déploiement de grandes plantations à des fins de séquestration du carbone et de production énergétique va compléter le travail des nouvelles technologies à émissions négatives.

C'est un gros défi, mais on peut y arriver. N'avons-nous pas conquis l'espace et mis le pied sur la Lune avec un degré de sophistication technique beaucoup moins élevé qu'aujourd'hui? Il n'est pas trop tard. On peut y arriver!»

«Les conditions gagnantes pour maîtriser la croissance des émissions et éventuellement les réduire et stabiliser le climat ne sont pas réunies, expliquera *le pessimiste*. Elles se heurtent à un manque de volonté politique, à un manque de préparation technique et à une frilosité économique devant les investissements à faire maintenant pour éviter de payer plus tard.

Le rapport du Groupe 3 du GIEC avait identifié à moins de 100 $ par tonne les moyens de réduire nos émissions suffisamment pour stabiliser le climat sous les 2 °C vers 2050. Au lieu de cela, nous avons défoncé, en 2010, le niveau d'émissions qui était prévu pour 2030. Les projets de captage et de stockage du carbone servent essentiellement à la récupération de pétrole. Plusieurs sont abandonnés devant le trop faible prix du CO_2. Le total des projets envisagés d'ici à 2020 correspond à moins de 1 % des besoins, s'ils sont tous opérationnels à cette date. Mais il n'y en a que 8 en chantier en 2013...

Avec seulement quelques pays représentant 15% des émissions mondiales engagés dans la deuxième phase du Protocole de Kyoto, il y a peu d'espoir que cela change vraiment d'ici à 2020. Aucun accord contraignant ne commencera à s'appliquer avant 2021, si les pays réussissent à s'entendre d'ici là. Et, pour l'heure, les engagements pris par les pays dans l'accord de Copenhague auront un effet insignifiant sur la hausse des émissions en 2020. Quant aux technologies à émissions négatives, la majorité sont couplées avec des systèmes de captage et stockage. À part les plantations d'arbres et le biochar, aucune n'a fait l'objet d'une analyse d'innocuité environnementale et certaines sont carrément farfelues.

Oh misère! Oh malheur! Il est trop tard pour éviter un monde à + 4 °C avant la fin du siècle. Tout est perdu!»

Le fossé s'agrandit

Il est difficile de trancher à savoir qui a raison dans le dialogue imaginé ici. Chacun détient sans doute une part de vérité. Pourtant, chaque jour qui passe sans action, le pessimiste gagne des points. Par exemple, dans son rapport *Bridging the Emission Gap*, le PNUE estime que, pour rejoindre la trajectoire de la stabilisation des émissions, il faudrait supprimer de 8 à 13 milliards de tonnes de CO_2 par année d'ici à 2020, contre 6 à 11 milliards dans le rapport de l'année précédente. La différence entre le plus bas et le plus élevé des chiffres dépend de la manière dont les pays mettent en œuvre leurs engagements pris dans l'accord de Copenhague. Au rythme actuel, en 2020, le fossé à combler sera vraisemblablement de l'ordre de 20 milliards de tonnes de réductions par année, soit la totalité des émissions de la Chine et des États-Unis en 2010. C'est énorme. Faut-il être pessimistes?

Nous avons émis 49 milliards de tonnes de CO_2 équivalent en 2010. Si la tendance actuelle d'augmentation des émissions se poursuit, nous en émettrons 58 milliards de tonnes en 2020. Pour stabiliser le climat à + 2 °C au présent siècle, il ne faudrait pas émettre plus de 37 milliards de tonnes en 2030, 21 en 2050 et continuer de réduire jusqu'à ne plus rien émettre en 2080.

Chaque année qui passe, la cible est plus difficile à atteindre. Les mesures à mettre en œuvre seront de plus en plus coûteuses, la pente sera de plus en plus raide, comme l'indique la figure C.1. Techniquement, il existe actuellement des potentiels identifiés pour réduire, d'ici à 2020, les émissions de l'ordre de 17 milliards de tonnes par rapport au scénario actuel de croissance, tel que le montre la figure C.2. La mise en œuvre de ce potentiel coûterait moins de 100 $ par tonne. Même si ce potentiel n'était réalisé qu'aux deux tiers, nous serions en bonne voie de réussir. Mais 100 $ par tonne, c'est 25 fois plus cher que ce que le marché accepte de payer en 2013, et encore...

Une réduction annuelle de plus de 5% par année est sans doute déjà nécessaire, les données sur les émissions dans le graphique de la figure C.1 datent de 2004. Ils sont déjà obsolètes. N'en retenons que le message. Les chiffres de la figure C.2 sont plus actuels, mais pas moins angoissants.

Il semble que l'inertie du système économique, l'impuissance du secteur politique et l'apathie générale de la société nous amènent à grande vitesse vers une situation intenable. Que nous le voulions ou pas, nous allons franchir les limites que le principe de précaution aurait dû nous inciter à respecter. Est-il trop tard pour faire encore quelque chose? Certainement pas!

FIGURE C.1
Effet du moment de mise en œuvre sur l'effort de réduction

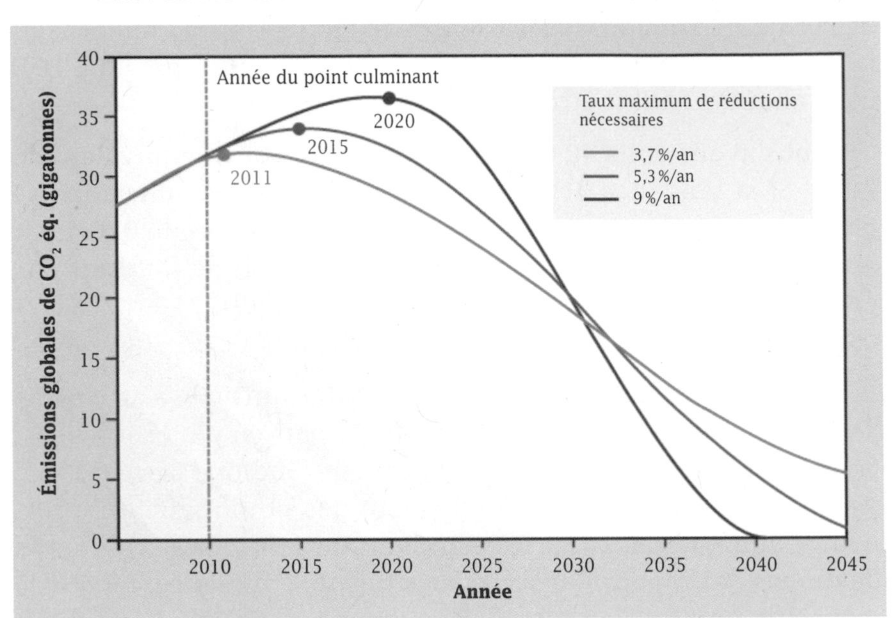

Source: Somerville et Hassol, 2011.

D'abord, nous ne vivons pas dans un système déterministe. Le déterminisme postule que quelque chose est inéluctable par une chaîne de conséquences prédéterminées. Il s'agit d'une vision mécaniste. Or, rien n'est certain, y compris le pire. Tout est possible, même le meilleur. Il faut donc agir pour espérer le meilleur et surtout pour éviter le pire, car ce sont nos enfants et nos petits-enfants qui devront vivre avec. En ce sens, même la formule de Potsdam: «Éviter l'ingérable et gérer l'inévitable» est porteuse d'espoir.

Bien sûr, il faudrait, pour agir efficacement, une combinaison de facteurs qui n'existent pas en 2013. Existeront-ils en 2015? Probablement pas encore. En 2020? Si on s'y met tout de suite avec sérieux et détermination, ce sera certainement possible. Sinon, il faudra encore plus d'efforts et les dommages coûteront eux aussi plus cher à réparer. Mais quelles sont les conditions gagnantes pour réellement avoir une chance de stabiliser le climat?

FIGURE C.2

Potentiel de réduction des émissions par rapport au rythme de croissance actuel d'ici à 2020

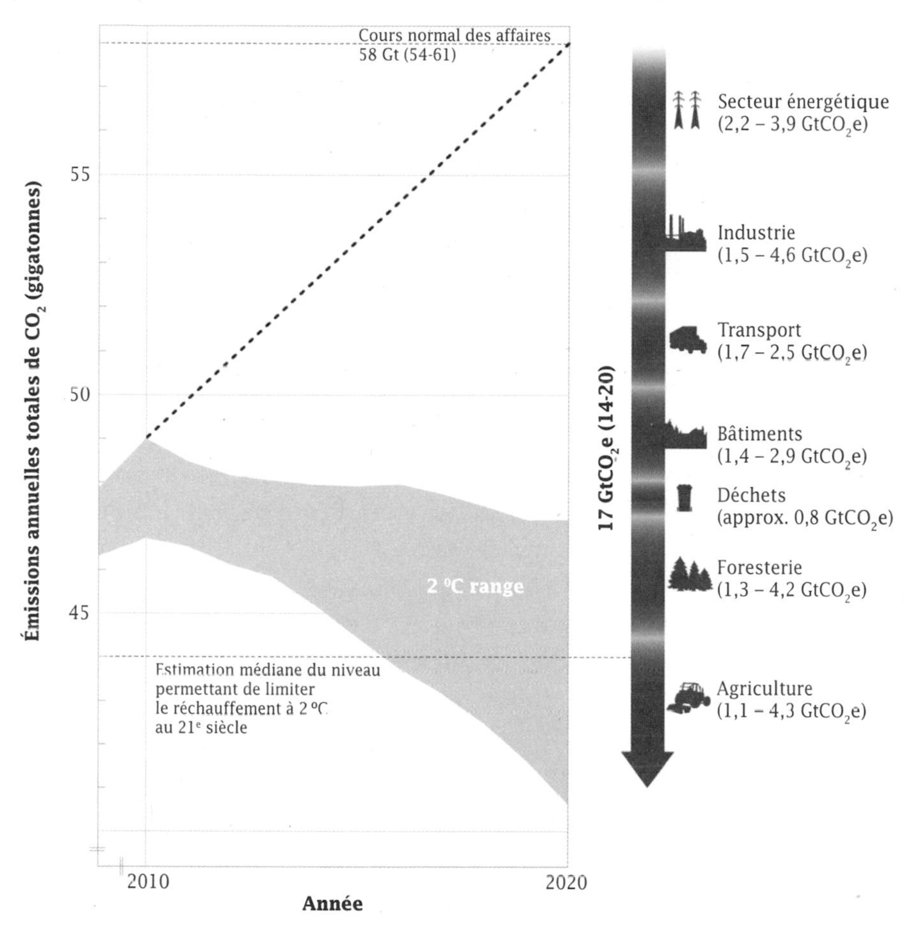

* Basé sur les résultats du rapport *Bridging the Emission Gap 2011*
** Incluant le transport maritime et aérien

Source: PNUE, 2012.

Les conditions gagnantes

La première condition est la mise en œuvre effective d'efforts concrets pour atteindre les objectifs même faibles, de l'accord de Copenhague. Dans la figure C.3, on voit ce que donneraient les émissions en 2020 selon quatre scénarios. Le premier est basé sur l'engagement volontaire et des règles souples. La différence par rapport au scénario de croissance actuel des émissions est d'à peine un milliard de tonnes. Le second reste avec des engagements volontaires, mais des règles strictes. La différence est plus marquée. Dans le troisième scénario, l'engagement est contraignant et les règles souples, comme dans l'actuel Protocole de Kyoto, alors que dans le quatrième, l'engagement est contraignant et les règles strictes, ce qui donnerait un résultat nettement plus intéressant.

Pour cela, il faudrait que les pays rendent leurs engagements de l'accord de Copenhague légalement contraignants à la prochaine Conférence des Parties, à Varsovie, à l'automne 2013. Malgré tout et dans le meilleur des cas, nos émissions seront plus élevées en 2020 qu'elles ne l'étaient en 2010. Mais il faut que « les bottines suivent les babines », comme le veut l'expression populaire, si on veut aller quelque part. Ce serait bien agréable que nos dirigeants tiennent leurs promesses pour une fois. Cela raviverait sûrement l'optimisme. On peut bien recycler chaque petit bout de papier, il faut que quelques grosses choses bougent, pour que les gestes donnent l'impression de prendre le bon bord !

La seconde condition demande une réforme de la façon dont seront faits les inventaires nationaux et dont les cibles seront fixées pour récompenser les réductions réelles de gaz à effet de serre et rétablir un peu plus d'équité. Les choses ont énormément changé en 20 ans, et les catégories[4] de pays établies dans la Convention-cadre sur les changements climatiques et dans le Protocole de Kyoto n'ont plus lieu d'être. Par exemple, la Chine est devenue le

4. Les catégories sont : les pays industrialisés (OCDE + ancien bloc soviétique) dits Annexe 1, et pays en développement (tous les autres) appelés Non-Annexe 1.

FIGURE C.3
Scénarios d'application des engagements de l'accord de Copenhague sur les émissions de 2020

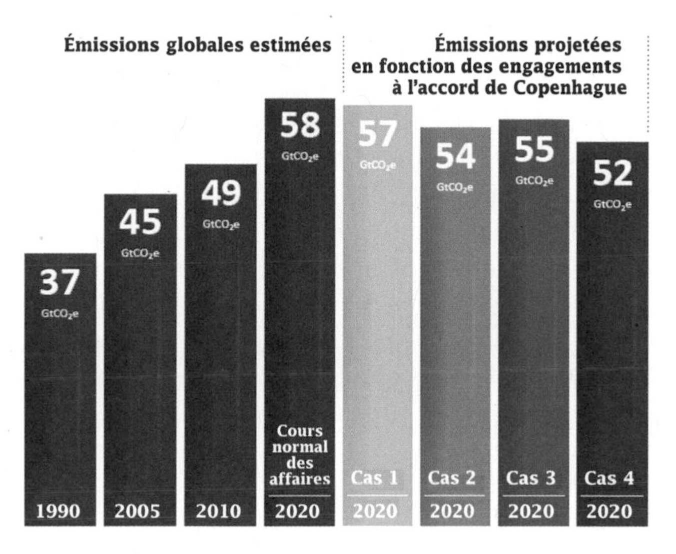

Source : PNUE.

plus grand émetteur mondial en 2008, en même temps que les émissions cumulées des pays en voie de développement dépassaient les émissions des pays de l'Annexe 1. Depuis 1990, l'économie s'est mondialisée et financiarisée. Elle est de plus en plus aux mains d'acteurs transnationaux qui ne répondent pas aux impératifs des pays. Malgré le principe de la responsabilité commune, mais différenciée, est-il encore pertinent de laisser quelque pays que ce soit sans responsabilité pour le futur ?

Pour le moment, il existe de multiples asymétries nuisibles à l'équité dans les négociations sur le climat. C'est le cas entre les pays producteurs de carburants fossiles et ceux qui les consomment sans avoir la charge de leur extraction. Les seconds évitent la production des émissions induites, par exemple le torchage du gaz dans les champs pétroliers, le rejet du CO_2 dans le conditionnement du gaz naturel, etc. qui sont imputées aux premiers, même s'ils ne consomment pas les carburants qu'ils produisent. On peut aussi illustrer le manque d'équité entre les pays d'où on extrait les ressources, les pays à forte industrie lourde et les pays devenus essentiellement consommateurs et tournés vers des activités tertiaires comme la Suisse, Singapour ou le Luxembourg.

Le Canada, par exemple, voit ses émissions fortement augmentées par l'extraction du pétrole des sables bitumineux. Or, le pétrole produit va majoritairement à l'exportation. Les émissions liées à l'extraction devraient suivre. Il en va de même de la production de pâtes et papiers et d'aluminium du Québec qui est essentiellement exportée. Si le calcul des émissions était comptabilisé sur la consommation plutôt que sur la production, la responsabilité serait plus clairement établie et il serait plus avantageux pour les gouvernements de s'attaquer aux bonnes priorités.

Dans le contexte actuel, les fermetures d'usines et les délocalisations d'activités sont assimilées dans les règles d'inventaire à des efforts de réduction d'émissions, alors qu'il s'agit le plus souvent de déplacements d'émissions. Ainsi, la majeure partie des réductions d'émissions enregistrées au Québec au cours des dix dernières années est attribuable à des fermetures d'usines si l'on se réfère au dernier inventaire produit par le gouvernement du Québec (MDDEFP, 2013).

Il faudrait donc apporter des correctifs aux inventaires nationaux en prenant en compte les mouvements d'échanges : exportations et importations de combustibles fossiles, de matières premières, de produits agricoles et de produits manufacturés. Cela permettrait ainsi de mettre en place, le plus rapidement possible, une comptabilité qui attribue les émissions au consommateur final dans une démarche d'empreinte carbone. On inclurait ainsi toute la chaîne d'émissions du secteur primaire (extraction, production agricole, forestière, industrielle, logistique), ainsi que le transport, la fabrication, jusqu'au consommateur final. Cela nécessiterait une transformation profonde et homogène des méthodes d'inventaire, mais le résultat serait plus représentatif et permettrait d'appliquer la troisième et la plus importante des conditions gagnantes: la taxe universelle sur le carbone.

Une taxe carbone?

Comme nous l'avons vu, la manière dont on essaie actuellement de favoriser la réduction d'émissions par des mécanismes de marché pose problème. Une taxe carbone universelle serait un excellent moyen de pallier les lacunes du marché. Joseph Stigliz, Prix Nobel d'économie, déclarait en 2009: «La taxe carbone fait partie des taxes qui font sens: c'est mieux de taxer ce qui est mauvais plutôt que ce qui est bon. Elle a le mérite de faire prendre conscience que la préservation d'une ressource rare comme une atmosphère respirable a un coût. Inciter les ménages et les entreprises à tenir compte de ce qu'ils font subir à l'environnement est un bon point. Mais, pour que ce soit efficace, il faudrait qu'elle devienne universelle[5].» C'est également l'avis de Katheline Schubert, professeur chercheur au Centre d'économie de la Sorbonne et à l'Université de Paris 1 (Schubert, 2009).

Les avantages d'une taxe universelle du carbone sont évidents. Cette taxe permet de favoriser l'innovation, personne ne souhaitant payer plus de taxes. Elle établit un signal de prix clair qu'attendent plusieurs types de solutions pour se mettre en place. Elle sanctionne la responsabilité au-delà des frontières, les pays appliquant une telle taxe étant légitimés d'appliquer une taxe d'ajustement sur leurs importations dans les règles du commerce international si le pays dont provient un bien ne l'applique pas. Enfin, elle procure des revenus aux États pour soutenir la recherche et développement, les programmes d'amélioration d'efficacité énergétique et autres. Surtout, une taxe ou une tarification universelle sur le carbone permettrait d'alimenter le Fonds mondial pour l'adaptation des pays en développement pour lequel on a promis 100 milliards de dollars par année à compter de 2020.

5. Propos recueillis par Laure Noualhat pour *Libération*, mardi, 15 septembre 2009.

Une telle taxe s'appliquerait à la manière d'une taxe à la valeur ajoutée, c'est-à-dire que le consommateur final d'un produit paierait pour le cumul de l'ensemble des émissions du cycle de vie. Cela n'enlève pas la nécessité des mécanismes de marché du carbone permettant de favoriser les émetteurs qui dépassent leurs cibles ni l'approche normative qui permet d'améliorer la performance des appareils. Les pays seraient libres d'appliquer des taxes plus élevées que la taxe universelle pour favoriser l'atteinte d'objectifs cohérents avec leurs politiques intérieures. Les tarifs douaniers permettent d'ajuster le prix des produits importés au tarif national, un peu comme les États déterminent le prix des alcools sur leur marché intérieur.

Ces trois conditions gagnantes sont nécessaires, mais la taxe sur le carbone est déterminante. Sans tarification du carbone, la technologie ne viendra pas à notre secours. Avec une taxe sur le carbone, il est permis d'être optimiste.

Actuellement, les négociations internationales sont bloquées et il y a peu de chances que cela change si on ne remet pas la table autour d'une nouvelle proposition fondamentalement différente de la voie sans issue dans laquelle les pays sont engagés depuis 1992. Sans l'émergence d'un leadership positif dans les négociations du climat, le pessimiste risque d'avoir raison. Nous perdrons toutes nos chances de limiter l'augmentation de la température au-dessous de 2 °C au 21e siècle.

Peut-on encore croire à l'action individuelle?

Le rôle des États et des entreprises a été abondamment discuté jusqu'ici. Mais que penser du rôle des individus, dont les efforts peuvent paraître dérisoires devant l'ampleur du défi climatique? Peut-on encore être optimistes?

Le pessimisme est une attitude défaitiste qui inhibe l'action. À quoi bon faire des efforts alors que tout est perdu? Un de mes amis, chef d'une petite entreprise avait comme maxime, lorsque quelque

Encadré C.1

POURQUOI EST-CE SI DIFFICILE?

Dans un article récent (Schubert 2013), Katheline Schubert présente une analyse très intéressante des raisons qui expliquent les difficultés d'appliquer des mesures concrètes pour régler les problèmes d'environnement. Ses arguments peuvent être résumés comme suit:

- Les coûts sociaux des problèmes environnementaux sont difficiles à chiffrer, donc faciles à contester.
- Les problèmes d'environnement apparaissent à des échelles variées, il est difficile de les gérer à un niveau politique donné.
- Les niveaux de régulation appropriés n'existent pas toujours, ce qui complique la mise en œuvre de politiques adéquates.
- Les politiques environnementales créent des gagnants et des perdants, ce qui limite l'acceptabilité des mesures.
- Lorsqu'un problème a une portée temporelle longue, la tentation de remettre les mesures à plus tard est très forte.
- Il est tentant de penser que le génie humain va trouver des solutions par le progrès technologique lorsque le problème deviendra réellement pressant.

Ce que nous avons vu dans ce livre tend à confirmer cette analyse.

chose allait de travers: «De défaite en défaite, jusqu'à la victoire finale!» On ne pouvait vraiment pas le qualifier de pessimiste!

Selon Diaz et collab. (2012), le climato-pessimisme est pire que le climato-scepticisme. «Largement attisé par des prédictions d'échec des négociations et par l'affichage d'une incapacité à s'inscrire dans la fourchette de réduction recommandée par le GIEC, ce pessimisme est d'autant plus dangereux qu'il alimente la peur et annihile l'action en laissant penser que, de toute façon, il est trop tard pour sauver la situation. En cas de persistance dans cette posture d'attentisme, les dégâts humains et environnementaux seront insupportables et irréversibles. Pourtant, des solutions existent et des acteurs, partout, se mettent en mouvement.»

C'est un peu le message de Ian Arthus-Bertrand dans son film *Home*: «Il est trop tard pour être pessimiste.» Cette séquence du film[6] présente des raisons d'espérer à partir de petites victoires faites par des acteurs de terrain partout dans le monde. C'était aussi l'avis de mon ami Pierre Dansereau, qui affirmait à juste titre que les problèmes causés par les humains ne peuvent être réglés que par les humains. Mais, il ne faut surtout pas oublier que les gouvernements, les municipalités, les entreprises, les syndicats sont dirigés par des humains et, en général, qu'ils travaillent pour le mieux-être des humains.

L'implication des collectivités locales, des entreprises, des associations diverses et de chaque citoyen sera donc tout aussi déterminante que les avancées du processus de négociation et l'engagement des États. Si la politique est l'art du possible, le possible est le fait des gens de terrain. Si personne n'essaie de les appliquer, les idées restent de l'ordre du virtuel et les problèmes demeurent entiers.

La formation, l'information, la compréhension des enjeux, le renforcement des capacités dans les pays en développement seront déterminants dans la suite du processus des négociations climatiques. Plus il y aura de monde impliqué, plus il y aura d'études de cas qui ont réussi, plus la pression politique sera forte, et plus nous aurons de chances de réunir les conditions gagnantes pour relever le défi. Comme nous le disions dans *Vivre les changements climatiques* (Villeneuve et Richard, 2007), parce que le problème est causé par une infinité de gestes insignifiants, chaque geste compte. Ce sont d'abord nos choix individuels qui vont faire évoluer la société. Cela passe par l'exemplarité, l'émulation et le civisme.

Mais le secret pour faire bouger les gens réside aussi dans la communication des enjeux et des solutions. Doit-on alarmer plus encore? Comment engager les gens dans l'action? Dans quelle action?

6. On peut voir cette séquence du film à http://www.youtube.com/watch?v=-vLJ7SReNjg.

Il faut que le maître message soit celui de l'optimisme pragmatique: «Nous avons le pouvoir de régler le problème, même si ce pouvoir est difficile à mobiliser. Plus nous allons attendre pour commencer, plus ce sera dur d'y arriver. Commençons maintenant, nous traverserons le pont quand nous serons arrivés à la rivière.»

L'humanité a connu de nombreuses crises dans son histoire. La plupart de ces crises ont été locales. Quelques-unes, comme les guerres mondiales, la crise économique de 1929 et la dernière crise financière, ont été mondiales. Dans son livre *Effondrement* (2006) Jared Diamond montre comment, dans l'histoire, les sociétés humaines ont réussi ou échoué devant des crises environnementales. Parmi toutes les sociétés qu'il a étudiées, la façon dont les gens ont abordé la question et accepté les changements qui s'imposaient a été déterminante sur leur survie ou leur disparition. Diamond pousse l'application de son modèle à la crise climatique anticipée, ce qui lui permet d'affirmer que nous avons encore le choix.

Vivre le changement

Avez-vous déjà lu Émile Zola? Dans l'histoire des Rougon-Macquart, le 19e siècle est passé de l'âge agricole en 1850 au début de l'ère industrielle en 1890. Les romans traitent des membres d'une même famille sur deux générations et de leurs passions qui ressemblent aux nôtres. Durant cette période charnière de 40 ans qui sépare *La fortune des Rougon* et *La bête humaine*, les humains n'ont pas changé, mais la société, oui! La révolution industrielle aura affecté toute la société, ses rêves et son développement, son économie.

Le défi que nous devons relever d'ici à 2050, en moins de deux générations, sera celui du changement d'une société obsédée par la croissance qui passe d'un état de dépendance presque totale aux carburants fossiles vers une société contrainte de maîtriser son impact environnemental global dans un monde aux ressources matérielles limitées. Les seules choses qui conserveront un potentiel d'infini seront l'imagination et la créativité humaines.

Les changements climatiques ne sont pas qu'une crise environnementale. Il s'agit d'une crise du développement de notre société. Le potentiel des dommages sociaux, économiques et la profonde injustice des répercussions qu'elle peut avoir sur les acteurs sans voix que sont les générations futures et les écosystèmes devrait interpeller aussi le sens moral.

Le système économique mondial peut être comparé à un taureau sauvage. Il se justifie par son existence propre, ses théoriciens néo-libéraux le veulent souverain, nos politiciens le considèrent comme une divinité et la finance refuse par-dessus tout qu'il soit enfermé et contraint. Le problème, c'est que dans une société comme la nôtre, accorder à l'économie la liberté et la primauté, c'est comme lâcher un taureau sauvage dans une foule. Qu'à cela ne tienne! Pour les néolibéraux, les plus lents et les moins chanceux resteront sur le carreau, tous les autres deviendront de meilleurs coureurs. Cela ne tient pas la route. Ce n'est pas le monde que je veux pour mes petits-enfants.

Les écologistes et les altermondialistes voudraient qu'on tue la bête et qu'on utilise l'herbe pour élever des lapins. La mise à mort du taureau devrait se faire de préférence dans un spectacle haut en couleur où chaque banderille sera une victoire sous l'œil avide des médias. Pourtant, malgré que sa liberté cause des problèmes à l'environnement planétaire, nous ne pouvons pas tuer le système économique sans causer un désastre pour l'humanité dans son ensemble.

Il faut donc relever le défi immense de domestiquer le système économique pour utiliser sa force au bénéfice de l'humanité et de l'environnement. Or, le système économique n'est pas désincarné. Il est une simplification des échanges entre les humains entre eux et avec leur environnement. C'est donc sur les appétits des humains, sur leur compréhension du monde, sur leur culture scientifique et technique qu'on peut espérer arriver à changer les choses.

Est-il trop tard?

Pour répondre à la question «Est-il trop tard?», il faut mieux la préciser, car le temps est une dimension à sens unique. Il est donc toujours trop tard pour changer le passé, mais rarement trop tard pour influer sur l'avenir. Le seul instant sur lequel nous avons le contrôle est le présent. Alors notre optimiste en chute libre peut-il être sauvé?

Il est trop tard pour éviter d'atteindre une concentration de gaz à effet de serre de 450 ppm, présumée provoquer des interférences dangereuses avec le climat. En 2014, nous franchirons le cap du 400 ppm pour la moyenne annuelle. Chaque année, d'ici à 2020, la concentration va continuer d'augmenter de 3 à 4 ppm, même si les engagements pris dans l'accord de Copenhague sont réalisés de manière stricte. Cela se continuera au même rythme jusqu'en 2030.

Il est à toutes fins utiles impossible dans l'état actuel de la technologie et du temps de réaction de la communauté internationale et de l'économie mondiale d'infléchir avant 2030 la croissance des émissions. Si les conditions gagnantes ne sont pas réunies, la situation continuera de se détériorer. Il est peu probable que nous puissions absorber plus de gaz à effet de serre que nous en émettons avant 2100. Nous atteindrons donc au 21e siècle plus de 550 ppm. Il reste amplement de carburants fossiles pour aller jusque-là.

Les filières énergétiques thermiques sont bien connues, les centrales ont une durée de vie de 50 ans, les autos et les camions durent 15 ans, les infrastructures pour la production et la distribution de carburants sont universellement déployées et sont sous la responsabilité d'oligarques qui possèdent des leviers de commande mondiaux. Les fabricants d'automobiles n'ont pas encore d'alternative crédible au moteur à combustion interne et l'auto électrique devra prendre son électricité quelque part. Tant que le déploiement massif de l'énergie renouvelable ne sera pas complété et qu'elle n'aura pas réussi à se substituer à l'énergie fossile parce qu'elle est moins chère pour les mêmes usages, les pressions économiques favoriseront l'énergie fossile.

Il faudra donc beaucoup de captage et de stockage du carbone, beaucoup de plantations d'arbres, beaucoup d'enfouissement de biochar pour arriver à la carbo-neutralité planétaire et à un bilan d'émissions négatif, mais il faudra le faire. Il n'est pas trop tard pour commencer.

Il est trop tard pour éviter une augmentation significative du niveau de la mer pendant au moins deux, voire trois siècles. L'accumulation d'énergie dans les océans augmente chaque année, amplifiant la dilatation thermique ; les inlandsis perdent chaque année un volume de glace, transférant de l'eau douce supplémentaire dans les océans. En revanche, il n'est pas trop tard pour prévenir les désastres en faisant une meilleure gestion des zones côtières, en prenant de meilleures mesures de sécurité publique et en améliorant les prévisions météo.

Il est trop tard pour le choix de votre présent véhicule, mais il n'est pas trop tard pour l'utiliser mieux et moins. Il n'est pas trop tard pour en choisir un moins gourmand la prochaine fois. Une consommation réduite de deux litres aux 100 km représente une tonne de CO_2 de moins par année dans l'atmosphère. Pour un milliard d'autos, c'est un milliard de tonnes.

Il est trop tard pour élire le présent gouvernement, mais il n'est pas trop tard pour l'interpeller. Il est temps d'exiger des engagements de ceux qui voudront former le prochain gouvernement. Et s'il ne vous entend pas, il n'est pas trop tard pour le mettre à la porte aux prochaines élections.

Il n'est jamais trop tard pour essayer de mieux faire. Il n'est jamais trop tard pour apprendre. Il n'est jamais trop tard pour s'engager dans l'action collective.

Vivre dans un monde fini?

Dans un rapport préparé pour le 40e anniversaire du Club de Rome, Van Vuuren et Faber (2009) ont analysé les problèmes environnementaux planétaires actuels dans le contexte du rapport

Limites à la croissance que l'organisme avait produit en 1972. Le rapport examine deux scénarios du futur, l'un traitant du cours normal des affaires et le second proposant de relever le défi de changer le cours des tendances actuelles. Il se concentre sur deux secteurs particuliers : l'énergie et les changements climatiques pour le premier et l'alimentation et la biodiversité pour le second. Ce sont les deux principaux enjeux qui nous menacent à court terme, d'ici à la fin du siècle. Le rapport du Club de Rome, en 1972, avait prédit que nous atteindrions les limites à la croissance autour de 2010, comme l'indique la figure C.4. Si nous n'arrivions pas à infléchir les tendances de l'époque, le rapport annonçait un déclin de l'humanité et une dégradation de l'environnement.

FIGURE C.4

Prévisions des limites à la croissance du Club de Rome

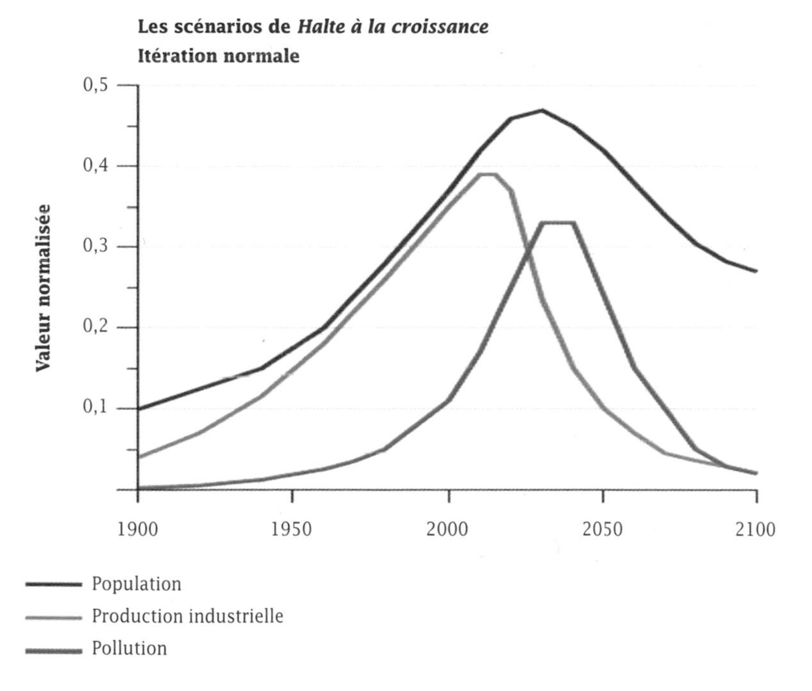

Source : Meadows, 1972, dans Van Vuuren et Faber, 2009.

Constatant la justesse des prédictions du rapport de 1972, particulièrement en ce qui a trait au moment où les limites à la croissance seraient atteintes, les auteurs du rapport de 2009 font tout de même preuve d'optimisme. Ils déduisent de leur analyse que nous disposons aujourd'hui de tous les outils pour faire face au problème de la croissance à l'intérieur de la capacité de support planétaire, à condition de mettre en place tout de suite des actions et des politiques à long terme permettant d'anticiper des résultats même s'ils prendront des décennies à se réaliser. Les politiques doivent être accompagnées de mesures contraignantes et prévisibles, de manière que les règles du jeu soient connues de tous et que cela permette aux acteurs d'agir en conséquence, en toute équité.

Utilisant l'exemple de l'intervention massive des gouvernements pour protéger le secteur financier dans la crise de 2008, les auteurs signalent que cette crise a montré la capacité des gouvernements à se mobiliser et à poser des actions concertées d'envergure mondiale.

La lutte contre les changements climatiques et la perte de biodiversité aura un prix, mais il sera modeste, si on le compare au risque de ne rien faire. Plus encore, il est probable que la reconversion de certains secteurs industriels vers la production d'énergie renouvelable et de technologies plus efficaces permettant de réduire les émissions favoriseront la naissance d'une économie verte qui pourrait bien effacer à terme les coûts du changement.

En bref, la croissance est toujours possible dans un monde dont nous atteignons les limites, mais de façon différente, plus respectueuse de l'environnement et des gens. Le thème de l'économie verte a été l'objet d'énormément de réflexions en préparation de la conférence Rio+20. Même si cette dernière n'a pas eu le succès escompté, la réflexion se poursuit dans plusieurs instances. Il serait temps qu'elle aboutisse sur du concret.

À quoi ressemblera le 21e siècle?

Ce ne sera pas la fin du monde, mais le début d'un monde différent. L'accélération des changements climatiques nous oblige à inventer une nouvelle façon de voir les choses. Il n'est plus désormais possible de penser que le passé est garant de l'avenir et que la poursuite des façons de faire qui ont caractérisé la révolution industrielle est encore la seule voie de l'enrichissement collectif.

Si la tendance actuelle se maintient, l'humanité ne disparaîtra pas, mais son potentiel de développement durable s'en trouvera fortement diminué. Il faudra redoubler d'efforts à mesure que le temps passe. Alors, il faut agir maintenant. Notre projet magnifique sera de faire de l'Athropocène une époque de l'histoire de la planète où il fait bon vivre entre nous et avec la nature.

L'avenir n'est pas écrit. C'est à nous de l'inventer collectivement et de manière responsable. Jusqu'ici, tout va encore assez bien. Quelqu'un a-t-il appelé les pompiers? Après tout, c'est l'atterrissage qui compte!

Références

Diamond, Jared, 2006, *Effondrement, comment les sociétés décident de leur disparition ou de leur survie*, Gallimard.

Diaz, E, P. Radanne, G. Bedoy et M. Chéron, 2012, *Note de décryptage des négociations climat à la veille de la Conférence de Doha*, Organisation internationale de la Francophonie, 95 pages.

Hansen, J., M. Sato, G. Russell et P. Kharecha, 2013 (sous presse), « Climate Sensitivity, Sea Level, and Atmospheric CO_2 », *Phil. Trans. Roy. Soc.*

Levitus, S., E.S. Yarosh, M.M. Zweng, J.I. Antonov, T.P. Boyer, O.K. Baranova, H.E. Garcia et collab., 2012, « World Ocean Heat Content And Thermosteric Sea Level Change (0–2000), 1955–2010 », *Geophysical Research Letters*, m. doi:10.1029/2012GL051106.

MDDEFP, 2013, *Inventaire québécois des émissions de gaz à effet de serre en 2010 et leur évolution depuis 1990*, Gouvernement du Québec, 20 pages.

Schubert, K., 2009, *Pour la taxe carbone*, Éditions Rue d'Ulm, CEPREMAP, École normale supérieure, 90 pages.

Schubert, K., 2013, « Lutter contre les problèmes d'environnement, pourquoi est-ce si difficile ? », *Cahiers Français*, 374, p. 10-15.

Somerville, R.C et S.J Hassol, 2011, « Communicating the Science of Climate Change », *Phys. Today*, 60 (10) pages 48-53.

Van Vuuren R.P. et A. Faber, 2009, *Growing within Limits. A report to the Global Assembly 2009 of the Club de Rome*, Netherlands Environmental Assessment Agency, 128 pages.

Villeneuve, C. et F. Richard, 2007, *Vivre les changements climatiques. Réagir pour l'avenir*, Éditions MultiMondes, 484 pages.

Imprimé sur du papier Enviro Satin 100% postconsommation
traité sans chlore, accrédité ÉcoLogo et fait à partir de biogaz.